Josef Wohlmuth

JESU WEG – UNSER WEG

Josef Wohlmuth

JESU WEG – UNSER WEG

Kleine mystagogische Christologie

echter

Die Deutsche Bibliothek – CIP-Einheitsaufnahme

Wohlmuth, Josef:
Jesu Weg – unser Weg : kleine mystagogische Christologie /
Josef Wohlmuth. – Würzburg : Echter, 1992
ISBN 3-429-01433-6

Mitglied der Verlagsgruppe »engagement«

© 1992 Echter Verlag Würzburg
Umschlag: Ernst Loew
Gesamtherstellung: Echter Würzburg
Fränkische Gesellschaftsdruckerei und Verlag GmbH
ISBN 3-429-01433-6

Inhalt

Vorwort

Das Zeitgefühl unseres ausgehenden Jahrhunderts ist ohne Zweifel ambivalent. Wir werden hin- und hergerissen zwischen Euphorie und Bedrückung, zwischen Sehnsucht und Schuld, zwischen Fortschrittsoptimismus und Enttäuschung. Heute ist es die unerwartete Begebenheit, daß Mauern fallen, morgen ist es die Angst vor der Schlacht aller Schlachten, heute der Freudentaumel der Befreiten, morgen der Aufschrei der Unterdrückten und Rechtlosen. Wir finden uns nicht mehr so eindeutig zurecht. Was gestern noch unumstößlich erschien, gilt heute schon nicht mehr. Die Ambivalenz des Zeitgefühls durchwühlt unser Innerstes. Wir können sie nicht auf verschiedene gesellschaftliche Gruppen oder auf Hemisphären und Landschaften aufteilen. Unser alltägliches Zeitbewußtsein pendelt vielfach zwischen der immer noch raffinierteren Bedürfnisbefriedigung und den Schuldgefühlen, die sich im Blick auf die Nöte und Ungerechtigkeiten der Welt aufdrängen. Bisweilen scheint es, als müßte die Zeit jäh und unerwartet abbrechen und der Tag kommen, an dem alles neu beginnt. Wie lange kann es noch so weitergehen wie bisher? Wohin führt uns die Zeit? Steht uns eine Zeit des Umdenkens auf Menschheitsebene bevor? Gehen wir einer Zeit apokalyptischer Schrecken oder einer Zeit des messianischen Friedens entgegen? Wer wagt da Prognosen angesichts so rasanter Entwicklungen?

Es ist nicht verwunderlich, daß das ambivalente Zeitgefühl auch auf die Gestaltung der christlichen Feste einwirkt. Da sind die einen, die aus den Belastungen der Zeit in die Feste geradezu flüchten. Sie wollen vergessen und sich an einem vermeintlichen Ewigkeitsgefühl erbauen. Die Feste erhalten eine ästhetische Bedeutung, erschöpfen sich aber darin auch. Wichtig ist nur noch eine gewisse Aufladung der Gefühle, sei es auch um den Preis der Regression in die Kindheit, in der man noch an das »Christkind« glaubte. Andere kommen zum Fest und erwarten von der Mitfeier der Liturgie eine tragfähige Stütze auf ihrem Weg durch die Zeit. Sie geben sich mit ästhetischer Schönheit einer vom Alltag entlastenden Liturgie nicht zufrieden. Sie haben vielmehr ein Organ für die ursprüngliche Mystik der christlichen Feste und sind zugleich bereit, dieser Mystik einen zeitentsprechenden Ausdruck zu verleihen. Da sind aber auch die vielen Getauften, die gleichsam nur noch vom Nachhall der christlichen Feste erreicht werden. Sie haben für die einst festlichen Gefühle längst einen säkularen Ersatz gefunden. Um die christlichen Feste hat sich inzwischen eine Urlaubs- und Freizeitkultur gelegt, die von immer weniger Getauften in ihrer Chance, sich für die Mitfeier der Feste am Ort der Erholung Zeit zu geben, wahrgenommen wird.

So wichtig es erscheinen mag, daß eine postchristliche Gesellschaft noch Feste feiert, auch wenn diese sich ihres christlichen Ursprungs bereits entledigt haben, so wenig kann die Theologie achselzuckend beiseitestehen, wenn die christlichen Feste in ihrer ureigensten Mystik verdrängt werden oder gar verlorengehen. Es ist deshalb Zeit, umzudenken, auch im Raum der christlichen Gemeinden. Der »herrschenden Zeit«, die schnell eine Zeit des Krieges werden kann, in der Trümmer auf Trümmer gehäuft werden, wie W. Benjamin in seinen Geschichtsthesen zu bedenken gegeben hat, muß ein Kontrapunkt entgegengestellt werden. Ein Zeitgefühl, das sich so gebärdet, als habe es die Dinge in der Hand, bedarf angesichts der geschichtlichen Katastrophen (zumal unseres Jahrhunderts) der therapeutischen Bearbeitung. Je exakter die Atomuhren ticken und uns suggerieren, daß das Vergangene vergangen bleibt, um so unüberhörbarer wird der Ruf nach echter Zeitgenossenschaft.

Dieser Entwurf einer kleinen mystagogischen Christologie möchte sich um solche Zeit-Genossenschaft bemühen. Er erwächst aus der Überzeugung, daß mit Jesus von Nazareth eine messianisch qualifizierte Zeit begann, die in der Feier der Liturgie – recht verstanden – ihre Aktualität behält. Im Rahmen einer *kleinen* Studie hoffe ich, dies wenigstens an einigen Fragestellungen aufzeigen zu können. Wenn ich mich dabei der Liturgie der Hochfeste einer bestimmten liturgischen Tradition, nämlich der erneuerten Römischen Liturgie, zuwende, so ist dies eine zu beachtende Grenze dieser Arbeit. Eine Ausweitung in die Liturgien der Hochfeste der gesamten Ökumene bleibt ein Desiderat.

Christo*logie* betrifft von der Wortbedeutung her den Versuch, die Rede (griech. »logos«) von Jesus als dem Christus, d. h. dem

Messias Gottes (und der damit gegebenen Heilshoffnungen) zu begründen. Damit tritt in die »Logik« des Messianischen ein Wahrheitsanspruch, der sich dem – auch wissenschaftlichen – Diskurs der Menschheit aussetzt. Würde aber die Christo*logie* nur von der Wahrheitsfrage bestimmt, bestünde die Gefahr, den lebendigen Zugang des Glaubens zur ganz und gar geheimnisvollen und unvergleichlichen Individualität Jesu zu verfehlen. Nicht einmal die Liturgie kann den lebendigen Zugang zu Jesus als dem Christus garantieren. Das Gespräch mit zeitgenössischer Ästhetik und die Besinnung auf das jüdische Erbe, die in dieser Arbeit versucht werden, können aber m. E. dazu beitragen, ein Stück ursprünglicher Lebendigkeit zu entdecken.

Unter den jüdischen Denkern unseres Jahrhunderts hat Franz Rosenzweig in überraschender Weise das Liturgische in seine Überlegungen einbezogen und sich damit deutlich von säkularistischen Zeitinterpretationen abgesetzt. Somit ergibt sich eine eigenartige Parallele zu den Anfängen der liturgischen Bewegung, die in die Liturgiereform des Zweiten Vatikanums mündete.

Die liturgische Gebetstradition, die fast ausschließlich vor den schrecklichen Erfahrungen unseres Jahrhunderts entstanden ist, darf nicht durch Oberflächlichkeit verharmlost oder pastoral »vermarktet« werden. Nur wenn die Feiernden den Ernst der »Sache« genügend vor Augen haben, was ohne erneute geduldige Bemühung nicht möglich sein dürfte, werden die Gemeinden auch zu einer glaubwürdigeren Zeitgenossenschaft finden.

Eine liturgische Ästhetik, die christologisch fundiert sein soll, wird keine denkfeindliche Mystagogik anzielen, die sich kritischer Auseinandersetzung entzieht. Mit Recht hat sich schon I. Kant zu seiner Zeit gegen eine mystagogische Überheblichkeit ausgesprochen, die sich einbildete, immer schon im Mysterium zu leben. Andererseits darf die kritische Auseinandersetzung mit der Liturgie der Kirche auch keinem Rationalismus verfallen, der das Gebet durch das Argument zu ersetzen versucht.

Für meine Überlegungen wird viel davon abhängen, ob es gelingt, durch eine Phänomenologie der Unterbrechung des Zeitkontinuums die liturgische Zeit als *qualifizierte Zeit* zu erweisen. Nur so könnte die in gewisser Weise esoterische Liturgie aus der Erfahrung der qualifizierten Zeit (und ihrer Wahrnehmungsmöglichkeiten) wieder in die Zeit des Alltags zurückführen, um sie in das Geschehen der Verwandlung einzubeziehen. Wer in die christologisch qualifizierte liturgische Zeit im Zyklus der großen Feste hineinreift, sich der Feier der heiligen Mysterien wirklich aussetzt und die großen Themen von Liturgie und Christologie einem wechselseitigen kritischen Dialog unterzieht, wird die Erfahrung einer Zeitgenossenschaft ganz unverwechselbarer Art machen.

Meine Überlegungen möchten das Gespräch zwischen Dogmatik und Liturgiewissenschaft fördern. Wenngleich ich in einigen Punkten den Stand der Dinge in der Liturgiewissenschaft mit großem Gewinn zur Kenntnis genommen habe und mit meinem Bonner Kollegen Albert Gerhards, der freundlicherweise auch das Manuskript las und mich auf wichtige Literatur aufmerksam machte, in regem Austausch stehe, verstehe ich mein Konzept eher erst als ein Angebot zum Gespräch *an* die Liturgiewissenschaft. Es ist noch nicht selbst ein durchgeführter Dialog. Die Begrenzung auf christologische Aspekte kann auch nicht all die fundamentalen Probleme aufgreifen, die Herbert Vorgrimler von dogmatischer Seite aufgeworfen hat. Aber auch schon für die Detailfragen soll niemand eine umfassende Bestandsaufnahme der Literatur oder gar eine erschöpfende Behandlung der Thematik erwarten.

Ohne die liturgische Praxis in verschiedenen Gemeinden in Bonn, ohne den Bonner Psalmenkreis um Hans Rink und ohne das ästhetische Kolloquium um Alex Stock an der Universität zu Köln wäre dieses Buch nicht entstanden. Ich würde mich deshalb freuen, wenn manche Leserinnen und Leser in meinem Gedankengut auch das ihre erkennen könnten. Mag manches Buch die Frucht reiner Schreibtischarbeit sein, dieses ist es bestimmt nicht. Wo der Schreibtisch nicht zu umgehen war, fand ich tatkräftige Unterstützung im Seminar für Dogmatik an der Universität Bonn. Bei der Literaturbeschaffung und beim Korrekturlesen von Manuskripten und Druckfahnen halfen nämlich Frau Hiltrud Herbers, Frau Lydia Koelle, Frau Edith Kürpick, Herr Dr. Erwin Dirscherl und Herr Gerhard Dittscheidt. Ihnen allen sowie dem Lektor des Echter Verlags, Herrn Dr. Markus Knapp, gilt mein Dank.

Bonn, Ostern 1991   *Josef Wohlmuth*

1
Liturgie – Christologie – Ästhetik

Eine Christologie, die nicht beim christologischen Dogma ansetzt, sondern bei der betenden Kirche (ecclesia orans), hat Einspruch zu erwarten. Sind denn die verbindlichen christologischen Aussagen der frühen Kirche nicht gerade deshalb entstanden, weil die anstehenden Streitpunkte der Christologie durch
die betende Kirche allein nicht gelöst werden konnten? Besteht
nicht von Anfang an eine unüberbrückbare Kluft zwischen Chri-
stusglaube und streitbarer Christo*logie*? Könnte ein ausschließlich betender Glaube Streit und Auseinandersetzung (bis hin zur
Gewaltanwendung) verhindern? Oder würde umgekehrt eine
ausschließlich auf die Wahrheitsaussage bedachte Christologie
alle betende Christologie ersetzen? Tut sich also zum »garstigen
Graben«, der Historie und Bekenntnisgegenwart trennt, ein weiterer Graben auf, der auch Glaube und Denken unversöhnlich
gegenüberstellt?

Nach meiner allen weiteren Überlegungen zugrunde liegenden
Überzeugung können weder Historie und Gegenwart noch
Glaube und Denken als unversöhnliche Gegensätze betrachtet
werden. Sie stehen aber sehr wohl in einem unübersehbaren
Spannungsverhältnis, das nicht zuletzt mit allgemeinen Fragen
des menschlichen Erkenntnisvermögens zusammenhängt.
Die Überlegungen dieses Kapitels setzen erkenntnistheoretische
Prämissen voraus, in denen das Grundverhältnis von Erfahrung,
Sprache und Wahrheit zur Debatte steht. In einer ausgearbeiteten Christologie bedürften diese Prämissen natürlich einer ein-
gehenden Begründung. Da ich in meinen Überlegungen aber bei
der Liturgie ansetze und diese als ästhetisches Phänomen verstehe, muß hier zunächst die Feststellung genügen, daß das Verhältnis von liturgischer Erfahrung, Sprache und Wahrheit im
folgenden unter ästhetischen Gesichtspunkten bedacht wird.
Dabei bildet die Sprache der Liturgie eine Brücke zwischen dem
Widerfahrnis bzw. der Wahrnehmung und dem Diskurs. Letzterer konzentriert sich in dieser Studie auf die christologischen

Aspekte der Liturgie. Nach meiner Überzeugung, die ich noch genauer begründen möchte, eröffnet die Liturgie einen Zeit-Raum qualifizierter christologischer Wahrnehmung; sie verleiht deshalb dem Widerfahrnis der Jesus-Begegnung in der Liturgie, der christologischen Sprache der Liturgie und dem daraus hervorgehenden christologischen Diskurs insgesamt eine unverwechselbare ästhetische Qualität.

Wer mit christologischem Interesse an die Liturgie herangeht, muß allerdings mitbedenken, daß der Liturgie zwar unter den diversen Formen ästhetischer Wahrnehmung des Glaubens eine hervorragende Stellung zukommt, daß sie aber nicht die einzige Gestalt der gläubigen Wahrnehmung oder der einzige Ort religiöser Widerfahrnisse überhaupt ist. Daneben gibt es die Wahrnehmungsmöglichkeiten der einzelnen Glaubenden in Gebet und Meditation und noch mehr die in Mt 25,31ff. angesprochenen »Berührungspunkte« mit dem namenlosen Christus im Obdachlosen, Armen oder Gefangenen. Soll die Liturgie nicht zu einem ästhetizistischen Spiel mißraten, müssen diese anderen Wahrnehmungsgestalten ihrerseits eine liturgische Repräsentanz erhalten und dürfen in keiner Weise ausgeblendet oder gegen die Liturgie ausgespielt werden.

Liturgie und Ästhetik

Der hier versuchte christologische Ansatz muß dem Einwand standhalten, daß sich die Liturgie einer christologischen Reflexion versagen könnte. Ist nicht der christologische Diskurs längst über die Liturgie hinausgewachsen? Überliefert nicht eine über Jahrhunderte hinweg ritualisierte Liturgie die versteinertste Gestalt der Christologie? Wie steht es mit dem Problem, ob eine ästhetische Annäherungsweise an die Liturgie dieser überhaupt angemessen ist? Werden hier nicht von vornherein falsche Kategorien an die Liturgie (und damit schließlich auch an die Christologie) herangetragen?

Ehe ich eine erste Umschreibung des Verhältnisses von Liturgie und Ästhetik versuche, möchte ich an zwei Autoritäten erinnern, die etwa zur selben Zeit und unabhängig voneinander der Liturgie eine fundamentale hermeneutische, ja systembildende Bedeutung zusprachen und dabei auch das, was ich liturgische Ästhetik nennen werde, schon intensiv bedachten: *Franz Rosenzweig*[1] und *Romano Guardini*[2]. Interessanterweise leuchtet dabei in je verschiedener Weise für den Juden Rosenzweig und für den Christen Guardini die mystische Dimension der Liturgie auf. Dies ist nicht zuletzt für das jüdisch-christliche Gespräch von heute von Bedeutung.[3] Gerade aber die mystische Dimension der Liturgie verlangt ästhetische Ausdrucks- und Sprachformen, die alles andere als die Technik eines beherrschbaren Ritus darstellen.[4] Wie wir aus dem Bereich der Musikästhetik wissen, genügt keine bloße Druckvorlage einer auch noch so guten Partitur, wenn nicht die entsprechende Musik zum Erklingen kommt und so zu Gehör gebracht wird. Die ästhetische Dimension der Liturgie hat R. Guardini schon zu Beginn der liturgischen Bewegung klar benannt, wenn er die Liturgie als »Kunst gewordenes Leben« bezeichnete (109). Nach ihm darf die Kirche nicht in ihrer Zweckhaftigkeit aufgehen,

---

[1] F. Rosenzweig, Gesammelte Schriften II. Der Stern der Erlösung. Den Haag 1976, bes. 295–464. Ich beziehe mich in meiner Rosenzweiginterpretation vor allem auf St. Mosès, System und Offenbarung. München 1985. Im Werk von E. Levinas sind viele Elemente des Rosenzweigschen Denkens in die Sprache der Phänomenologie übersetzt und weitergedacht worden.
[2] R. Guardini, Vom Geist der Liturgie. Nachwort von Hans Maier. Freiburg 1983 (1917). Ich zitiere nach dieser Neuausgabe.
[3] Vgl. als neueste Frucht dieses Gespräches: H. Heinz/K. Kienzler/J. J. Petuchowski, Hg., Versöhnung in der jüdischen und christlichen Liturgie. Freiburg-Basel-Wien 1990; H. H. Henrix, Hg., Jüdische Liturgie. Freiburg-Basel-Wien 1979; L. Bouyer, Von der jüdischen zur christlichen Liturgie. In: IKaZ 7 (1978) 509–19; J. J. Petuchowski/C. Thoma, Lexikon der jüdisch-christlichen Begegnung. Freiburg-Basel-Wien 1989, 222–32 (Liturgie); K. Richter, Jüdische Wurzeln christlicher Liturgie im Spiegel der neuen Katholischen Liturgiewissenschaft. In: M. Marcus/E. W. Stegemann/E. Zenger, Hg., Israel und die Kirche heute. Freiburg-Basel-Wien 1991, 135–47.
[4] Auch die Liturgiewissenschaft wird mehr und mehr auf diese Zusammenhänge aufmerksam. Vgl. z. B.: A. Gerhards, Te Deum laudamus – Die Marseillaise der Kirche? Ein christlicher Hymnus im Spannungsfeld von Liturgie und Politik. In: LJ 40 (1990) 65–79; M. Kunzler, Liturgie als ästhetische Aufgabe. Romano Guardinis »Liturgische Bildung« als Wegweiser zu einer »Kunst des Vorstehens«. In: ThGl 80 (1990) 253–78 (Lit.); W. Hahne, De arte Celebrandi oder von der Kunst, Gottesdienst zu feiern. Freiburg-Basel-Wien ²1991 (Lit.). Diese respektable Arbeit berührt sich in Fragen der Ästhetik (zumal der Adorno-Interpretation) mit meinen Überlegungen. Probleme sehe ich jedoch in der systematischen Verknüpfung der einzelnen Teile und Fragestellungen. Leider hat E. J. Lengeling in seinem fundamentalen Beitrag Liturgie/Liturgiewissenschaft (NHThG III 26–53) der liturgischen Ästhetik zuwenig Beachtung geschenkt.

vielmehr habe sie ein »in sich sinnvolles, Kunst werdendes Dasein« (112), und die Schönheit der Liturgie sei als eigenständige Größe neben Wahrheit und Gutheit zu sehen. Dennoch sei die Liturgie nicht der Schöngeisterei preiszugeben. Auch ihre Heilsbedeutung wollte Guardini in keiner Weise unterbewertet sehen. Dies sind Aspekte, die bis heute Beachtung verdienen. Es geht um wirkliches Leben, das ins Heil kommt. Dafür steht nach Guardini die Liturgie als ästhetisches Werk des schöpferischen Geistes (vgl. bes.121–23), das qualifiziert genug ist, um dem ästhetischen Diskurs über die Theologie hinaus standzuhalten. Guardini war auch davon überzeugt, daß die Liturgie anderen ästhetischen Phänomenen nicht nachsteht, denn der Glanz der Wahrheit und das Heil der sündenverlorenen Menschheit vereinen sich nach ihm in der Liturgie zu einem »Glanz von höchster Herrlichkeit« (123).

Guardini nahm als philosophisch gebildeter Theologe am Ästhetikdiskurs seiner Zeit teil. Dazu gehörte – mindestens seit Hegel – die Überzeugung, daß Ästhetik nicht mehr in erster Linie Wahrnehmungslehre sei, sondern zur Reflexion der Kunst herangereift ist.[5] »Ästhetik« ist zur Philosophie der Kunst geworden. Der »Gegenstand« der Ästhetik ist also nicht mehr irgendein beliebiges Phänomen, das unsere Sinne affiziert, sondern – sieht man einmal vom Naturschönen ab[6] – ein ganz bestimmtes, durch das menschliche Kunstschaffen hervorgebrachtes Phänomen, das auf seine Weise zu denken gibt.

Guardinis Verständnis der Ästhetik erweist sich deutlich als lebensorientiert – wir würden heute sagen: praxisnahe –, auch wenn er alles andere wollte als eine Nichtbeachtung der Wahrheit, die sich in der Kunst bzw. in der Liturgie offenbart. Die These vom Kunst gewordenen Leben wäre heute durch ein an Th.W. Adorno geschultes ästhetisches Denken von dem Verdacht zu befreien, ein solches Kunstverständnis bedeute ein aus-

---

[5] Vgl. J. Wohlmuth, Schönheit/Herrlichkeit. In: NHThG IV 104–13 (Lit.).
[6] Das Naturschöne spielt in Kants Ästhetik eine ausgezeichnete Rolle. Es wird in der Ästhetischen Theorie Th. W. Adornos geradezu wiederentdeckt und freilich dort mit der Kunstphilosophie so verknüpft, daß die Kunst in ihrem »mimetischen« Charakter immer auch damit zu tun hat, Natur und Geist zur Versöhnung kommen zu lassen. Ich werde zeigen, daß die Liturgie in ihren kunstvollsten Ausdrucksformen durchaus die naturale Rückbindung sucht, ohne den heilshaften Impuls aufzukündigen.

schließliches Plädoyer für eine engagierte Kunst. Denn das Modell der engagierten Kunst – auf die Liturgie übertragen – würde bedeuten, daß die Liturgie für Zwecke eingesetzt werden darf, die ihre ästhetische Gestalt letztlich funktionalisieren. Ich komme darauf später zurück.

Wie ist nun das Verhältnis von Ästhetik und Liturgie näher zu bestimmen? Die erste Antwort ist negativ und klingt vielleicht spitzfindig, ist aber in ihrem abgrenzenden Charakter grundlegend. Sie lautet: Das Verhältnis von Ästhetik und Liturgie ist nicht so zu bestimmen, daß das Ergebnis *eine ästhetische Liturgie* wäre. In einer solchen würde nämlich eine außerliturgische Ästhetik formale und inhaltliche Kriterien vorgeben, die bestimmen, ob Liturgie überhaupt eine ästhetische Dimension hat. Unter solchen Prämissen würde wahrscheinlich bald nur noch das postreligiöse Erbe des Liturgischen zur Debatte stehen. An die Stelle der liturgischen Feier der Passion könnte z. B. die Matthäuspassion im Konzertsaal treten. Dort wird deren ästhetische Qualität bis heute auch von Nichtglaubenden anerkannt. H. Blumenberg hat dies in seinem Werk »Matthäuspassion« eindrücklich gezeigt.[7] Deshalb wähle ich gerade dieses Beispiel. Niemand wird aber behaupten, die Matthäuspassion im Konzertsaal sei eine Liturgie. Eine *ästhetische Liturgie* würde sich ihre Kriterien also von Konzertsaal und Museum vorgeben lassen. Davor muß sich aber eine liturgische Ästhetik, wie ich sie verstehen möchte, gerade schützen.

Die zweite Antwort ist positiv. Das Verhältnis von Ästhetik und Liturgie ist so zu bestimmen, daß das Ergebnis eine *liturgische Ästhetik* ist. Darunter verstehe ich eine Ästhetik, die sich vom Liturgischen her bestimmt, die also ihre Erfahrung, ihre Sprache und ihren Wahrheitsdiskurs aus den liturgischen Phänomenen selbst herleitet. Als von anderen ästhetischen Phänomenen unterscheidbares Phänomen ist die Liturgie ein eigenständiges ästhetisches Gebilde. Als solches bringt sie sich in den ästhetischen Diskurs ein. So deutlich ich dies hervorhebe, so klar muß bleiben: es geht um liturgische *Ästhetik*. Es gibt – bei aller Verschiedenheit – genügend Ähnlichkeiten zwischen dem Phäno-

---

[7] H. Blumenberg, Matthäuspassion. Frankfurt/M. 1988.

men der Liturgie und den Phänomenen der Kunst.[8] Wie sich also eine heutige philosophische Ästhetik der Reflexion der Kunst widmet, so eine liturgische Ästhetik der Reflexion der Liturgie. Wie sich in der philosophischen Ästhetik der Bogen spannt von der Reflexion über Ursprung und Wesen der Kunst, über das Kunstschaffen und das Kunstwerk, über die ästhetische Wahrnehmung bis hin zur Frage nach der Wahrheit der Kunst, so spannt sich auch in der liturgischen Ästhetik ein weiter Bogen mit ganz ähnlichen Fragestellungen.[9] Wie es einer philosophischen Ästhetik gelingen soll, die verschiedenen Kunstwerke in ihrer unverwechselbaren Eigenart (bis hinein in den persongebundenen, idiolektischen Stil) gelten zu lassen, und wie sie darauf achten muß, ihre Provokationen nicht wegzurationalisieren, so hat auch die liturgische Ästhetik die Aufgabe, die Liturgie als Kunstwerk des Geistes und als ständigen »Anstoß« zum gelin-

[8] Bezüglich der Unterscheidung zwischen ästhetischer Liturgie und liturgischer Ästhetik folge ich im Prinzip H. U. v. Balthasar, der immer Wert darauf legte, eine theologische Ästhetik zu schreiben und keine ästhetische Theologie. Sofern Balthasar in der Durchführung seines Ansatzes jedoch von einer Art »philosophia perennis« bezüglich der Ästhetik ausging, unterscheide ich mich von ihm, wenn ich bewußt (und vorrangig) das Gespräch mit einer Ästhetik aufnehme, die nach dem Bruch in der Moderne entstand und nach Auschwitz noch einmal radikalisiert wurde. Der Position von F. Schupp, dessen Arbeit ich nach wie vor für bahnbrechend halte, kann ich nicht in jeder Hinsicht folgen, weil sie m. E. die Sakramente zu einseitig ethisiert und sie somit – ästhetisch gesprochen – in die Richtung der engagierten Kunst abdrängt. Gleichwohl werde ich die ethische Dimension der Liturgie hoffentlich insgesamt nicht unterbewerten. Vgl. F. Schupp, Glaube – Kultur – Symbol. Versuch einer kritischen Theorie sakramentaler Praxis. Düsseldorf 1974. Vgl. auch St.-M. Wittschier, Kreuz, Trinität, Analogie. Trinitarische Ontologie unter dem Leitbild des Kreuzes, dargestellt als ästhetische Theologie. Würzburg 1987. Die respektable Bonner Habilitationsschrift weist – wie der Titel schon andeutet – in die Richtung einer ästhetischen Theologie, die sich von meinem Versuch unterscheidet. Neuerdings hat R. Hoeps auf die Bedeutung des Erhabenen hingewiesen und damit eindrücklich bestätigt, daß das Schöne weder in der biblischen noch in der philosophischen Tradition die Ästhetik allein bestimmt. Vgl. R. Hoeps, Das Gefühl des Erhabenen und die Herrlichkeit Gottes. Studien zur Beziehung von philosophischer und theologischer Ästhetik. Würzburg 1989.
[9] Mögen die Phänomene noch so verschieden sein, so haben sich doch gewisse Standards von Fragen herausgebildet, die sich entweder von den Phänomenen her stellen lassen oder denen sich die Phänomene stellen müssen. Diese Fragen betrafen früher den Bereich des Schönen. Seit den großen Durchbrüchen der Kunst im 19. und 20. Jh. ist aber längst deutlich geworden, daß die Frage nach dem Schönen nicht mehr ausreicht. So ist – vielleicht nicht zufällig – die Frage nach der Wahrheit und nach der Ethik der Kunst wie von selbst in den Vordergrund gerückt.

16

genden Leben in der Nachfolge Jesu herauszustellen. Liturgische Ästhetik wird zur *christologischen* Ästhetik, wenn ihre eigenen christologischen Prämissen und Implikationen aufgezeigt werden. Letzteres setzt sich diese Studie zum Ziel.[10] Eine so verstandene liturgische Ästhetik nimmt die Liturgie als ein Ensemble oder eine Konstellation verschiedener ästhetischer Aspekte wahr, die in der gefeierten Liturgie jeweils ein »*ästhetisches Gebilde*«[11]darstellen. Als gelungene theologische Aufgabe könnte man die liturgische Ästhetik bezeichnen, wenn sie die Phänomenalität der Liturgie immer deutlicher zur Geltung brächte, ihre Eigenart im Vergleich zu anderen ästhetischen Phänomenen herausarbeitete und zugleich die Erfahrung eröffnete, daß ein an die Liturgie gebundener theologischer Wahrheitsdiskurs nicht zum Abschluß kommen kann, und dies nicht die Relativierung der Wahrheitsfrage bedeutet.

Liturgie – Kunstwerk oder Mysterium?

Da kaum bestritten werden kann, daß die Kunst von ihrer Entstehung her engstens an die Religionsgeschichte gebunden ist, seit dem Durchbruch zur Moderne aber ebenso gilt, daß sich die Kunst aus ihren religiösen Bindungen (oder gar Bevormundungen) gelöst hat, erweist sich das Gespräch der theologischen mit der philosophischen Ästhetik an einem Punkt als besonders spannend: Ist die Kunst als Religion im Erbe an die Stelle der Religion getreten, so daß sie sogar deren realpräsentisch geglaubtes Heil von den Kirchen in die Museen mitgenommen hat? Oder ist die Kunst als postreligiöses Phänomen eben *nur* Kunst, die jedes Versprechen, das sie gibt, zugleich auch bricht?

---

[10] Diese Eingrenzung ist sehr zu beachten, weil sie zugleich die Ausblendung vieler Fragen bedeutet, die zweifellos zu einer umfassenden liturgischen Ästhetik gehören. Fragen der Raumgestaltung und der liturgisch bedingten Architektur, Einzelfragen liturgischer Rollen werde ich ebensowenig behandeln wie Fragen der einzelnen liturgischen Gestiken oder des Einbezugs ganz bestimmter Künste in die Liturgie.

[11] Der von Piepmeier u. a. vorgeschlagene Ausdruck erinnert einerseits an »bilden« (= machen), so daß das Werkhafte der Kunst mitschwingt; zugleich erinnert der Ausdruck daran, daß es im Kunstschaffen nicht nur um das Werken mit den Händen geht, sondern die übrigen Kräfte des Menschen, zumal seine »Einbildungskraft«, aber auch sein Geist (wie Adorno betont), eine Rolle spielen. Vgl. für die formalen Kriterien eines ästhetischen Gebildes unten Anm. 15.

Diese Frage will nicht zur Ruhe kommen. Neuerdings zielt
George Steiners Vorstoß dahin, Kunst zwischen Karfreitag und
sonntäglicher Vollendung auf den Samstag als dem Tag der Erwartung anzusiedeln und gegen alle sekundäre Medienwelt deren realpräsentische Dimension zu betonen, wonach die Kunst
die ursprünglichen Anliegen der jüdisch-christlichen Rede von
der Offenbarung des Unfaßbaren, vielleicht auch des Abwe-
send-Messianischen weiterführt.[12] Solange es die Kunst noch
gibt, wäre dies ein Indiz dafür, daß sich die wissenschaftlich-sä-
kulare Welt noch nicht vollends durchgesetzt hat. »Weder am
Tag des Grauens noch am Tag der Freude wird große Kunst geschaffen. Wohl aber am Samstag, wenn das Warten sich teilt in
Erinnerung und Erwartung.«[13] Ohne Zweifel tritt G. Steiners
Betonung der Realpräsenz in Gegensatz zu dem, wie Th. W.
Adorno Kunst verstehen wollte. Wäre die Kunst eine Epiphanie
des Heiligen, die in Zeichen und Symbolen realpräsentisch aufleuchtet, so würde sie mit der Religion dem Verdikt verfallen,
das Heil nur scheinhaft, d.h. gerade nicht wirklichkeitsgestal-
tend zu »vergegenwärtigen«. Adorno wendet sich denn auch gegen eine pseudoreligiöse Auffassung der Kunst. Kunst müsse
schon vom Prinzip her aller Sakralität entraten. Er ist darüber

---

[12] Vgl. G. Steiner, Von realer Gegenwart. Hat unser Sprechen Inhalt? Mit einem
Nachwort von Botho Strauß. München-Wien 1990, bes. 282–303. Nach Steiner
verschwinden bestimmte Dimensionen des schöpferischen Tuns, »wo Gottes Gegenwart keine haltbare Voraussetzung mehr ist und wo Seine Abwesenheit kein
erlebtes, ja überwältigendes Gewicht mehr hat« (299). Deshalb gilt für Steiner
(frei nach Yeats): »kein Mensch kann umfassend lesen, kann verantwortlich auf
das Ästhetische antworten und reagieren, dessen ›Nerven und Blut‹ in skeptischer
Rationalität Frieden finden und sich nun in Immanenz und Verifikation zu
Hause fühlen. Wir müssen lesen, *als ob*« (299).
Auch wenn Kunst und Religion hier engstens zusammengesehen werden, geht E.
Nordhofen (Das Leben der Bilder. In: Die Zeit Nr. 9, 1991, 68) in seiner Interpretation vielleicht doch zu weit, wenn er schreibt: »Kunst hat dieselbe Wurzel
wie die jüdische Aufklärung, die sich im Christentum fortsetzt. Oder noch knap-
per: Kunst und Religion (diese Religion) sind dasselbe... Erst die Leere der Kathedralen füllt die Museen, und schließlich wird auch die Kathedrale zum Museum, das Museum, wie der Name sagt, zum Schauplatz göttlicher Präsenz.
Sakralität wandert, verschwindet aber nicht.« Nordhofen ist der Ansicht, die
These Steiners habe das Format, »das bisher herrschende Adorno-Paradigma in
der Ästhetik aufzuheben«. (Die Rezension von E. Nordhofen bezieht sich vor allem auf H. Belting, Bild und Kult. München 1990. Steiner wird nur beiläufig behandelt). Vgl. bereits zu Steiner: R. Baumgart, Vertrauen ins Fremde. In: Die
Zeit Nr. 45, 1990, 71.
[13] B. Strauß in seinem Nachwort zu G. Steiner (318).

hinaus der Überzeugung, daß die moderne Kunst dem Bilderverbot mehr entspricht als alle (überkommenen) Symbole der Religion. Alle Kunst, die den Anspruch erhebt, die Präsenz des Heiligen darzustellen oder das Heilige gar zu gewähren, würde einen Rückfall auf die Stufe der religiösen Symbolwelt bedeuten. Tritt das Museum also an die Stelle der Kathedrale? Haben die Symbole des Heiligen ihre Relevanz verloren? Übernimmt die Kunst die einstigen Funktionen der Symbole? Man könnte die Frage auch so konkretisieren: Kommt einer Aufführung der Matthäuspassion erst im Konzertsaal ihre eigentliche ästhetische Würde zu, weil sie jetzt erst – herausgelöst aus der Kathedrale – erweisen kann, daß sie als Kunstwerk mehr Sakralität vermittelt als alle Liturgie, in die sie ursprünglich eingebunden war? Oder wird nach dieser Herauslösung ihr Scheincharakter noch offenkundiger? Könnte eine Kunst, die von vorneherein auf alle liturgischen Kontexte verzichtet, nicht dadurch erst ihre wahre ästhetische Wirkkraft entfalten? Ist also die christliche Liturgie nur eine veraltete Form von Kunst, deren Wesen, nämlich angesichts des Heiligen zu verstummen, im Museum von heute eindeutiger zum Ausdruck kommt als in den Kathedralen? Fast mitleidig schreibt E. Nordhofen:

»›Realpräsenz‹, das war einmal ein Terminus, der für das Verständnis der christlichen Messe eine Rolle gespielt hatte.«[14]

Sollte es tatsächlich solche Wesen auch heute noch geben, die beides, Messe und Realpräsenz, ernstnehmen, ohne aus den Kathedralen auszuziehen und ins Museum abzuwandern, um dort das wahre Wesen von Religion *und* Kunst in einem zu finden? Ist die Museumswürdigkeit überhaupt ein Kriterium dafür, ob etwas als Kunst zu gelten hat?[15]

---

[14] Das Leben der Bilder 68.

[15] Schon in einem früheren Beitrag:»Überlegungen zu einer theologischen Ästhetik der Sakramente« (In: W. Baier, u. a., Hg., Weisheit Gottes, Weisheit der Welt II. St. Ottilien 1987, 1109–1128) bin ich auf dieses Problem gestoßen, als ich die formalen Kriterien eines ästhetischen Gebildes nach Piepmeier zu umschreiben versuchte. Es waren die folgenden Elemente: 1. Ein ästhetisches Gebilde verlangt eine bestimmte Geformtheit einer Materialität im weitesten Sinn (bis hin zu einer bestimmten Verwendung der Sprache [wie etwa in der Lyrik Celans], aber eben auch sonstiger Materialien). 2. Im ästhetischen Gebilde ist das Verhältnis von sinnlicher Gestalt und Bedeutung nicht festgelegt, sondern drängt eher auf Regelverletzungen, die dazu beitragen, die Wahrnehmung des Phänomens zu pro-

Ich will hier die These vertreten, daß die christliche Liturgie in den Kathedralen verbleiben kann, ohne daß sie dadurch einen minderen ästhetischen Rang hat als alle übrige Kunst, die vergleichbare Elemente kennt wie die Liturgie. Damit erhebt sich aber zugleich die Frage, welchem Paradigma der philosophischen Reflexion sich eine liturgische Ästhetik anschließen darf, um nicht ihren theologischen Eigenwert zu verlieren. Ich vertrete weiterhin die These, daß die Liturgie sich erst dann als ästhetisches Gebilde in ihrer eigenen Würde behaupten kann, wenn man sie nicht dem Paradigma der sakralen Symbole zuordnet, sondern einem sich davon gerade unterscheidenden Kunstverständnis. Hier scheint mir Adorno weiterhin ein wichtiger Gesprächspartner zu sein. Einige Aspekte seiner Ästhetischen Theorie will ich kurz zur Sprache bringen.

Für Adorno ist Kunst – erstens – ein *paradoxes Phänomen*. In seiner philosophischen Besinnung auf das Kunstwerk entdeckt er nämlich eine Paradoxie – »die ästhetische Paradoxie schlechthin« –, die darin besteht,

---

vozieren. 3. Ästhetische Gebilde sind subjektive Ausdrucksgestalten, gebunden an eine Biographie und somit »idiolektisch«. 4. Das ästhetische Gebilde verlangt im strengen Sinn das Museum, das eine Kunstgemeinde errichtet, die einen Gegenstand nicht mehr als Kultgegenstand, sondern eben als Kunst betrachtet. 5. Das ästhetische Gebilde ist immer nur eine mögliche Ausdrucksgestalt von vielen möglichen. (Ein Bild, ein Musikstück, könnte immer auch anders gestaltet sein.) 6. Das ästhetische Gebilde ist nie eindeutig interpretierbar und verlangt den nicht abschließbaren ästhetischen Diskurs. (Es gibt z. B. nicht die ewig gültige Interpretation eines Musikstückes). Vgl. R. Piepmeier, Zu einer nachästhetischen Philosophie der Kunst. In: W. Oelmüller, Hg., Kolloquium Kunst und Philosophie I. Paderborn 1981, 111–25. Auch hier wird also im vierten Kriterium die Museumswürdigkeit zu einem der maßgeblichen Unterscheidungsmerkmale zwischen Kunst und Religion. Abgesehen davon, daß hier wieder einmal die bildende Kunst als Paradigma steht, wird damit ein Trennungsstrich gezogen, der solange tragbar erscheint, als er nicht Ausschließlichkeit beansprucht. Zur kunstgeschichtlichen Bedeutung des Museums und der damit verbundenen Probleme vgl. R. Hoppe-Sailer, Bild und Ikone. Zur Auseinandersetzung der modernen Kunst mit den Ikonen. In: A. Stock, Hg., Wozu Bilder im Christentum? St. Ottilien 1990, 249–66, hier bes. 249f. Der Museumscharakter beginnt schon damit, daß Gegenstände des alltäglichen Lebens aus ihrem Kontext herausgelöst werden. Dadurch erhalten sie ihren Kunstcharakter und ihre Offenheit, »die gerade die alltägliche Gebundenheit übersteigt und in ganz besonderer Weise den Rezipienten und seine Stellung im Interpretationsprozeß zum Thema macht« (250). Fast könnte man sagen, hier werde die »Unterbrechung« zum Kriterium von Kunst. In dieser Allgemeinheit trifft dann das Kriterium, wie zu zeigen sein wird, auch auf die Liturgie zu, weil sie ohne Zweifel in einem eigenen Zeit-Raum stattfindet.

»wie Machen ein nicht Gemachtes erscheinen lassen (kann); wie, was dem eigenen Begriff nach nicht wahr ist, doch wahr sein (kann)«.[16]

In ihrer Materialität tragen die Kunstwerke noch die Spur einer Beschädigung, die sie gerade revozieren wollten. Für Adorno rührt diese Paradoxie daher, daß dem menschlichen Geist selbst, dem Schöpfer der Werke, eine Dialektik von Schein und Wahrheit innewohnt, die sich in der Kunst niederschlägt. Es geht deshalb der Kunst nicht um eine Nachbildung des Materiell-Sinnlichen, sondern um einen Ausdruck des Geistes. Als Ausdruck des Geistes ist aber Kunst nach Adorno zugleich Ausdruck von Leiden:

»Ausdruck ist das klagende Gesicht der Werke« (170).

Ihre Dingfestigkeit besteht nicht einfach in einer Versinnlichung des Geistes. Vielmehr kann Kunst erst durch die »Konfiguration von Erscheinendem« (135) zum Ausdruck des Geistes werden.[17] Es gehört zur Eigenart der ästhetischen Gebilde, daß der Geist in ihnen nicht aufgeht, daß er die objektive Gestalt, durch die er sich konstituiert, zerbricht. Dies geschieht in einem »Durchbruch«, im »Augenblick der apparition« (137).

Dabei geht Kunst nicht unschuldig durch die Geschichte, weil das ästhetische Gebilde auch nicht einfach Produkt eines unschuldig in der Geschichte stehenden Subjekts ist. Alles ist nach Adorno von Entfremdung gezeichnet, die Kunst ebenso wie das kunstschaffende Subjekt. Gleichwohl ist Kunst am wenigsten darin entfremdet, »daß alles an ihr durch den Geist hindurch-

---

[16] Th. W. Adorno, Ästhetische Theorie. Frankfurt/M. ³1977, 164. Wenn nicht anders angegeben, beziehen sich die Zahlen in Klammern im folgenden Text auf diese Ausgabe.

[17] Der Geist ist nach Adorno nicht in der sinnlichen Erscheinung dingfest zu machen, als verkörpere das Kunstwerk die Idee (wie bei Hegel). Der Geist steht aber auch nicht einfach »unterhalb oder oberhalb der Erscheinung« (135). Vielmehr formt der Geist die Erscheinung wie diese ihn: »Lichtquelle, durch welche das Phänomen erglüht, Phänomen im prägnanten Sinn überhaupt wird. Der Kunst ist ihr Sinnliches nur vergeistigt, gebrochen.« (135f.) Vgl. Ästhetische Theorie 166–71. Nach Adorno erreichen Kunstwerke keine Identität von Wesen und Erscheinung. Ihre Qualität liegt auch nicht in ihrer »Mimesis«, d. h. im Abbilden realer Vorgegebenheiten. Vielmehr gilt: »Ausdrucksvoll ist Kunst, wo aus ihr, subjektiv vermittelt, ein Objektives spricht: Trauer, Energie, Sehnsucht. Ausdruck ist das klagende Gesicht der Werke« (170). Im Kunstwerk kommt deshalb nie *nur* das Subjektive des Künstlers zum Ausdruck, wie Adorno in der Fortsetzung des Zitats ausführt.

ging, vermenschlicht ist ohne Gewalt« (173). Die ästhetischen Gebilde »(schaffen) ein Kontinuum, das ganz Geist ist« (173). Dadurch erhält auch die unidentische Natur eine Chance, nicht zum Vehikel gesellschaftlicher Entfremdung zu werden. Kunst verhindert durch ihre gewaltlose Herrschaft über das Material-Naturhafte dessen schlimmste mögliche Entfremdung (vgl. 173). Zum ästhetischen Gebilde gehört also eindeutig die geistige Durchbildung des Naturhaften. In den Werken zittert – weit über das biographische Subjekt hinaus – die »Urgeschichte der Subjektivität« nach (172). Deshalb kann Adorno schreiben: *»Wo Werke nicht durchgebildet, nicht geformt sind, büßen sie eben jene Expressivität ein, um derentwillen sie sich vor der Arbeit und Anstrengung der Form dispensieren; und die vorgeblich reine Form, die den Ausdruck verleugnet, klappert«* (174). Reine Form, die nicht mehr Ausdruck wäre: dies würde bedeuten, daß in der Kunst das abgründige Leiden nicht zum Ausdruck käme. Die Klapprigkeit eines ästhetischen Gebildes ergäbe sich also gerade aus der Beherrschung des Metiers, wo die Urgeschichte des Subjektes nicht mehr nachwirkt (vgl. 172).

Wenig später umschreibt Adorno den *Rätselcharakter* der Kunst und kommt damit – zweitens – auf einen weiteren Aspekt der Paradoxie, der Kunst und Religion in Adornos Verständnis unterscheidet. »›Wir machen Dinge, von denen wir nicht wissen, was sie sind‹« (174). Die Rätselhaftigkeit, auf der Adorno wiederholt besteht, hängt vor allem damit zusammen, daß in den Kunstwerken keine Transzendenz zugegen ist wie in den Mysterien (vgl. 191f.). Kunst ist ein Phänomen *im Erbe* von Magie und Kult.[18] Geblieben ist jedoch der Verheißungscharakter der Kunst, weshalb ihr Rätsel nicht zuletzt in der Frage besteht, »(ob) die Verheißung Täuschung ist« (193).

Einerseits verliert die Kunst bei Adorno also ihren mysterienhaf-

---

[18] »Das Rätselbild der Kunst ist die Konfiguration von Mimesis und Rationalität. Der Rätselcharakter ist ein Entsprungenes. Kunst bleibt übrig nach dem Verlust dessen an ihr, was einmal magische, dann kultische Funktion ausüben sollte.« (Ästhetische Theorie 192) »Mimesis« (= Nachahmung) ist für Adorno eine Kurzformel für die Verhaftetheit des Kunstwerks in den naturalen Zusammenhängen, die ein Versprechen eines gelingenden Lebens »erinnern«. (Vgl. 198 und öfter) Wenn Kunst ihrerseits ein solches Versprechen darstellt, dann wäre am Ende eine Nachahmungslehre eher umzukehren, meint Adorno: »in einem sublimierten Sinn soll die Realität die Kunstwerke nachahmen« (199f.).

ten Charakter, andererseits kommt dadurch ihr wahreres Gesicht erst zum Vorschein, nämlich ihr Verheißungscharakter. Sofern Adorno unterstellt, daß die Mysterien der Religionen von der Gegenwart der Transzendenz durchherrscht sind, fragt sich, ob er damit auch das Wesen der christlichen Mysterien (Sakramente) trifft; denn ihre Zeitstruktur geht nicht in der Präsenz auf. Die Konsequenzen für die Liturgie werden später noch intensiver zu bedenken sein. Am Verheißungscharakter der Kunst partizipiert Liturgie allemal. Die Begründung wird aber darin über Adorno hinausgehen, daß die Liturgie von der »Urgeschichte der Subjektivität« erzittert, die durch das Subjektsein *Jesu* hindurchgegangen ist und von der Geisteskraft des Gekreuzigt-Auferstandenen durchformt wird.

Ein weiteres wichtiges Problemfeld in Adornos Ästhetischer Theorie ist – drittens – die *Verhältnisbestimmung von Schein und Wahrheit* im Kunstwerk. Kunstwerke können »nie durch unmittelbaren Blick« die Wahrheit als das nicht Gemachte treffen. Das ist ihr Scheincharakter. Aber dem Kunstwerk kommt auch die Fähigkeit der Wahrheitserschließung zu, denn das Kunstwerk ermöglicht als »Schein des Scheinlosen« eine nur ihm eigene Erfahrung:

»Wahrheit hat Kunst als Schein des Scheinlosen. Die Erfahrung der Kunstwerke hat zum Fluchtpunkt, daß ihr Wahrheitsgehalt nicht nichtig sei; ein jedes Kunstwerk und erst recht das der rückhaltlosen Negativität sagt wortlos: non confundar. Ohnmächtig wären Kunstwerke aus bloßer Sehnsucht, obwohl kein stichhaltiges ohne Sehnsucht ist. Wodurch sie jedoch die Sehnsucht transzendieren, das ist die Bedürftigkeit, die als Figur dem geschichtlich Seienden einbeschrieben ist. Indem sie diese Figur nachzeichnen, sind sie nicht nur mehr, als was bloß ist, sondern haben soviel an objektiver Wahrheit, wie das Bedürftige seine Ergänzung und Änderung herbeizieht« (199).

Der komprimierte Text bringt Sehnsucht und Bedürftigkeit korrelativ zueinander. Sehnsucht würde zu einer leeren Sehnsucht, würde sie nicht von unten her durch die Bedürftigkeit unterfangen, die »als Figur« ein*be*schrieben ist. Der mimetische Charakter der Kunst, der hier angesprochen zu werden scheint, besteht im Nachzeichnen der Figur der Bedürftigkeit. Insofern aber »das Bedürftige« über das Faktische hinausgeht, transzendiert

23

auch Kunst die Realität, so daß die Nachahmungslehre umzukehren ist.[19] Die Kunstwerke vermögen nicht zu sagen, daß Wahrheit ist, sondern sie sagen umgekehrt, daß Wahrheit nicht ist. Wahrheit wäre aber nach Adorno, wenn Versöhnung wäre. Diese aber wird durch die empirisch-soziale Wirklichkeit verweigert, so daß Kunst vortäuschen muß, »Versöhnung wäre« (203). Kunstwerke gehören dem universalen Schuld- und Verblendungszusammenhang an und drängen deshalb gerade dort, wo sie gelingen, »zurück ins Schweigen«, ja sind nach S. Beckett »a desecration of silence« (203). Da das ästhetische Gebilde nicht einfach eine Schöpfung des Geistes ist, kann es auf das Materielle nicht verzichten. Gerade die materielle Bedürftigkeit weist aber auf das, was noch werden muß. Die Sehnsucht des Geistes und die Bedürftigkeit des Materiellen fließen im Kunstwerk gewissermaßen zusammen. Insofern sind die Elemente der Kunstwerke schon in der Realität versammelt. Sie müssen nur, »um ein Geringes versetzt, in neue Konstellation treten, um ihre rechte Stelle zu finden« (199). Die Kunstwerke machen der Realität diese Versetzung vor, so daß – wie bereits gesagt wurde – die Realität die Kunstwerke nachahmen muß und nicht umgekehrt die Kunstwerke die Realität nachahmen müssen. (vgl. 199f.) In seinem Wahrheitsgehalt zielt das Kunstwerk deshalb darauf ab, »daß das Nichtseiende sein könnte« (200). Angesichts ihrer Verhaftetheit in den allgemeinen Schuldzusammenhang bleibt die Kunst zwar ein Versprechen, aber eben nur ein gebrochenes. »Kunst ist das Versprechen des Glücks, das gebrochen wird« (205). Um dem Lebendigen aber zur Sprache zu verhelfen, fügt es diesem zugleich Schnitte zu und »gerät in die Schuld des Lebendigen« (217). Kunst kann eben Leiden zum Ausdruck bringen, aber die Versöhnung nicht heraufführen. Andererseits wäre eine Kunst, die »das Leid vergäße, das ihr Ausdruck ist und an

---

[19] An dieser Stelle könnte ein Gespräch mit E. Levinas verdeutlichen, daß Sehnsucht und Bedürftigkeit entweder beide auf Bedürfnisbefriedigung (»besoin«) abzielen oder beide das Verlangen (»désir«) betreffen, das durch keine Befriedigung gestillt werden kann. Wenn die Stelle hier eher nach Bedürfnisbefriedigung klingt, scheint Adorno dort, wo er den Verheißungs- und Wahrheitscharakter der Kunst betont, eindeutig die Sehnsucht, die über alles Bedürfnis hinausgeht, zu meinen. Dann wäre Adornos Bedürftigkeit als der sinnlich-materiale Aspekt der Sehnsucht zu verstehen.

dem Form ihre Substanz hat« (387), nicht mehr wert, als daß sie verschwände.

In ihrer Konkretheit sind Werke ohnmächtig und unterscheiden sich auch diesbezüglich wiederum von den Symbolen der Religionen, »welche Transzendenz der unmittelbaren Gegenwart in der Erscheinung zu haben beanspruchen« (204). Wenngleich »die Wirklichkeit der Kunstwerke für die Möglichkeit des Möglichen (zeugt)« (200), können Kunstwerke nicht in das Versprechen der (einstmaligen) religiösen Symbole eintreten, deren Scheincharakter nach Adorno in Wirklichkeit natürlich die postreligiöse Kunst weit übertrifft. Adorno möchte deshalb auch nicht, daß sich Kunstschaffende wie der Schöpfer gerieren und meinen, ihre ästhetischen Gebilde seien eine »creatio ex nihilo« (vgl. 255; 259). Deshalb müssen die ästhetischen Gebilde nach Adorno auch ihre Zeitgebundenheit zugeben und sich als »sterbliche menschliche Gebilde« verstehen, die um so rascher dem Vergehen ausgesetzt wären, je mehr sie sich dagegen wehrten. (264f.) Dennoch impliziert der Begriff des Kunstwerks nach Adorno auch den des Gelingens. Schlechte Kunst wäre ein Widerspruch in sich (280). Aber »vollkommene Werke« gibt es im strengen Sinn nicht, weil sonst inmitten alles Unversöhnten Versöhnung bereits gelungen sein müßte (283).

Aus dieser kurzen Analyse ergibt sich folgende These: Indem Adorno den religiösen Symbolen unterstellt, daß sie Transzendenz als reale Präsenz vortäuschen, gehören sie für ihn religionsgeschichtlich der Vergangenheit an. Das postreligiöse Bewußtsein hat ihren Scheincharakter durchschaut. Sofern Adorno der Kunst aber ebenso entschieden – als einem postreligiösen Phänomen – jeglichen religiösen Symbolcharakter abspricht, ist die Kunst für ihn nicht eine Religion in anderer Gestalt, sondern eine ästhetische Größe eigener Würde. Ist damit nicht eigentlich schon alles Gespräch mit liturgischer Ästhetik beendet, ehe es begonnen hat?

Liturgie – als Mysterium ein Kunstwerk

Zunächst ist der Widerspruch zu bedenken, den Adorno gegen religiöse Symbole und gegen ein postreligiöses Kunstverständnis erhoben hat, das Kunst als Religion im Erbe verstehen möchte.

Kunst ist klar und deutlich von den Mysterien der Religionen zu trennen, denen eine Präsenz der Transzendenz zugesprochen wurde, die postreligiösen Kunstwerken niemals zugesprochen werden kann. Insofern könnte man sagen, die Kunst sei ein postreligiöses Phänomen, und damit sei die Sache für die Theologie erledigt. Sie steht vor der Wahl, entweder bei einer überholten religiösen Interpretation ihrer Liturgie zu verbleiben und dann jeden Vergleich mit postreligiöser Kunst auszuschließen, oder sie versteht sich selbst als postreligiöses ästhetisches Phänomen und muß dann auf ihren Mysteriencharakter verzichten. Gibt es zwischen dieser klaren Alternative eine Vermittlung?

Ich frage zunächst: Gehört die Liturgie tatsächlich der religiösen Welt der Symbole und Mysterien an, wie Adorno sie versteht und in Gegensatz zur Kunst stellt? Geht die Liturgie im Anspruch auf, die Präsenz der Transzendenz zu »symbolisieren«? Die Antwort auf diese Frage kann jetzt noch nicht gegeben werden. Sie betrifft alle folgenden Analysen, zumal jene, die sich auf die Zeitstruktur der Liturgie beziehen. Wäre die Rede von der Präsenz der Transzendenz der einzige Aspekt der Liturgie und würde darüber hinaus nicht geklärt, was jüdisch-christlich überhaupt unter solcher Präsenz des Heiligen verstanden wird, müßte das Gespräch mit Adorno an dieser Stelle tatsächlich beendet sein. Erscheint etwa nach christlicher Theologie der sonst verborgene Gott in dieser Welt, ohne daß die Erscheinungs*weise* selbst von Belang ist? Müßte man einem letztlich modalistischen Gottesverständnis beipflichten, wonach Gott hinter seinen Erscheinungs*modi* immer noch völlig unerkennbar verschwindet? Dann wäre die Erscheinungsweise der Transzendenz ein bloßes Zugeständnis an sonst Transzendenzblinde. Wie aber, wenn die Erscheinungsweise der Transzendenz diese nicht nur für uns, sondern als sie selbst offenbart? Wäre jedwede Gestaltwerdung der Transzendenz in der Zeit als Mythisierung, d. h. als Schein, den die menschliche Sehweise der Transzendenz abwirft, zu entlarven? Wird die Sehweise der gesellschaftlich verflochtenen Subjekte notwendigerweise die Transzendenz in die Endlichkeit einschließen und somit zum Idol degradieren?

Mir scheint, daß Adorno das Problem der Idolisierung so klar erkannt hat, daß er es aus der Ästhetik überhaupt ausblenden wollte. Die Kunst und ihre Interpretation setzt da erst an, wo dieses Problem ausklammerbar ist, d. h. nach dem Ausbruch der Kunst aus der Religion und in ihrem Durchbruch zur Moderne. Im Grunde wendet Adorno das frühjüdische Bilderverbot schon auf die (von ihm so verstandenen) religiösen Symbole und Mysterien an, um sie dann in ebensolcher Konsequenz für seine Beurteilung der postreligiösen Kunst fruchtbar zu machen.[20]

---

[20] In diesem Punkt trifft sich Adorno zweifellos mit den ästhetik- und bildkritischen Überlegungen von J.-L. Marion, die von E. Levinas inspiriert sind. Vgl. zu E. Levinas meinen kleinen Beitrag in: A. Stock, Hg., Wozu Bilder im Christentum. St. Ottilien 1990, 155–60 (Bild – Sprache – Nähe); zu Marion ebd. 117–35 (Der Prototyp des Bildes). Vgl. schon die früheren Arbeiten: J.-L. Marion, Idol und Bild. In: B. Casper, Hg., Phänomenologie des Idols. Freiburg-München 1981, 107-32; Vgl. Ders. L'Idole et la Distance. Paris 1977. Hier heißt es: »De Dieu (Gott) à l'idole (Götze), il n'y a presque qu'une lettre substituée, la dernière.« (21) Das Idol täuscht den Anbetenden *nicht*. Er darf ruhig wissen, daß die Götterdarstellung aus Holz oder Silber und Gold ist. Der Verehrer weiß, daß der Künstler dem Göttlichen ein Gesicht zu sehen (un visage à voir = »eidōlon«) gab. Der Verehrer ist sich bewußt, daß das Idol nicht identisch mit dem Göttlichen selbst sein kann. Kennzeichen des Idols ist es nach Marion, daß die menschliche Sichtweise des Göttlichen primärer ist als das göttliche Angesicht selbst, das sich zeigen will. Marion geht noch einen erheblichen Schritt weiter, wenn er die Gefahren der Idolisierung nicht nur im Bereich der Ästhetik und der Kunst (wie einst der Religion) am Werk sieht, sondern vielmehr im Bereich der abendländischen Metaphysik. Der »Begriff« bezeichnet mit Hilfe eines Sprachzeichens das, »was der Geist mit ihm zuerst ergriffen hat (concipere, capere); aber ein solches Ergreifen mißt sich nicht so sehr an der Weite des Göttlichen, als vielmehr an der Reichweite einer *capacitas,* die das Göttliche nur in dem Augenblick in diesen oder jenen Begriff fixiert, in dem ein Empfangen des Göttlichen diese *capacitas* erfüllt, sie also befriedigt, sie anhält, sie festmacht. Wenn philosophisches Denken von dem, was es nun ›Gott‹ nennt, einen Begriff ausbildet, dann funktioniert dieser Begriff genau wie ein Idol: ... der Gedanke macht sich fest und es erscheint *der idolatrische Begriff von* ›*Gott*‹, in dem der Gedanke mehr sich selbst als das, was er ›Gott‹ nennt, beurteilt« (119). So ist – nach Feuerbach – das Original eines jeden Idols gar nichts anderes als der Mensch selbst. Feuerbach hat dies bekanntlich nicht nur auf die früheren Religionen und ihre Idole übertragen, sondern zuerst vom Christentum selbst vermutet. Danach wäre auch dessen Gott in Wirklichkeit ein Idol, in dem der Mensch nur seiner selbst ansichtig wird. Nicht mehr, freilich auch nicht weniger. Ja, sogar für den Atheismus rührt das Maß des Begriffes (dessen, was negiert wird) nicht von Gott, sondern vom »Blick« des Menschen her. – In der »Ikone« geht es darum, daß nicht *wir* bei unserem Blick haften bleiben, sondern daß es Bild des Unsichtbaren wird, daß es unseren Blick belehrt, vom Sichtbaren in das Unsichtbare hinüberzusteigen. »Der Blick kann niemals zur Ruhe kommen, wenn er ein Bild betrachtet, sondern er muß gewissermaßen immer wieder vom Sichtbaren abprallen, um in ihm den unendlichen Weg des Unsichtbaren hinaufzusteigen. In diesem Sinne macht das Bild das Unsichtbare nur sichtbar, indem es einen unendlichen Blick hervorruft« (123). Vgl. aus reformierter Sicht zu Marion: J. Ansaldi, Approche doxologique de la Trinité

27

Nun hat aber die christliche Liturgie mit Transzendenz zu tun, jedoch mit einer »erschienenen«, besser gesagt, mit einer fleischgewordenen Transzendenz. Wenn ich deshalb von der Liturgie als einem »ästhetischen Gebilde« spreche, dann bezieht sie sich auf eine »Transzendenz im Fleisch«, in der nach klassischer Christologie von Chalkedon Gottheit und Menschheit als unterschieden-getrennte eine personale Einheit bilden. Solche Transzendenz kann dann aber nicht nur als Erscheinung des Ewigen in der Zeit verstanden werden, sondern betrifft ebenso die Erscheinung des Menschen in der Geschichte, so daß die Liturgie niemals in der Dimension einer Präsenz der Ewigkeit aufgeht, sondern rememoriale und prognostische Dimensionen umschließt. Eine Ästhetik der Erinnerung und eine Ästhetik der Verheißung haben also in der Feier der Liturgie ebenso Raum wie der Aspekt der Aktualität. Gerade aus der Zeitstruktur ergeben sich Berührungspunkte mit Adornos Ästhetik, so daß sein Verdikt gegen das ausschließlich realpräsentisch verstandene Mysterium die Liturgie nicht in jeder Hinsicht treffen kann.[21] Die Frage allerdings, ob und wie eine vorübergegangene Erscheinung der Transzendenz in einem sterblichen Individuum nicht nur den Schein eines sich selbst vergötzenden Privilegs darstellt, sondern einen neuen Zeit-Raum der bleibenden Transzendenzbegegnung trotz des Verblassens seines Vorübergangs eröffnen soll, könnte nur in einer ausgeführten Christologie beantwortet werden.[22]

---

de Dieu. Dialogue avec J.-L. Marion. In: Etudes Théologiques et Religieuses 62 (1987) 81–95.

[21] Den Terminus »Mysterium« verwende ich nach Eph 1,3–14 als Ausdruck für die gesamte Offenbarung. In dieser umfassenden Bedeutung wird er auch in Lumen Gentium 1 zur Grundlegung der Sakramentalität der Kirche verwendet. Vgl. schon O. Casel, Das christliche Kultmysterium. Regensburg ³1948, bes. 21–27; R. Kaczynski, Was heißt »Geheimnisse feiern«? Über den Zusammenhang von Mysterientheologie und Liturgiereform. In: MThZ 38 (1987) 241–55. Ich teile Kaczynskis Kritik bezüglich der Übersetzung von »Mysterium«. Um allerdings dem Begriff »Geheimnis« gerecht zu werden, müßte man mitbedenken, welche Bedeutung er z. B. in Rahners Theologie hat. Vgl. K. Rahner, Über den Begriff des Geheimnisses in der katholischen Theologie. In: Schriften IV (1960) 51–99. Die Sakramente gehören zu den »Mysterien des Reiches der Himmel« (Mt 13,11). In Absetzung von Casel möchte ich sie weder rein kulttheologisch noch rein realpräsentisch verstehen.

[22] Vgl. z. B. – neben den Arbeiten von K. Rahner – als kühnen Prospekt einer heutigen Christologie: W. Pannenberg, Christologie und Theologie. In: Ders., Grundfragen systematischer Theologie. Bd 2. Göttingen 1980, 129–45. Was die Überwindung der Kenosischristologie anlangt, bezweifle ich allerdings, ob Pan-

Als ästhetisches Gebilde gehört die Liturgie der Zeit »post Christum natum« an, ohne daß damit gesagt wäre, alles Vorausliegende sei »überholt«. Die frühjüdische Literatur hat die christliche Liturgie als Altes Testament immer in ihre Leseordnungen einbezogen. Ihr Umfang ist in der letzten Perikopenreform sogar noch erheblich erweitert worden. Wenngleich die Chiffre »post Christum« nicht nur auf Jahreszahlen bezogen wird, wie ich zeigen werde, sondern eine Zeitqualität zum Ausdruck bringt, ist die Liturgie zeitgebunden geblieben und mußte deshalb wiederholt auch der Erneuerung unterzogen werden. Wenn schon Guardini die schöpferische Geisteskraft für die Autorschaft verantwortlich machte, so wollte er damit u. a. auch sagen, daß nicht einzelne schöpferische »Glaubensgenies« für das Gesamtkunstwerk Liturgie verantwortlich gemacht werden können. Gleichwohl gibt es keinen Buchstaben und keine Gestik in der Liturgie, die nicht durch glaubende Subjekte hindurchgegangen wären. Somit muß die Zeitgebundenheit bis hin zu namentlichen Verfasserschaften bestimmter Texte gesehen werden. In diesem Punkt unterscheidet sich eine liturgische Ästhetik nicht von Adornos Rede von der Zeitgebundenheit der Kunst. Auch die Liturgie überlebt am überzeugendsten in den Stücken, die ihre Zeitgebundenheit nicht überspielen und sich doch als gelungen erweisen.

Es trifft aber auch das auf die Liturgie zu, was Adorno vom Kunstwerk bezüglich des dialektischen Verhältnisses von Subjekt und Gesellschaft sagt. Auch das Subjekt des Glaubens ist bereits kirchlich vermittelt und kann nur so ein gewisses Maß von Authentizität erreichen. Auch wenn die liturgische Poesie und das Ensemble ihres ästhetischen Arsenals durchaus als gelungenes Kunstwerk angesehen werden darf, gilt von ihm, daß es nicht schon die vollendete Gestalt der Wahrheit und des Heiles darstellt. Rätsel- und Scheincharakter gehören deshalb nicht nur zur modernen Kunst, sondern auch zur Liturgie, weil sie die vollendete Erlösung nicht einfach heraufzuführen vermag. Liturgie nimmt insofern auch am Versprechenscharakter der Kunst teil. Viele an der Feier der Liturgie Teilnehmende leiden

---

nenberg den richtigen Weg beschreitet. Doch dies bedürfte einer intensiveren Diskussion. Vgl. jetzt dazu W. Pannenberg, Systematische Theologie II, Göttingen 1991, bes. 420–22; 433–40.

daran, daß die Liturgie immer nur im Modus des Versprechens gefeiert werden kann, weil das Eschaton noch aussteht und unsere Liturgie noch eine des Übergangs vom Karfreitag zum Ostersonntag ist. Könnte sie aber nur ein einziges Mal im Modus der Erfüllung gefeiert werden, würde dies ihr Ende bedeuten.[23] Somit ist die Frage, ob die Liturgie angesichts ihres großen Versprechens sogar noch mehr Scheincharakter haben könnte als nach Adorno die Kunst, eine allseits bekannte religionskritische Frage, mit der die Christenheit leben muß.

Zu den Grundanliegen der Ästhetik Adornos gehört die Unterscheidung zwischen Kunst und Engagement. Wer der Kunst abspricht, wie Adorno es tut, daß sie sich als engagierte Kunst verstehen muß, um ihrem Wesen gerecht zu werden, der vertritt nicht notwendigerweise eine Kunsttheorie, die zum »l'art pour l'art« zurückkehrt, als hätte Kunst überhaupt nichts mit Leben und gesellschaftlicher Praxis zu tun. Kunst hat im Gegenteil nach Adorno eine große gesellschaftliche Relevanz, aber es fragt sich, wie sie diese am besten erreicht. An J. P. Sartres und B. Brechts Position im Gegensatz zu F. Kafka und S. Beckett zeigt Adorno, daß nicht-engagierte Kunst ihre gesellschaftliche Wirkung besser erzielt als engagierte.[24] Damit trifft sich Adorno in diesem Punkt mit dem, was auch schon Guardinis Verständnis von Liturgie betraf, daß sie sich nämlich nicht in Zweckhaftigkeit erschöpfen darf, indem sie auf die Erreichung bestimmter

---

[23] Diesbezüglich kann ich also mit G. Steiner und B. Strauß übereinstimmen. Weder das totale Leiden noch die totale Vollendung ist der Ort der Liturgie (wie der Kunst). Liturgie ist ein Phänomen des »transitus«, wie schon F. Schupp (Glaube – Kultur – Symbol) vertreten hat, wenn er vom sakramentalen Symbol als einem »Signum des notwendigen transitus« spricht (287).

[24] Vgl. Th. W. Adorno, Engagement. In: Ders., Noten zur Literatur (III). Frankfurt/M. 1981, 409–30. »Engagierte Kunst im prägnanten Sinn will nicht Maßnahmen, gesetzgeberische Akte, praktische Veranstaltungen herbeiführen ..., sondern auf eine Haltung hinarbeiten...« (412). Es wäre ein völliges Mißverständnis Adornos, wenn man ihm unterstellte, er habe der Kunst keine gesellschaftsverändernde Kraft zugesprochen. Seine These besteht gerade darin, daß die Kunst, je mehr sie auf das Engagement verzichtet, ihrer gesellschaftskritischen Aufgabe gewachsen ist. Dabei fragt Adorno, ob nicht nach Auschwitz jede Kunst – einschließlich Schönbergs »Überlebende von Warschau« das Grauen nur verharmlose, wenn aus den Opfern eine Kunst erwächst, die der Welt dann »zum Fraß vorgeworfen« wird (Engagement 423). Dennoch geht es auch bei Adorno in der Kunst um eine »Anweisung auf die Praxis«, um »die Herstellung richtigen Lebens« (429).

30

Haltungen abzielt. Sobald nämlich die Liturgie »ihre Sache«, d. h. die Wahrheit des Glaubens zur ästhetischen Darstellung bringt, ändert sie viel mehr an Haltungen als durch abgezweckte, auf konkretes Handeln abgestellte Impulse. Die Liturgie zielt in ihrer Gesamtheit auf die Verwandlung des Lebens, so daß es eine Grundorientierung erhält, die durch Einzelappelle zum Engagement überhaupt nicht erreicht werden könnte.[25] Damit komme ich noch einmal zur Ausgangsfrage zurück. Wenn sich die bisher genannten Vergleichsmöglichkeiten auftun, bleibt dann die Liturgie von der postreligiösen Kunst unterscheidbar, ohne daß sie ihren ästhetischen Charakter wieder einbüßen müßte? Im Unterschied zur postmodernen Kunst ist die Liturgie, so möchte ich jetzt sagen, eine *Ästhetik des christlichen Glaubens*. Mit Glaube möchte ich zunächst den Glaubensakt (fides qua) verstehen und damit jene Haltung ansprechen, in der sich das einzelne Glaubenssubjekt und die Gemeinde der Glaubenden als das Subjekt der Liturgie in je verschiedener Weise (die hier nicht differenziert besprochen werden kann) auf die Transzendenz hin öffnen und sich ihr anvertrauen. Der Glaubensvollzug der Subjekte geschieht aber nicht nur auf dem innersten Seelengrund, sondern sucht auch seine Ausdrucksgestalt. Er findet sie in den Vollzugsformen der Glaubensgemeinschaft und ihrer Liturgie. Dadurch erhält aber der Glaube auch bereits eine erste objektivierte Gestalt (fides quae). Viele Texte der Liturgie sind der Ausdruck dafür, aber auch das Ensemble der liturgischen Gestiken und Vollzüge. Umgekehrt kommt der so bereits objektivierte Glaube gleichsam von außen an das Subjekt heran. Der Glaubende begegnet in der Liturgie dem Glaubenszeugnis anderer bzw. der Christenheit der vergangenen Jahrhunderte bis herein in die Gegenwart. Er gibt sich der sinnli-

---

[25] Damit kommen bei Guardini – ähnlich wie später bei Adorno – Logos und Ethos in einen Rangstreit, der – wie mir scheint – bei Guardini aus den Prämissen seines Denkens zugunsten des Logos entschieden wird, während Adorno »die Herstellung richtigen Lebens« (Engagement 429) über alle Wahrheit stellt, ohne daß Adorno seinerseits die Wahrheitsthematik unterschätzt. Vgl. Guardinis Kapitelüberschrift: »Der Primat des Logos über das Ethos« (127). Aber dies heißt eben wiederum nicht, daß die Liturgie konsequenzenlos bleiben dürfte. Man darf sie nur »nicht ohne weiteres zur Tat machen« (130). F. Schupp, der sonst in seiner Arbeit den Impulsen Adornos folgt, interpretiert die Sakramente, wenn ich recht verstehe, vielleicht doch eher in die Richtung einer »engagierten Kunst«.

chen Wahrnehmung preis. Umgekehrt vermag die Liturgie die Sinne so zu öffnen, daß der Glaube in das Herz vordringen kann. Da der Glaube ohne eine Ausdrucksgestalt nicht der Glaube einer Gemeinschaft sein könnte, andererseits aber jede Ausdrucksgestalt des Glaubens den Zugang zur Transzendenz u.U. auch erschweren oder verhindern kann, erhält die Liturgie insgesamt eine der Kunst vergleichbare Schwebegestalt. Sie kann deshalb keinerlei Zwang zum Glauben auferlegen, ihr Versprechenscharakter bleibt ohnmächtig. Auch ein ästhetischer Zugang zu ihr garantiert noch nicht den personalen Glaubensvollzug. Dennoch hat die Liturgie, je mehr sie ihr ureigenstes Anliegen verfolgt, die Chance, als das große ästhetische Angebot der Kirche die einmalige Gestalt Jesu von Nazareth und seines »Erlösungswerkes« (opus redemptionis) so zu »präsentieren«, daß die Glaubenden ihn in seiner Nähe wahr-nehmen, im Glauben in sich aufnehmen und bezeugend weitergeben können. So wird nicht nur das zu verwandelnde Leben in all seinen materialen, biologischen und psychischen Möglichkeiten eines Glaubensvollzuges in die Liturgie Eingang finden müssen. Es darf auch umgekehrt die Erwartung gehegt werden, daß das liturgische Gesamtkunstwerk des Heiligen Geistes eine verwandelnde Kraft in sich trägt. Sie hat nicht die vorfindliche Welt abzubilden, sondern ihr als verwandelnde Kraft gegenüberzutreten wie die gelungene Kunst der gesellschaftlichen Wirklichkeit. Ja, die Liturgie muß sogar ein kritisches Gegenüber der Gemeinde bleiben, auf deren aktualisierende Tätigkeit sie andererseits doch angewiesen ist, wenn sie nicht toter Buchstabe werden soll. So gehört zur ästhetischen Gestalt der Liturgie gerade auch der zu poetischer Sprache und gestischem Ausdruck gewordene Glaube, wobei die feiernde Gemeinde niemals am Nullpunkt beginnt oder der Improvisation ausgeliefert ist.[26]

[26] Adornos Vorbehalt gegen die musikalische Improvisation gegenüber dem Spiel nach Partitur hat sicher auch Bedeutung für die liturgische Praxis. Dies darf aber nicht heißen, daß in der Liturgie jegliche Spontaneität verpönt sein müßte. Zur meist schlechteren Improvisation kommt es vor allem dann, wenn die Rollenbücher nicht mehr genügend Zeitgenossenschaft eröffnen. Leider hat die liturgische Improvisation in jüngster Zeit auch deutlich regressive Züge angenommen, so daß es wirkliche zeitgenössische Kunst schwer hat, im Gottesdienst einen Ort zu finden. Vielleicht gilt dies noch am wenigsten bezüglich des Kirchenbaus von der Architektur. H. Vorgrimlers berechtigtes Plädoyer für eine Liturgie des Volkes,

Wie aber kann die Liturgie als ästhetische Größe dennoch in der Kathedrale verbleiben und einen Zugang zum Mysterium eröffnen? Sie kann es, wenn sie – die Sache Jesu im Auge – sich gleichsam seinem »Händedruck« aussetzt. Mit dieser Metapher vom Händedruck nehme ich Bezug auf eine bedeutende Äußerung P. Celans zu seinem Verständnis von Poesie. Der jüdische Lyriker hat aus dem Widerfahrnis der »Schoa«, die ihm als Zäsur der gesamten Menschheitsgeschichte erschien, die poetologischen Konsequenzen gezogen und in seinem Werk und Leben bis zum Äußersten durchgestanden. Aus der Erfahrung des tiefen Bruches schreibt er in einem Brief an Hans Bender:

»Handwerk – das ist Sache der Hände. Und diese Hände wiederum gehören nur **einem** *Menschen, d. h. einem einmaligen und sterblichen Seelenwesen, das mit seiner Stimme und seiner Stummheit einen Weg sucht.*

Nur wahre Hände schreiben wahre Gedichte. Ich sehe keinen prinzipiellen Unterschied zwischen Händedruck· und Gedicht.«[27]

Ich hoffe, P. Celan an dieser Stelle zitieren zu dürfen, ohne ihn theologisch zu mißbrauchen, wenn ich nun von der *Liturgie als Händedruck* spreche. Wenn dieser Ausdruck berechtigt sein soll, dann müßte hinter dem liturgischen Gesamtwerk eine ebensolche Ehrlichkeit und durch das Leben bezeugte Betroffenheit stehen wie im Werk Celans und seiner (damit unlösbar verbundenen) Biographie tiefster Betroffenheit. Ich werde an der Liturgie der großen Festtage zu zeigen versuchen, daß eine ähnliche Betroffenheit die Liturgie der Kirche noch durchbebt, indem sie Jesus wie durch einen Händedruck mit uns in Berührung bringt. Dies ist das eigentliche Mysterium der Liturgie, die es an den Festgeheimnissen zu verdeutlichen gilt. Es geht dabei weder um

---

die in der amtlichen Liturgie zu kurz kommt, muß von hier aus noch einmal kritisch bedacht werden. Vgl. H. Vorgrimler, Liturgie als Thema der Dogmatik. In: K. Richter, Hg., Liturgie – ein vergessenes Thema der Theologie? Freiburg-Basel-Wien 1986, 113–27, hier: 125–27.

[27] P. Celan, Gesammelte Werke. Bd 3. Frankfurt/M. 1986, 177f. Der Brief Celans bezieht sich auf die Unterstellungen, er habe Plagiate in sein Werk eingeführt. Dies hat Celan nicht zuletzt dadurch zutiefst verletzt, daß er angesichts seiner eigenen Biographie gar nicht anders schreiben *konnte*, als er schrieb. Seine Lyrik könne gar nicht dem Verdacht verfallen, zur »Machenschaft« zu werden wie so manch andere Literatur.

die Präsenz einer versteckten Hinterwelt, die sich über kurz oder lang als Schein entpuppt, noch um die Präsenz einer abstrakten Transzendenz. Nein, es geht um die »memoria« dieses einen Mit-Menschen, in dem die christliche Gemeinde das fleischgewordene Mit-Leid Gottes so erkennt, daß sie im Glauben zu erwarten wagen kann, er werde eschatologisch als der erwiesen werden, als den wir ihn heute glauben. Insofern ist die christliche Liturgie mit ästhetischen Kategorien, die aus der Religionsgeschichte entnommen sind, nicht hinreichend beschreibbar. Diese Eigenart hängt ohne Zweifel mit der Frage zusammen, für wen die christliche Gemeinde Jesus von Nazareth hält.

Liturgie – ästhetische Wahr-nehmung des Glaubens

Mit dem eben Gesagten bin ich schon in die Nähe eines Themas geraten, das es jetzt noch zu vertiefen gilt. Ohne hier einer Rezeptionsästhetik das Wort reden zu wollen, ist doch der ursprüngliche Einsatz der Ästhetik bei einer Wahrnehmungslehre nicht völlig zu vergessen. Nach K. Fiedler gehört es zur Eigenart der Kunst, daß das Kunstwerk nicht nur »etwas« zu sehen oder zu hören gibt, sondern daß es darüber hinaus auch noch die Seh- und Hörfähigkeit, also die sinnliche Kompetenz schärft, so daß die Sinne gerade durch die Kunst zur Aktualisierung ihrer Vermögen kommen. K. Fiedler konnte vom »Menschenrecht der Sinne« sprechen.[28] Man könnte somit im Rahmen einer Ästhetik auch eine Ästhesiologie der Sinne entwickeln.[29]
Da sich die Liturgie – aus einer tiefen Betroffenheit im Glauben – an den leibhaftig-wahrnehmenden Menschen richtet, werden alle, die allzusehr von den modernen Dichotomien – hier Sinnlichkeit, dort Verstand, hier Leib, dort Seele – geprägt sind, nur schwer Zugang zur Liturgie finden. Weder der Verstand kann in der Liturgie stillgestellt noch die Psyche unterdrückt noch die

---

[28] Vgl. zu Fiedlers Position: R. Piepmeier, Die Wirklichkeit der Kunst. In: W. Oelmüller, Hg., Kolloquium Kunst und Philosophie 2. Paderborn u. a. 1982, 103–25, bes. 110–15. Zit. 113.
[29] Der Ausdruck »Ästhesiologie« wird von von H. Plessner verwendet. Vgl. H. Plessner, Anthropologie der Sinne. In: H.-G. Gadamer/P. Vogler, Hg., Neue Anthropologie. Bd 7. Philosophische Anthropologie. Zweiter Teil. München-Stuttgart 1975, 3–63. Vgl. A. R. Sequeira, Gottesdienst als menschliche Ausdruckshandlung. In: Handbuch der Liturgiewissenschaft III 7–39 (Lit.).

Sinnlichkeit ausgeschaltet werden. Ja, die Liturgie trägt selbst dazu bei, daß sich der ganze Mensch öffnet, sei er in seiner sonstigen menschlichen und beruflichen Existenz noch so sehr von Einseitigkeiten geprägt.[30] Die Liturgie umfaßt plastische, akustische und gestische Elemente. Sie transportiert nicht nur – nicht einmal zuerst – logische Inhalte, sondern ermöglicht Widerfahrnisse ästhetischer Art, indem sie den ganzen Menschen, vor allem aber auch den leibhaftig-sinnlichen Menschen »anspricht«. So provoziert sie auf ihre Weise einen Erkenntnisprozeß, der nicht beim abgeschlossenen Wissen endet, sondern immer wieder zur noch intensiveren Wahrnehmung zurückkehren läßt.[31] Adorno geht so weit zu sagen, die ästhetische Erfahrung sei der sexuellen Erfahrung, und zwar in deren Kulmination, ähnlich.[32] Höchste Lebendigkeit und Erstarrung kennzeichnen nämlich nach Adorno die ästhetische Erfahrung. Damit kommt ein ekstatisch-libidinöser Zug in Adornos ästhetische Erfahrung, der zur Auseinandersetzung reizt. Adorno spricht vom »geliebten Bild«, das sich in der sexuellen Kulmination verändert. Hier frage ich aber: Wandelt sich das Bild, das ich mir vom Anderen mache, oder erstarrt der/die Geliebte selbst zum Lebendigsten? Warum wird dann aber vom Subjekt der Erfahrung hier nicht gesprochen? Erstarrt auch dieses in höchster Lebendigkeit? Ist hier ein höchster Grad der Bedürfnisbefriedigung erreicht oder ereignet sich das Widerfahrnis eines unstillbaren Verlangens? Für das ästhetik-kritische jüdische Denken von E. Levinas ist das Erotische »das Zweideutige schlechthin«.[33] Gegen Freud gibt er zu bedenken,

---

[30] An diesem Punkt treffe ich mich mit fundamentalen Anliegen E. Drewermanns, auch wenn ich dafür eintrete, daß die Liturgie – wie sie sich schon nicht im Ästhetischen erschöpft – nicht auf das Psychologisch-Therapeutische abgezweckt werden darf. Es steht aber außer Zweifel, daß die Liturgie, wie ich sie zu verstehen versuche, ihrerseits alles andere als psychologisch und therapeutisch belanglos ist.

[31] »Kunst ist, nicht genetisch, aber ihrer Beschaffenheit nach, das drastischeste Argument gegen die erkenntistheoretische Trennung von Sinnlichkeit und Verstand.« (Ästhetische Theorie 260).

[32] »Wie in dieser das geliebte Bild sich verändert, wie darin Erstarrung mit dem Lebendigsten sich vereint, ist gleichsam das leibhafte Urbild ästhetischer Erfahrung.« (Ästhetische Theorie 263).

[33] E. Levinas, Totalität und Unendlichkeit. Freiburg–München 1987, 372.

35

»daß das Subjekt kraft der Sexualität in Beziehung tritt mit dem, was absolut anders ist...; und daß dennoch diese Beziehung nichts Ekstatisches hat, da das Pathos der Wollust aus ihrer Dualität besteht« (404). Weder Wissen noch Können sei die Sexualität, sondern »die eigentliche Pluralität unserer Existenz« (405). Die Transzendenz aber ereignet sich nach Levinas in der Fruchtbarkeit. Ohne diesen vielschichtigen Terminus hier zu diskutieren, zeigt sich aber, daß der Inbegriff der Sexualität nicht die Erstarrung in höchster Lebendigkeit ist, sondern das neu entstehende Leben. Sexualität im Verständnis von Levinas sprengt die Welt der Bedürfnisbefriedigung und eröffnet die wahre Transzendenz, die sich in Güte schenkt.

Das andere, noch grundlegendere Paradigma für das Widerfahrnis von Transzendenz in der Begegnung ist für Levinas der nicht ausgesuchte Andere, der nicht erwartete Fremde, der mich zum Teilen herausfordert. Deshalb ist es für Levinas auch das entscheidende Kriterium wahrer Kunst, ob sie – über alle Lust und Bedürfnisbefriedigung hinaus – die Sache eines Anderen vertritt und so den Kunstschaffenden und -betrachtenden vom ästhetischen Himmel des Genusses oder der ekstatischen Erstarrung zurückholt. Weder Verschmelzung noch Erstarrung, sondern die sich öffnende Hand wird zum Ausdruck einer Wahrnehmung, die in der Kunst ihren Ausdruck findet und zur Humanität verpflichtet.

Sollte also die *Liturgie* als ein ästhetisches Gebilde in dem eben umschriebenen Horizont verstanden werden, dann wird sie nicht nur etwas Inhaltliches, Aussagbares darstellen, sondern sie kann uns zugleich lehren, *auf welche Weise* wir in der Liturgie unsere Sinne öffnen lassen, um zum Widerfahrnis der Nähe fleischgewordener Transzendenz zu kommen, die uns berührt und verwandelt. Die liturgische Wahr-nehmung, die sehr wohl die ekstatische Ergriffenheit der Sinne kennt, muß immer wieder zurücklenken in die Nähe der Mitbetenden, denen sich die Hand des Friedens und der Versöhnung entgegenstreckt. Wo die Liturgie zur echten Wahr-nehmung wird, öffnet sie auch für die vergessenen und gequälten Schwestern und Brüder in Not, die immer mehr an unsere Haustüren heranrücken. Eine recht verstandene liturgische Ästhetik muß also auch der Ausbildung der Sinne dienen und uns lehren, zu hören, zu sehen, zu berühren, zu schmecken, zu sprechen, zu singen, uns zu bewegen, so daß wir unsere Sinne in der Liturgie selbst und darüber hinaus öffnen und zu rechter Zeit die Stunde des Widerfahrnisses der Transzendenz nicht verpassen. A. Schilson hat in seiner Arbeit über O. Casel an einen Topos bei Casel erinnert, wo auch dieser von der Berührung der Heilstat gesprochen hat.[34]

Liturgie – ein mehrdimensionales »Rollenspiel«

Geht man in der Umschreibung der Liturgie als ästhetisches Gebilde noch etwas ins einzelne, so kann die liturgische Feier zunächst als ein mehrdimensionales »Rollenspiel« der versammelten Gemeinde verstanden werden. Die liturgischen Gestiken, Texte, Bücher und Gesänge stellen – in ästhetischer Analogie gesprochen – die durch die Jahrhunderte hindurch gewachsene »Partitur« dar, aus der Altes und Neues wie aus einem Schatz zur »Aufführung« gelangt.[35] Die Liturgie gehört – immer noch im ästhetischen Vergleich gesprochen – zu den transitorischen Kunstformen, die von der Umsetzung der Partituren und Rollenbücher in die Aufführung leben. Partituren, die nicht mehr gespielt werden, werden vergessen oder verschwinden in den Archiven. Wie für ein Musikstück die Aufführung wichtig ist, so muß sich auch die Liturgie als »aufführungswürdig« erweisen, wenngleich sie mit keiner sonstigen Kunst zur Deckung kommt. Die Liturgie hat in ihrer Geschichte – allerdings nach anfänglichem Zögern – beinahe alle ästhetischen Ausdrucksformen in sich aufgenommen. Auch für die Liturgie gilt, was Adorno vom Kunstwerk allgemein sagt: sie darf nicht schlecht sein, auch wenn sie nicht vollendet ist.[36] Als Partitur gehört die Liturgie ja

---

[34] Vgl. A. Schilson, Theologie als Sakramententheologie. Die Mysterientheologie O. Casels. Mainz 1982, 285.

[35] Da ein Jahrhundert dem andern die Hand reicht, wird man zu fragen haben, welche Tradition deutlichere jesuanische Züge trägt und sie dann auch in verantwortlichen Reformanstrengungen gegen die Kirche einer jeweiligen Gegenwart ins Spiel bringen, auf daß sie sich an ihren eigenen Ursprüngen neu besinnt.

[36] Natürlich ist dieses Prinzip abstrakt. Für die Liturgie bedeutet dies aber, daß sie höchsten ästhetischen Standards einer Zeit entsprechen muß, ohne einem Perfektionismus zu huldigen, der nichts Neues in die Liturgie einläßt und somit de facto die Liturgie einer bestimmten Epoche verabsolutiert, als sei nicht auch diese zeitgebunden und somit altersanfällig. Vielleicht sollte aber das Alter als solches

einer der Zeit und Geschichte anheimgegebenen Überlieferung an.

Liturgie als Rollenspiel: das erinnert natürlich an die Theatersprache. Es erinnert aber auch an jene frühkindliche Phase, in der das Kind – über die Nachahmung der Bezugspersonen hinaus – Spielregeln lernt und Rollen übernimmt. So wächst der Mensch stufenweise hinein in vorgefundene menschliche Sozialisationsformen. Zum Erlernen einer Rolle gehört nach G. H. Mead, daß das Ich die Perspektive anderer, ja der ganzen Gemeinschaft übernehmen kann.[37] Mit der Übernahme der liturgischen Rolle wächst das Glaubenssubjekt in die Gemeinschaft der Glaubenden hinein. In der Feier der Liturgie – zumal in der zentralen eucharistischen Liturgie – sollten die liturgischen Rollen so übernommen werden, daß daraus einerseits die »Rolle« der Nachfolge Jesu erwächst und andererseits das gelebte Leben der Nachfolge in der liturgischen Feier wieder seine ästhetische Ausdrucksgestalt erhält. Wenn dabei die Liturgie – wiederum mit dem Kunstwerk im Verständnis Adornos vergleichbar – nicht einfach die faktischen gesellschaftlichen und kirchlichen Verhältnisse abbildet, sondern ihnen mit dem Anspruch auf Verwandlung gegenübersteht, dann kann dies nur geschehen, wenn sich die feiernde Gemeinde in der Stunde der Liturgie aus der Kontinuität der gewöhnlichen Zeit herausreißen läßt. Was dies

---

überhaupt kein Kriterium für gute oder weniger gute Liturgie abgeben. Aus christologischen Überlegungen trete ich dafür ein, daß die nachweisliche Nähe zum unverwechselbaren Ausgang von Jesus und die Inspiration der späteren Liturgie aus den biblischen Texten (bzw. deren direkte Aufnahme) eine Kriteriologie abgeben, die sich nachträglich auch ästhetisch bestätigen lassen, nämlich als gute Wahl.

[37] Vgl. G. H. Mead, Geist, Identität und Gesellschaft aus der Sicht des Sozialbehaviorismus. Frankfurt/M. 1968. Vgl. dazu E. Tugendhat, Selbstbewußtsein und Selbstbestimmung. Frankfurt/M. 1979, bes. 245–82. Vgl. J. Habermas, Theorie des kommunikativen Handelns. Bd 2. Frankfurt/M. 1981, bes. 7–170; W. Pannenberg, Anthropologie in theologischer Perspektive. Göttingen 1983, bes. 179–84; H. U. v. Balthasar, Theodramatik. Bd 1. Einsiedeln 1973, bes. 499–511. Ich führe diese Literaturauswahl hier an, um anzuzeigen, in welche Richtung die Rollenproblematik vertieft werden müßte. Dabei ist allerdings zu bedenken, daß die sozialphilosophische Rollenanalyse systemorientiert arbeitet. Wenn sich ein System aber zu schnell – und sei es auch ungewollt – in ein geschlossenes System verwandelt, wird die Rolle des Individuums einer Totalität untergeordnet. Dagegen hat sich vor allem E. Levinas mit Vehemenz ausgesprochen. Die »Idee des Unendlichen« ist für ihn ein Einspruch gegen die verrechenbare Rolle des Subjektes.

im einzelnen bedeutet, wird später noch zu bedenken sein. Hier vorerst nur so viel: Wenngleich die liturgische Feier in fast allen Formen von einem Rollengegenüber geprägt ist, darf eine der wichtigsten Wiederentdeckungen des Zweiten Vatikanums hier nicht übersehen werden. Vor aller sekundären Rolleneinteilung in Vorsteherrolle und übriger Gemeinde ist die versammelte Gemeinde das primäre Aufführungssubjekt der Liturgie.[38] Auch die sekundäre Rolleneinteilung teilt die Gemeinde nicht in aktiv Spielende und in passiv Zuschauende. Vielmehr sind die Rollen zwar verschieden, aber auch die Rolle der Gemeinde und ihrer Dienste ist keine Passivrolle. Der Kirchenraum ist insofern auch kein Theatersaal mit Bühne, sondern gleichsam eine einzige Bühne für das eine liturgische Spiel, bei dem alle in einer bestimmten Spielordnung[39] beteiligt sind. Auch darüber hat bereits R. Guardini zu seiner Zeit nachgedacht.

So wichtig es ist, dieses aktive Rollenverständnis aller Beteiligten zu sehen, so entscheidend ist es auch, die »passive« Rolle in der Liturgie zu lernen und zu übernehmen. Ich meine hier jene Rolle des Menschseins, die im Glauben sich der absoluten Transzendenz öffnet und dabei die Erfahrung macht, ohne jedes Verdienst reich beschenkt zu werden, ja vor aller Übernahme aktiver Rollen schon in eine Rolle hineingestellt zu sein, die ich mir selbst gar nicht aussuchen konnte: die Rolle meines Geschöpf- und meines begnadeten Angenommenseins. In dieser Rolle des Glaubens ist auch grundgelegt, daß die Gemeinde vor aller Rollendifferenzierung das eine Subjekt des empfangenen Glaubens ist. Hier ist auch der Impuls zur Übersetzung der liturgischen Rollen in das gemeinsam zu verantwortende gelebte Leben der Nachfolge grundgelegt und hier gilt das vom Konzil zitierte Wort des Augustinus:

---

[38] Dies kann hier nicht weiterverfolgt werden. Auch das Amt des Vorstehers oder der Vorsteherin in der Liturgie ist kein Plädoyer gegen diese These, wenn man bereit ist, das Amt in der Kirche zu begründen und das »extra nos« von Evangelium und Gnade christologisch auf Amt und Gemeinde zu beziehen. Vorgrimlers Bedenken gegen die Verwendung des Gemeindebegriffes (vgl. Liturgie als Thema der Dogmatik 126) kann ich nicht teilen, solange deutlich ist, daß die Gemeinde nichts anderes als das zum Gottesdienst *versammelte* Volk ist.

[39] Eine gängige Bezeichnung für das kirchliche Amt heißt »ordo«. Das Wort läßt durchaus auch an die Spielregeln denken, nach denen ein geordnetes Spiel abläuft und muß nicht nur die hierarchische Konnotation der Über- und Unterordnung haben.

»Wo mich erschreckt, was ich für euch bin, da tröstet mich, was ich mit euch bin. Für euch bin ich Bischof, mit euch bin ich Christ. Jenes bezeichnet das Amt, dieses die Gnade, jenes die Gefahr, dieses das Heil.«[40]

So ergeht auch der Impuls zur Übersetzung der liturgischen Rollen in gelebtes Leben an alle Teilnehmenden.

Abschließend frage ich, ob sich die Liturgiekonstitution des Zweiten Vatikanums der ästhetischen Dimension der Liturgie bewußt war oder ob sie sich in einer liturgischen Mysterientheorie erschöpft. Wer hier eine Antwort sucht, die sich bis in die Terminologie hinein mit der bisherigen Darstellung deckt, wird schwerlich fündig werden. Dennoch gibt es hintergründig auch die ästhetische Fragestellung in dem von mir entwickelten Verständnis. Zunächst wird die Liturgie als Höhepunkt und Quelle des kirchlichen Lebens angesehen (Nr. 10). Aber die Konstitution weiß auch, daß sich in der Liturgie nicht das ganze Tun der Kirche erschöpfen kann (Nr. 9).

Von großer ästhetischer Bedeutung ist auf jeden Fall das in Nr. 48 Ausgeführte. Es heißt dort, die Christen sollten dem Geheimnis des Glaubens nicht wie Außenstehende und stumme Zuschauer beiwohnen, sondern sie sollten durch die Riten und Gebete dieses Mysterium immer tiefer verstehen und die heilige Handlung »bewußt, fromm und tätig mitfeiern«. Die Formulierungen klingen wenig ästhetisch, ja wirken eher intellektualistisch, als sei das Verstehen ein rationales Aufarbeiten des Mysteriums. Tatsache ist aber, daß hier die eben besprochene fundamentale These von der Gemeinde als Subjekt der Liturgie grundgelegt wird. Darüber hinaus kann man allerdings an den Text die Frage stellen: Ist die Liturgie nicht vor allem Verstehen zuerst die sinnliche Wahrnehmung eines unbegreiflichen Mysteriums, das bisweilen Hören und Sehen vergehen läßt?[41] Der Ter-

---

[40] Lumen Gentium Nr 32. Zit. aus Sermo 340: PL 38, 1483. Ein so verstandenes Rollenverständnis bedeutet alles andere als eine unverbindliche liturgische Spielerei. Vgl. Hahne, De arte celebrandi 283–94 (Lit.). Wenn man mit Hugo Rahner u. a. die großen heilsgeschichtlichen Zusammenhänge spieltheoretisch faßt, muß natürlich darauf geachtet werden, zuletzt nicht den nur noch schönen Schein triumphieren zu lassen.

[41] Damit möchte ich daran erinnern, daß die ästhetische Wahrnehmung bisweilen auch einem Zerreißen der Sinne gleichkommt, so daß der ganze Mensch von der »Herrlichkeit« der Transzendenz überwältigt wird. Dieses Zerreißen der Sinne

minus Mysterium wird als bekannt vorausgesetzt und natürlich nicht mit ästhetischen Fragen konfrontiert, von denen bisher die Rede war. Mysterium, das ist das Geheimnis der sich offenbarenden Transzendenz bis hinein in die Fleischwerdung, ja bis in den Kreuzestod.

In Nr. 7 wird die Gegenwart Christi in der Gemeinde über das Sakrament hinaus auch auf das Wort, ja selbst auf die singende und betende Gemeinde ausgedehnt; dies klingt wie ein Durchbruch auf eine erweiterte liturgische Ästhetik, die sich gerade nicht mehr nur auf die (im engen Sinn) sakramentalen Zeichen beschränkt. Die Gemeinde gehört in ihrem aktiven Mitvollzug (und in all ihren Lebensäußerungen) zum ästhetischen Zeichen, hat sich und der Mitwelt den Auferstandenen »darzustellen«. Dabei zeigt die Nr. 2 des Vorwortes auch fundamentale Zusammenhänge zwischen der liturgischen Feier und der Christologie auf:

> »*In der Liturgie, besonders im heiligen Opfer der Eucharistie, ›vollzieht sich‹ ›das Werk unserer Erlösung‹ [= Gabengebet des 9. Sonntags nach Pfingsten alter Zählung], und so trägt sie in höchstem Maße dazu bei, daß das Leben der Gläubigen Ausdruck und Offenbarung des Mysteriums Christi und des eigentlichen Wesens der wahren Kirche wird, der es eigen ist, zugleich göttlich und menschlich zu sein, sichtbar und mit unsichtbaren Gütern ausgestattet, voll Eifer der Tätigkeit hingegeben und doch frei für die Beschauung, in der Welt zugegen und doch unterwegs; ...*«

Das Zweite Vatikanum hat die Liturgie wieder ganz der Ge-

---

kann – über die Liturgie hinaus – u. a. auch dort geschehen, wo die Situation von Mt 25,31ff. virulent wird. Wenn ein mögliches Widerfahrnis der Transzendenz auch nicht an die Liturgie gebunden ist, wäre es dennoch ein Fehlschluß, Mystik und Liturgie voneinander zu trennen, wie es vielleicht in Zeiten notwendig war, da die Liturgie – angesichts unzureichender Reform – mit sekundärer Frömmigkeit überdeckt wurde. Vgl. G. Hinricher, Gott erfahren. Zum Liturgieverständnis Teresas von Avila. In: T. Berger/A. Gerhards, Hg., Liturgie und Frauenfrage. St. Ottilien 1990, 211–28.

Zur Bedeutung der Liturgietheologie des Zweiten Vatikanums und der darauf folgenden Reformen vgl. Hahne, De arte celebrandi 184–362 (mit reichhaltiger Literaturverarbeitung); Lengeling, Liturgie/Liturgiewissenschaft bes. 26–43 (Lit.); vgl. schon J. A. Jungmanns Kommentar zur Liturgiekonstitution (LThK E I 10–109); zu den Fragen der Liturgiereform vgl. A. A. Häußling, Liturgiereform. Materialien zu einem neuen Thema der Liturgiewissenschaft. In: ALW 31 (1989) 1–32.

meinde als deren Aufführungssubjekt (in einem liturgischen Rollenspiel) zurückgegeben. Es gehört deshalb wohl zugleich zur verpaßten Chance unserer (europäischen) Kirche, daß sich genau in diesem Augenblick viele Menschen in der Gemeinde als Subjekte der Liturgie ihrer Aufgabe entziehen und mit ihrem Fernbleiben auch der ästhetischen Repräsentation des auferstandenen Christus den Boden entziehen. Dies trifft allmählich den Nerv dessen, was kirchliche Präsenz als Sakrament des Heiles in der heutigen Gesellschaft bedeutet. Zugleich appelliert diese Entwicklung an die Gemeinden, in der Suche nach einer dem Geist der Liturgie entsprechenden Ausdrucksgestalt nicht nachzulassen und nicht in der Rückkehr zum Altgewohnten ohne sonstige Kriteriologie das alleinige Heilmittel zu sehen. Die Gemeinde darf sich niemals mit Steinen statt mit Brot zufriedengeben.

Christologie und Liturgie

Die bisherigen Überlegungen stießen wiederholt auf die Frage, ob die Liturgie, falls ihr eine ästhetische Dimension zukommt, das Mysterium hinter sich läßt, oder ob sie, sobald sie ihren Mysteriencharakter betont, ihr ästhetisches Gewand ablegen muß. Immer wieder hat sich beim Versuch, diese Alternative als Scheinproblem zu entlarven, angedeutet, daß eine Problemlösung zuletzt mit der christologischen Frage zusammenhängt. Die Liturgie unterliegt so lange dem Verdacht, eine Ästhetik des bloßen Scheins zu sein, solange nicht gezeigt wird, daß die Präsenz des Heiligen in der Feier der Liturgie auf die Präsenz Jesu hin, des Gekreuzigt-Auferstandenen, konkretisiert werden kann. Andererseits stirbt jede Liturgie den Tod der tausend Abstraktionen, solange nicht deutlich ist, daß der Glaube an Jesus Christus aus dem innersten Seelengrund herausdrängt und den ganzen Menschen samt seinen sozialen Bindungen ergreift und so seine ästhetische Gestalt erhält.

Christologie im Fragehorizont der Philosophie Th. W. Adornos

Ich will an dieser Stelle das Gespräch mit Th. W. Adorno weiterführen. Er ist nicht nur für die Ästhetik ein bedeutsamer Anreger, sondern auch für die Christologie ein fundamentaler Kritiker. Adorno wußte sich – an der Schwelle des christlichen Glaubens angekommen – letztlich doch dem Judentum geistig mehr verbunden, wenn dies auf den ersten Blick auch nur die Randzone seiner Philosophie zu betreffen scheint. Einen bewußten Schritt zum Judentum hin wie F. Rosenzweig hat Adorno nicht vollzogen. An einer Stelle seines Denkens hat sich jedoch ein unüberhörbarer Vorbehalt gegen das Christentum festgemacht, und diese Stelle betrifft die christologische Frage. Sie hängt bei Adorno engstens mit dem Problem des Bilderverbots zusammen. Es ist vor allem Adornos großes Programm eines »Materialismus bilderlos«.[42]

Bilderlos soll ein Materialismus nicht deshalb sein, weil er sich keine Hände schmutzig machen möchte, sondern weil er die idealen Bilder materialistischer Utopien ins Fleisch übersetzen müßte. Sogar die Auferstehung der Toten sollte nicht ausgeschlossen sein; denn mit der Theologie wäre auch die Sehnsucht des Materialismus »die Auferstehung des Fleisches« (205). Es ist bewegend, bei Adorno zu sehen, daß die Frage nach Idol und Idolkritik nicht nur eine Frage der Religion, sondern auch die eines materialistischen Denkens geworden ist, das damit ernst macht, daß die Leibhaftigkeit des Glücks nicht von einer idealistischen Identitätsphilosophie wegrationalisiert werden kann. Es ist nicht zuletzt der Aspekt des naturverhafteten Geistes, der Sehnsucht und Hoffnung kennt. So kann Adorno schreiben:

»*Die kleinste Spur sinnlosen Leidens in der erfahrenen Welt straft die gesamte Identitätsphilosophie Lügen, die es der Erfahrung ausreden möchte:* ›*Solange es noch einen Bettler gibt, solange gibt es noch Mythos‹ [Benjamin]; darum ist die Identitätsphilosophie Mythologie als Gedanke. Das leibhafte Moment meldet der Erkenntnis an, daß Leiden nicht sein, daß es anders werden solle*« (201).

Angesichts des Leidens aber ist der faktische Materialismus, der zum politischen System geworden ist, als »Diktatur des längst verwalteten Proletariats« (202) zum »Rückfall in die Barbarei« verdammt (203). Erst heute kann man sehen, wie prophetisch

---

[42] Ich beziehe mich zunächst auf Th. W. Adorno, Negative Dialektik. Frankfurt 1970 [1966], 202–05 (Materialismus bilderlos).

43

diese Sätze sein sollten. Nach Adorno hat ein bestimmter Materialismus eine Abbildtheorie entwickelt, wonach das Denken die Wirklichkeit nur »abbilden« kann, so daß das Bewußtsein nur die herrschenden Verhältnisse widerspiegelt. Demgegenüber vertritt Adorno eine Erkenntnistheorie, wonach das Denken sich kritisch der Wirklichkeit gegenüberstellt. Die Auswirkungen dieses Ansatzes auf seine Ästhetische Theorie wurden oben schon behandelt. Deshalb gilt:

> *Die aufklärende Intention des Gedankens, Entmythologisierung, tilgt den Bildcharakter des Bewußtseins. Was ans Bild sich klammert, bleibt mythisch befangen, Götzendienst«* (203).

In solchem Götzendienst befangen, wird das Subjekt nur noch von Produktion und Produktionsverhältnissen bestimmt. Die »*friedlose geistige Stille integraler Verwaltung*« (203) ist die Konsequenz. Das Bewußtsein geht in der Spiegelfunktion vollends auf. Adorno kämpft für die Subjektivität des Individuums und die Eigenständigkeit seiner kritischen Erkenntnisfähigkeit, weil sonst die Differenz zwischen den faktischen Zuständen des Leidens und deren Überwindbarkeit sich nicht mehr denken ließe. Deshalb kann Adorno sehr drastisch formulieren:

> *»Erkenntnis besitzt nicht, wie die Staatspolizei, ein Album ihrer Gegenstände. Vielmehr denkt sie diese in ihrer Vermittlung: sonst beschiede sie sich bei der Deskription der Fassade«* (204).

Wenn eine gesellschaftliche Widerspiegelungstheorie zu überzogen dominiert, hat das kritische Denken des Subjekts das Nachsehen. Eine materialistische Abbildtheorie würde gerade wieder dem Idealismus verfallen, weil die »Bilder« der Erkenntnis, die »Vorstellungen«, zur subjektiven Willkür »der Verordnenden« depravieren könnten (vgl. 204f.). Man würde also vom materieverhafteten Leiden der Menschen um der Systemerhaltung willen gerade absehen. Statt dessen will der Materialismus, so wie Adorno ihn vertritt (bis hinein in seine ästhetische Theorie), zwischen Wirklichkeit und Erkenntnis keine »Bilder« schieben, sondern zur Wirklichkeit selbst vorstoßen – durch das Denken in die Praxis. Deshalb heißt es bei ihm:

> *»Die materialistische Sehnsucht, die Sache zu begreifen, will das Gegenteil: nur bilderlos wäre das volle Objekt zu denken. Solche Bilderlosigkeit konvergiert mit dem theologischen Bilderverbot. Der Materialismus säkularisierte es, indem er nicht ge-*

stattete, die Utopie positiv auszumalen; das ist der Gehalt seiner Negativität. Mit der Theologie kommt er dort überein, wo er am materialistischsten ist. Seine Sehnsucht wäre die Auferstehung des Fleisches; dem Idealismus, dem Reich des absoluten Geistes [Hegels], ist sie ganz fremd. Fluchtpunkt des historischen Materialismus wäre seine eigene Aufhebung, die Befreiung des Geistes vom Primat der materiellen Bedürfnisse im Stand ihrer Erfüllung. Erst dem gestillten leibhaften Drang versöhnte sich der Geist und würde, was er so lange nur verheißt, wie er im Bann der materiellen Bedingungen die Befriedigung der materiellen Bedürfnisse verweigert« (205).

Mit diesen Sätzen beendet Adorno den zweiten Teil der Negativen Dialektik. Der Gottesfrage werden explizit erst die letzten Abschnitte (vor allem Nr. 10–12) dieses Werkes gewidmet. Die ganze Skepsis gegen eine begriffliche Festlegung der Transzendenz, die sie notwendig zur innerweltlichen Größe degradieren würde, wird deutlich.

»Wer Transzendenz dingfest macht, dem kann mit Recht, so wie von Karl Kraus, Phantasielosigkeit, Geistfeindschaft und in dieser Verrat an Transzendenz vorgeworfen werden« (390).

Würde hingegen die Einlösung im Seienden überhaupt nicht ins Auge gefaßt, *»so würde der Geist zur Illusion, schließlich das endliche, bedingte, bloß seiende Subjekt als Träger von Geist vergottet«* (390).

Dann würde die von Unterdrückung befreite Menschheit zur wahren Gottheit. Adorno kennt die Gefahr eines Transzendenzverständnisses, das nur die »res cogitans« vergötzt, den verklärten Leib jedoch aus dem Auge verliert (391). So mündet etwa Anselms ontologisches Argument, in Hegels Denken übersetzt, in einem Denken der Identität und Totalität, das keine Differenz mehr zuläßt. So wird:

»Transzendenz von der Immanenz des Geistes eingefangen und zu seiner Totalität sowohl wie abgeschafft« (392).

Die Frage sei heute, ob Metaphysik im Gedanken einer so verstandenen blutleeren Transzendenz Hegels zu retten sei oder

»ob Metaphysik allein im Geringsten und Schäbigsten überlebt, im Stand vollendeter Unscheinbarkeit die selbstherrlich und widerstandslos, reflexionslos ihr Geschäft besorgende Vernunft zur Vernunft bringt« (392f.).

Der eigentliche Gedanke der Transzendenz müßte nach Adorno »*bis zur Idee einer Verfassung der Welt*« vordringen, »*in der nicht nur bestehendes Leid abgeschafft, sondern noch das unwiderruflich vergangene widerrufen wäre*« (393).
»*Jegliches Glück ist Fragment des ganzen Glücks, das den Menschen sich versagt und das sie sich versagen*« (394).
So unbefriedigend es wäre, den Begriff (des Unendlichen) einfach mit Wirklichkeit gleichzusetzen, so sehr muß gelten, daß er nicht gedacht werden könnte, »*wenn nicht in der Sache etwas zu ihm drängte*« (394).
Adornos idolkritische Annäherung an die Gottesfrage hat zweifellos etwas Überzeugendes an sich. Daraus ergibt sich wie von selbst die Konsequenz, die oben bereits angesprochen wurde, daß nämlich ein Festmachen der Transzendenz in Symbolen oder ein Widerfahrnis der Transzendenz in den Mysterien für Adorno nicht in Frage kommen kann. Die genuine Transzendenzerfahrung ist die des Leidens, und diese ruft nach Überwindung des Leidens bis hinein in den Materialismus des Fleisches.
Dies ist aber, wenn ich recht sehe, eigentlich schon eine Gestalt von anonymer Christologie. Trotzdem wendet sich gerade Adorno (zusammen mit M. Horkheimer) schon in der »Dialektik der Aufklärung«[43] gegen einen Rückfall in den Mythos und einen Verrat des Bilderverbotes und macht dies an der Christologie dingfest. Das Christentum ist hinter das Judentum zurückgefallen. Hatte dieses durch seine Gottesvorstellung zwar die Vergeistigung vorangetrieben und so aus dem Zwang der mythischen Götter befreit, so geriet die Gottheit dadurch doch in eine abstrakte Ferne und verstrickte ihre Geschöpfe »ins Gewebe von Schuld und Verdienst« (186). Demgegenüber habe das Christentum zwar die Gnade hervorgehoben und den jüdischen Gedanken der messianischen Verheißung und des Bundes verstärkt bis hin zum göttlichen Mittler, der einen menschlichen Tod stirbt. Die Liebe wird das einzige Gebot. So überwindet das Christentum den Bann der mythologischen Naturreligion. Aber es bringt

---

[43] M. Horkheimer und Th.W. Adorno, Dialektik der Aufklärung, Frankfurt /M. 1969 [1944]. Entscheidende Einsichten verdanke ich der Dissertation von R. Buchholz, Zwischen Mythos und Bilderverbot. Die Philosophie Adornos als Anstoß zu einer kritischen Fundamentaltheologie im Kontext der späten Moderne. Diss. masch. Bonn 1990. (= Frankfurt/M. u. a. 1991).

»die Idolatrie, als vergeistigte, nochmals hervor. Um so viel wie das Absolute dem Endlichen genähert wird, wird das Endliche verabsolutiert. Christus, der fleischgewordene Geist, ist der vergottete Magier. Die menschliche Selbstreflexion im Absoluten, die Vermenschlichung Gottes durch Christus ist das proton pseudos. Der Fortschritt über das Judentum ist mit der Behauptung erkauft, der Mensch Jesus sei Gott gewesen. Gerade das reflektive Moment des Christentums, die Vergeistigung der Magie ist schuld am Unheil« (186).*

Die Konsequenzen, die Adorno aus dieser These zieht, sind alles andere als schmeichelhaft: Von jetzt an wird »die magische Praxis als Wandlung« empfohlen; weltliche Herrschaft wird anerkannt oder usurpiert, der eigene Glaube »als das konzessionierte Heilsressort betrieben«; an die Stelle der Selbsterhaltung tritt die Nachfolge Christi, die verordnet wird; die Versöhnung von Natur und Übernatur wird vorgegaukelt; »in der trügerisch affirmativen Sinngebung des Selbstvergessens« liegt die Unwahrheit der scheinbaren Versöhnung (186.187). So ergibt sich: Das Christentum ist zur Bestätigung faktischer Verhältnisse geworden. Die Christologie hat durch Vergötzung des Endlichen dazu beigetragen. Die menschliche Selbstreflexion im Absoluten, die durch die Christologie erreicht wird, führt – statt zu einer Praxis gesellschaftlicher Veränderung – zu einer magischen Praxis, die sich als Wandlung ausgibt, und trifft so gerade ins Leere. Das unter dem Deckmantel des Opfers Christi verordnete Selbstvergessen in der Jesusnachfolge kann Versöhnung nur vorgaukeln. Eine Liturgie, die sich mit einer solchen Christologie begründen müßte, könnte nur leerer Schein sein. Die menschliche Selbstreflexion im Absoluten steigert die Selbsttäuschung bis zum Extrem. Alles wird zur Lüge, weil die These von der Vermenschlichung Gottes durch Christus eben »die erste Lüge« (proton pseudos) ist. Die Bilanz des Christlichen kann nur verheerend sein. Über kurz oder lang mußte das Christentum zur Praxis der magischen Tauschreligion zurückkehren oder zur gewaltsamen Verordnung des vermeintlichen Heiles führen (vgl. 187f.). In der jüdischen Religion blieb es jedenfalls dabei, daß sich das Subjekt – angesichts des strengen Bilderverbots und der Betonung der absoluten Transzendenz Gottes – das Göttliche weder magisch noch listig (wie Odysseus) erschleichen konnte.

Mir scheint, daß Adornos Argwohn gegen die christologische Jesusinterpretation weder an Jesus von Nazareth noch an der Christologie der frühchristlichen Konzilien, geschweige denn an der Christologie der Liturgie, der die folgenden Analysen gewidmet sind, orientiert ist. Auf der anderen Seite reichen Adornos Überlegungen zu einem bilderlosen Materialismus so nahe an die christologische Jesusinterpretation heran, daß man fast glaubt, man könne den Vorwurf der »ersten Lüge« vergessen. Hat das Christentum das Heil je verordnen können? Wurde es nicht statt dessen liturgisch gefeiert? Konnte die zentrale Feier der Liturgie, die Eucharistie, je vollends in die Magie abdriften, selbst wenn es Ansätze dazu gab? War vor allem die Rede von der Versöhnung von Himmel und Erde, Gott und Mensch, dergestalt, daß sie zur ideologischen Befestigung bestehender Herrschaft wurde, nicht aber zur Versöhnung von Natur und Geist beitrug? Setzt dies nicht die These voraus, Versöhnung hätte auf einmal und total geschehen müssen, oder alle Rede davon verbreite nur Schein und Lüge?

Eine an der Liturgie orientierte Christologie kann sich diesen Fragen stellen, weil sie weder davon ausgehen muß, eine vollendete Versöhnung von Natur und Geist zu feiern – wäre sie vollendet, müßte sie nicht mehr gefeiert werden –, noch in Christus den »fleischgewordenen Geist« oder die »Vermenschlichung Gottes« zu sehen. Nach chalkedonischer Christologie sollte dies gerade vermieden werden, Gott im Menschen aufgehen zu lassen oder die »menschliche Selbstreflexion im Absoluten« anzuvisieren, so daß die Frucht der Nachfolge »das affirmative Selbstvergessen« wäre.

Statt einer vorgegaukelten Versöhnung feiert die Liturgie, wie zu zeigen sein wird, vielmehr den »transitus« Jesu vom Tod zur Auferstehung als einen Weg, in den die Gemeinde durch die Feier der Liturgie einbezogen wird, ohne daß sie jemals das eigene Leiden und den eigenen Tod, das Leiden der Menschheit in Vergangenheit und Zukunft durch irgendwelche magische Machenschaften überspielen könnte.

Man wird natürlich mit Recht fragen dürfen, warum gerade Jesus von Nazareth die Grundfigur christlicher Liturgie geworden ist und alle von ihr aufgenommenen Elemente jüdischer oder religions- und philosophiegeschichtlicher Herkunft wie um einen

Fixstern zu einer ästhetischen Figur konstelliert wurden.[44] Wäre die in der Liturgie entstandene Wahrnehmungsgestalt *Jesu* christo*logisch* in einer Kurzformel wie der Adornos auflösbar, dann hätte die Gemeinde tatsächlich in der Lage sein müssen, Jesu Tod durch seine Auferstehung endgültig zu »überspielen«. Der Liturgie wäre ihr Todernst genommen. Damit würde aber hinfällig, worauf H. U. v. Balthasar in seiner Ästhetik bereits aufmerksam gemacht hat, daß nämlich die schöpferische Geisteskraft Jesu in der Kirche zwei Flöten spielt, die Flöte des Leidens und Todes sowie die Flöte der Hoffnung und Sehnsucht nach Auferstehung und Vollendung.[45] Wenn deshalb die Gemeinde an zentraler Stelle der Eucharistiefeier bekennt, daß sie den Tod *und* die Auferstehung des Herrn verkünde, dann kann sie dies glaubwürdig nur, wenn in der Feier der Liturgie aufs Ganze gesehen nicht die eine Flöte zu Ungunsten der anderen verstummt. Dies wäre für unsere Zeit, die seit dem Grauen von Auschwitz allen Grund zum Verstummen hätte, höchst verhängnisvoll und würde den Verdacht nähren, die Christenheit feiere ihre Liturgie nur zum Schein und lasse somit alles reale Leiden in der Welt gerade unverwandelt. Wie könnte eine heutige Kirche in echter Zeitgenossenschaft vom Schicksal der Geschundenen und Dahingemordeten unseres Jahrhunderts beeindruckt sein, wenn die liturgische Feier von Jesu Todesgeschick die Gemeinden nicht ins Herz träfe. Solches Liturgieverständnis könnte vielleicht an das heranreichen, was P. Celan mit dem Gedicht als Händedruck meinte, und so manchem Verdacht liturgischer Oberflächlichkeit entgehen. Es würde sich dann erst zeigen, daß die Ernstnahme des Todes Jesu auch seine Auferstehung weniger verharmlost.

---

[44] Ich spiele hier auf einen bereits angedeuteten Aspekt in der Ästhetik Adornos (und Benjamins) an. Die Konstellation oder Konfiguration greift gleichsam den in den Dingen zerstreuten Logos auf und eröffnet durch die konstellative Geisteskraft hindurch einen gewaltlosen Zugang zur Wahrheit.

[45] Vgl. H. U. v. Balthasar, Herrlichkeit. Bd 2. Einsiedeln 1962, 137f. Wenn Augustinus allerdings Wert darauf legt, daß die beiden Flöten zusammen keinen Mißklang ergeben (dürfen), dann zeigt sich, daß es die patristische Ästhetik schwer hatte, mit einer Ästhetik des Leidens und Todes fertig zu werden. Noch heute fordern viele Christen eine ausschließlich »schöne« Liturgie, um ja nicht mit einer Realität konfrontiert zu werden, die es zu verwandeln gälte und die zu verwandeln eine an der Wahrheit und am Heil orientierte Liturgie – mehr als die Kunst – auch die Kraft hätte.

Liturgische Ästhetik und Christologie

Insofern die liturgische Ästhetik eine Ästhetik des Glaubens darstellt, sucht sie einen Zugang zu Jesus, dem Heilbringer (sotär), nicht über die Vergeistigung oder gar Rationalisierung, sondern über die möglichst ganzheitliche Präsentation seiner Gestalt. Gerade die Liturgie in ihrer ästhetischen Dimension kann diesen Zugang zu Jesus zwanglos geschehen lassen. Liturgie kann so wenig verordnet werden wie der Zugang zu Jesus erzwingbar ist.

Schon aus diesen Überlegungen ergibt sich, daß der Verdacht auf den Scheincharakter der Liturgie nur ausgeräumt werden kann, wenn es gelingt, die dahinter sich verbergenden christologischen Fragen zu klären. In diesem Zusammenhang möchte ich noch einmal auf einen Gedanken von Celan und Levinas zurückkommen. Nach Levinas wird Kunst nur dann nicht zur Vortäuschung falscher Tatsachen oder gar zur idolischen Verführung, wenn sie die Sache eines Anderen vertritt. P. Celan hat seine Lyrik als Lyrik nach Auschwitz in seiner berühmten Meridianrede so verstanden, daß sie von der Sache eines Anderen, vielleicht sogar von der eines ganz Anderen berührt ist.[46]

Ohne Zweifel hat die Liturgie nach ihrem Selbstverständnis die Sache eines Anderen, hier die Sache Jesu von Nazareth, im Auge. Sie zielt nicht auf irgendein Woraufhin oder auf Befriedigung von Bedürfnissen. Nach allem, was wir von Jesus wissen, hat er die Menschen seiner Zeit nicht mit leeren Versprechen oder mit illusionären Bedürfnisbefriedigungen vertröstet. Wer zuerst die Basileia suche, meinte er, dem werde alles andere dazugegeben (vgl. Mt 6,33). Eine eigenartige Verflechtung von Suche nach absoluter Transzendenz und von welthafter Verant-

---

[46] Vgl. P. Celan, Der Meridian. In: Gesammelte Werke. Bd 3, 187–202, hier: 196. »Aber ich denke ..., daß es von jeher zu den Hoffnungen des Gedichts gehört, gerade auf diese Weise auch in *fremder* – nein, dieses Wort kann ich jetzt nicht mehr gebrauchen –, gerade auf diese Weise *in eines Anderen Sache* zu sprechen – wer weiß, vielleicht in eines *ganz Anderen* Sache.« Vgl. E. Levinas, Vom Sein zum Anderen. In: Ders., Eigennamen. München-Wien 1988, 56–66, hier: 58f. Nachdem Levinas auf die zitierte Stelle anspielte, schreibt er: »Daß in Celans Essay ein Versuch enthalten ist, Transzendenz zu denken, ist offensichtlich« (59). Vgl. auch Totalität und Unendlichkeit 372–406. Vgl. W. Lesch, Die Schriftspur des Anderen. Emmanuel Lévinas als Leser von Paul Celan. In: FZPhTh 35 (1988) 449–68.

wortung gehört zur Programmatik Jesu.[47] Dies hat sich offensichtlich auch auf die liturgische Praxis der ersten Gemeinden ausgewirkt. Schon Paulus läßt gegenüber der Gemeinde von Korinth keinen Zweifel daran, daß der Glaube an die Auferstehung Jesu in der Feier des Herrenmahles nicht zur Verachtung der minderen Schichten in der Gemeinde führen darf (vgl. 1 Kor 11, 18–34). Durch magische Praktiken könnten soziale Spannungen ohnehin nicht behoben werden.

Paulus erinnert in diesem Zusammenhang an den Ernst der Feier, in der die Gemeinde den *Tod* des Herrn verkündet. Wenn aber der Tod Jesu gefeiert wird und das Gebot der Geschwisterliebe in diesen Kontext des Herrenmahles gestellt wird, dann kann man mit gutem Recht die zentralste Liturgie, die Feier der Eucharistie – über alles Verbale hinaus – als eine Gestik verstehen, die den »Händedruck« eines Todgeweihten bedeutet, so daß Sprache und Gestik des Herrenmahles zu einer Ästhetik des Leidens in der Nacht der Überlieferung werden. Die Liturgie des Herrenmahles, so könnte man sagen, ist von Anfang an eine ästhetische Sprach-Gestik, die im Namen eines ohnmächtig gewordenen Anderen vollzogen wird; sie provoziert die feiernde Gemeinde zu verantwortlichem Handeln, das freilich – ebenfalls von Anfang an – keine Selbstverständlichkeit ist.

Die ästhetische Gestalt der Liturgie mußte von Anfang an davor bewahrt werden, in die ethische Belanglosigkeit zu depravieren, als sei der Leib der Gemeinde nicht nach dem Leib des Gekreuzigten gebildet. Die Diakonie wurde immer zum Testfall der Ernsthaftigkeit einer liturgischen Ästhetik. Um aber umgekehrt den Glauben nicht in die reine Innerlichkeit oder auch in eine Ethik ohne Transzendenz abdriften zu lassen, mußte die Feier der Gemeinde vor der Degradierung des Ästhetisch-Ausdruckshaften bewahrt werden. Die Liturgie mußte sich auch wiederholt auf die historisch-greifbare Ursprungsgestalt zurückbesinnen, um dem Unverwechselbaren (»Idiolektischen«) der Jesustradition gerecht zu bleiben. Die letztlich nicht rationalisierbare ästhetische Gestalt der Liturgie(n) und ihrer eigenen Zeit ist nicht selten zum Angriffspunkt aufgeklärten Denkens gewor-

---

[47] Vgl. H. Merklein, Die Gottesherrschaft als Handlungsprinzip. Untersuchungen zur Ethik Jesu. Würzburg ²1981; ders., Jesu Botschaft von der Gottesherrschaft. Eine Skizze. Stuttgart ³1989.

den, das wähnte, solch äußerlicher Dinge nicht zu bedürfen. Bisweilen ersetzte es liturgisches Feiern lieber durch direktes Handeln.

Ich glaube, daß eine an der Liturgie und Ästhetik orientierte Christologie den gravierenden Einwänden Adornos durchaus standhalten kann. Schon das früheste literarische Zeugnis der ntl. Eucharistietradition bekundet, daß sich das Herrenmahl nicht mit dem Theorem einer rein realpräsentischen Mysteriengegenwart begnügte, als sei das Heil nur vorgegaukelt worden und als habe man sich um dessen Verwirklichung nicht zu kümmern gehabt. Die Feier des Herrenmahles hatte nach Paulus den »Tod des Herrn« zu verkünden (1Kor 11,26). Seine verwandelnde Kraft konnte nur wirksam werden, wenn sich die Gemeinde ihm aussetzte. Dies aber bedeutete für sie eine harte Kritik an der Aufrechterhaltung sozialer Differenzen.

Der Liturgie geht es also nicht nur um die Überwindung des garstigen Grabens zum historischen Jesus, sondern ebenso und noch viel mehr um die Überwindung des noch garstigeren Grabens zwischen den Idealen der »Basileia« und den faktischen Leiden der Menschen, ja der ganzen Schöpfung, die in Hoffnung auf die Offenbarung der Herrlichkeit der Kinder Gottes wartet (vgl. Röm 8,18f.). Dies wirft natürlich Fragen auf, an denen nicht nur eine ausgearbeitete Christologie, sondern die gesamte Theologie zu arbeiten hat. Es darf nicht der Eindruck entstehen, *als ob* unser Gedächtnis einen Entschwundenen, durch den Tod von uns Getrennten, festhalten und »vergegenwärtigen« wollte, damit wir uns damit trösten könnten, schon im Heil zu sein, weil wir einem Aufgehängten von Gnaden unseres Gedächtnisses zur Auferstehung verhalfen.[48]

---

[48] Dies sind Fragen, die mitten hineinführen in Christologie und Pneumatologie, weil in beiden dargetan werden müßte, ob es eine Vergegenwärtigung gibt, die den »garstigen Graben« zwischen Jesus von Nazareth und dem Christus der liturgischen Gegenwart überwindet, ohne daß die liturgische Vergegenwärtigung ausschließlich das Werk unserer Erinnerungsfähigkeit wäre. In einer Theologie der Liturgie, die diesen Fragen nicht ausweicht, erreichen diese (und ähnliche) Probleme darüber hinaus auch ihre ästhetische Dimension. Schon R. Guardini hat nämlich gemeint, daß die eigentliche Schöpferin der Liturgie über die Jahrhunderte hinweg die schöpferische Geisteskraft (hebr. »ruah«), die Gabe des Auferstandenen, sei. Damit wird die Liturgie in die Nähe dessen gebracht, was mit »Inspiration« gemeint wird, die in einer Theologie der biblischen Literatur (und deren Entstehung) eine bedeutsame Rolle spielt, ohne daß dadurch menschliche

Die hermeneutische Vorordnung des Grundsatzes »lex orandi« vor »lex credendi« bedeutet auch eine erkenntnisgenetische Priorität der ästhetischen Wahrnehmung, ohne daß diese gegen die logische und ethische Dimension der Vernunft ausgespielt werden muß.[49] Liturgie, theologischer Diskurs und Diakonie gehören eng zueinander. Und diese Zusammengehörigkeit ist von höchster Relevanz für die Christo*logie*, deren »Logos« sich nicht innerhalb der Grenzen der endlichen Vernunft festlegen läßt. Die Liturgie weist die Christologie darauf hin, daß sie sich nicht auf eine Logozentrik versteifen darf, indem sie sich etwa auf sprachliche Formeln begrenzt, seien diese das Ergebnis theologischer Rationalisierung oder philosophischer Reflexion (wie z. B. bei Hegel und Adorno). Die Liturgie läßt uns viel intensiver bei der Menschheit auf ihrem Weg durch die Leiden und den Tod verbleiben, als es christologische Aussagen vermögen. Deshalb kann man sehr wohl fragen: Wie hoch wäre der Preis, wenn der Glaube ins Denken sublimiert würde? M. E. würde mit der Kappung des Ästhetisch-Zeitgebundenen gerade jene Wahrneh-

---

Verfasserschaften überflüssig würden. Zunächst bildet die biblische Literatur selbst einen beträchtlichen Bestandteil der Liturgie, so daß man sagen könnte, die Liturgie sei die ins Gebet der Kirche einbezogene und im Gebet schöpferisch interpretierte Bibel. So entsteht das von der Kraft des Geistes ins Leben gerufene ästhetische Gesamtwerk der Liturgie. Für diese bleibt allerdings konstitutiv bedeutsam, daß sie – um die Celansche Bildrede noch einmal aufzugreifen – der Händedruck *Jesu* ist und bleibt. Damit tritt ein kriteriologisches Element zutage, das auch sonst von Gewicht ist. Die Geisteskraft bedarf der Rückbindung an Jesus, und Jesus muß durch die Geisteskraft jeweils »nahegebracht« werden. In diesem kriteriologischen Moment kann auch der Ansatz für Liturgiereformen gesehen werden. Einerseits wird die schöpferische Kraft in der Kirche immer wieder Neues entstehen lassen, andererseits wird die Frage, ob die Handschrift Jesu noch deutlich genug ist, zu Reformen führen, die in den Ursprung zurücksuchen. Ob eine Reform in dieser oder jener Richtung gelingt, kann meist erst aus historischem Abstand und in einem Gesamtvergleich der Gebetstraditionen beurteilt werden.

[49] Genetische Vorordnung bedeutet also nicht theoretische Vorordnung, als sei die Ästhetik die erste Philosophie. Wenn E. Levinas die Ethik (freilich fast im Verständnis der Dimension des »Heiligen«) zur ersten Philosophie gegen die abendländische Dominanz der Logik erheben will, so hat dies natürlich auch Konsequenzen für die Ästhetik. Wie schon bei Kant erhält Ästhetik ihre Relevanz als Ausdruck des Ethischen und wird deshalb auch vom Ethikdiskurs tangiert. J. Derrida hat eindrücklich gezeigt, wie entschieden sich Kant gegen jene »Mystagogen« seiner Zeit wandte, die meinten, anstrengendes Denken durch Pseudomystik ersetzen zu können. Vgl. J. Derrida, Apokalypse. Wien 1985, 9–90 (bes. 23–53).

mungsgestalt zerstört, die für den ganzheitlichen Zugang zum Glauben und zu einem überzeugenden Leben in der Nachfolge notwendig ist. Eines Tages würde man dann die Erlösung *denken* statt feiern und so statt eines mühsamen Glaubensweges ein patentes Abkürzungsverfahren anbieten, bei dem sich bald zeigen würde, daß der Preis dieser Abkürzung zu hoch wäre. Ein vollends ins Denken aufgehobener Glaube an die mögliche Versöhnung würde das Problem des Scheins nur verschieben. Das Denken des Heiles würde mit dem realen Heil gleichgesetzt. Die Probleme Adornos begännen von vorne. Wäre Heil, bräuchte es nicht mehr gedacht zu werden. Ist es noch nicht, muß die Gleichsetzung von Denken und Heil als Schein entlarvt werden, oder man wird zur Gewalt greifen, um die Realität dem Denken nachzubilden. Von dieser Art ist aber eine christliche Soteriologie nicht.

Deshalb muß immer wieder darauf geachtet werden, daß im Bereich der Theologie das Herz aus Fleisch nicht mit Hilfe überzogener Rationalisierung durch ein Herz aus Stein ersetzt wird. Dies wäre das genaue Gegenteil dessen, was der Prophet Ezechiel für die messianische Zeit erhoffte (vgl. Ez 36,26 – ein Text der zu den Lesungsvorschlägen der Osternacht gehört). In einer Liturgie, die sich der unverwechselbaren, einmaligen Gestalt *Jesu* und der Glaubenstradition seines Volkes verdankt, wird der Mensch in all seinen Dimensionen ernst genommen, auch und gerade in denen der Sehnsucht aus dem Widerfahrnis des Leidens. Die Liturgie wird zum Anspruch, der die Christenheit beim Wort nimmt. Es wäre schlimm, wenn man in der Kirche sagte, außerhalb der Kirche sei kein Heil, während die draußen sagen, innerhalb der Kirche sei keine Menschlichkeit.

Um die Probleme der wachsenden Zeitdistanz zu den Ursprüngen zu bewältigen, hat die traditionelle Dogmatik Jesus als den Auferstandenen – durchaus mit dem Hang zur Überbetonung des Göttlichen in ihm – in die Ewigkeit Gottes einbezogen. Wenn dann für seine »Bleibe« entsprechende räumliche Vorstellungen möglich waren (»droben im Himmel«) und wenn man unter Ewigkeit zugleich jenes »nunc stans« des göttlichen Wesens verstehen konnte, das allen Zeiten gleich gegenwärtig ist, dann schienen über Jahrhunderte hinweg alle Probleme gelöst zu sein, die sich heute unter veränderten weltanschaulichen Voraussetzungen wieder auftun. Die Probleme des Raumes im heutigen Weltbild sind allseits geläufig. Die Vorstellung »Himmel oben« hat unter astrophysikalischen Voraussetzungen seinen Gehalt verloren. Ist damit aber auch eine ästhetische Gestik der Liturgie wie das Erheben der Hände oder der Gaben nach oben obsolet geworden?

Ohne Zweifel zwingt das moderne Weltbild dazu, die ästhetischen Ausdrucksformen neu zu begründen, nämlich als Wahrnehmungs- und Ausdrucksformen des *Menschen*. Schwieriger hingegen sind die Probleme eines neuen Zeitverständnisses, dem ich mich später gesondert zuwenden möchte.

Christologie und Liturgie in feministischer Kritik

Hatte Adorno bezweifelt, daß das Christentum eine Versöhnung zwischen Natur und Geist herbeiführt, so stellt sich heute die viel konkretere Frage, ob es wenigstens die Versöhnung zwischen den Geschlechtern anbahnte oder gar brachte. Der Zweifel an Letzterem sitzt tief und wirkt sich derzeit nicht nur im Streit über die Sexualmoral aus, sondern wird mehr und mehr auch zu einer Frage an die Theologie in ihren zentralen Themen. Kein Wunder, wenn es inzwischen auch den Bereich der Liturgie erfaßt hat. Kommen die Frauen in einer fast ausschließlich von Männern gemachten Liturgie überhaupt vor? Ist das römische Nein zur Frauenordination nicht auch ein erstrangiges liturgisches Thema? Steht nicht die Christologie in einem kausalen Zusammenhang mit einer als frauenfeindlich empfundenen Liturgie? Auch wenn es sich hier um eine *kleine* Christologie handelt, darf sie die aufgebrochenen Fragen nicht übergehen. Der ganze Problemhorizont der bisherigen feministischen Hermeneutik und Theologie kann allerdings nicht behandelt werden. Es fragt sich, ob die feministische Kritik der Christologie und Liturgie nur Sprachkritik ist oder mehr.

Rosemary Radford Ruether[50] stellt für eine feministische Theologie folgendes Programm vor:

---

[50] R. Radford Ruether, Sexismus und die Rede von Gott. Schritte zu einer anderen Theologie. Gütersloh 1985.

»*Der Feminismus übernimmt die prophetischen Prinzipien anders als es die biblischen Autoren meistenteils getan haben, nämlich um damit diesen nicht hinterfragten patriarchalischen Rahmen zu kritisieren und abzulehnen. Eine biblisch begründete feministische Theologie ist nur möglich, wenn die prophetischen Prinzipien so verstanden werden, daß sie jede Selbsterhöhung einer sozialen Gruppe als Bild und Werkzeug Gottes und jeglichen Gebrauch Gottes zur Rechtfertigung sozialer Herrschaft oder Unterdrückung ausschließen. Das Patriarchat selbst fällt unter das biblische Verbot der Götzenverehrung und Gotteslästerung, weil es letztlich den Mann als Repräsentanten des Göttlichen verehrt. Es ist Götzendienst, Männer für ›gott[es]ähnlicher‹ als Frauen zu halten. Es ist Gotteslästerung, das Bild und den Namen des Heiligen zu benutzen, um patriarchalische Herrschaft und Gesetze zu rechtfertigen. Eine feministische Auslegung der Bibel kann innerhalb des biblischen Glaubens eine Norm erkennen, vermittels derer die biblischen Texte selbst kritisiert werden. Soweit biblische Texte dieses normative Prinzip widerspiegeln, werden sie als autoritativ angesehen. Auf dieser Grundlage müssen viele Aspekte der Bibel in aller Offenheit beiseite geschoben und abgelehnt werden*« (41).

Daraus ersieht man, daß die feministische Theologie dabei ist, eine Hermeneutik zu entwickeln, die von klaren Prinzipien ausgeht: Das befreiungs- und frauenrelevante Element der Bibel wird zu einer Art Kanon im Kanon (vgl. 41 unten). Entsprechend versucht Ruether in der Christologie einen Weg, weibliche Aspekte aufzuspüren und – etwa im Rahmen einer Weisheitschristologie – zu entfalten (vgl. 145–70). Die Autorin hält das Mannsein Jesu letztlich nicht für bedeutsam und ist im übrigen der Überzeugung, daß das Programm einer befreiten Menschlichkeit nicht auf eine einzige Gestalt (hier: Jesus) begrenzt werden darf, sondern Männer und Frauen der ganzen Geschichte dazu aufruft (vgl. 169f.).

Während Radford Ruether und eine Reihe weiterer feministischer Theologinnen[51] eine Hermeneutik suchen, die es ihnen er-

---

[51] Vgl. vor allem E. Schüssler-Fiorenza, Zu ihrem Gedächtnis... Eine feministisch-theologische Rekonstruktion der christlichen Ursprünge. Mainz–München 1988. (= In Memory of Her. A Feminist Theological Reconstruction of Christian Ori-

möglicht, im Raum des Christentums beheimatet zu bleiben, ist M. Daly einen anderen Weg gegangen. Nach ihrer bereits vor Jahren geäußerten Meinung war es Zeit, die Idole der patriarchalistischen Gesellschaft zu entlarven und jene Götter zu stürzen, die den Frauen ihre »*Identität gestohlen haben.*«[52] Nach ihrer Meinung ist die christliche Tradition, und hier vor allem die Christologie, hoffnungslos idolatrisch, weil patriarchalistisch geprägt.

Der Gedanke, daß die Menschen das »Ebenbild Gottes« seien, konnte nach M. Daly ohnehin in einer patriarchalistischen Gesellschaft nicht zum Tragen kommen, denn diese Gesellschaft hatte sich ja ihren Gott der Männer projiziert. Aber wenn die Menschen schon ihre Idole geschaffen haben, so können sie darüber auch hinauswachsen. Wir können uns über unsere früheren Bewußtseinszustände hinausentwickeln, allerdings nicht ohne den Sturz patriarchalistischer Idole, nicht ohne Ikonoklasmus.

»*Ein Aspekt dieser Säuberungsaktion ist die Entthronung falscher Götter – also der Gottesvorstellungen und Gottessymbole, welche die Religion dem menschlichen Geist eingeimpft hat (wobei ich einräume, daß der menschliche Geist die betreffenden Religionen schuf)*« (44).

Wenn Daly dies dann daran zeigt, daß der Gott der Lückenbüßerei, der Gott der Jenseitigkeit und der Gott des Sündengerichts fallen müsse (vgl. 45–47), so mag man dem vielleicht bezüglich der Einzelinhalte zustimmen. Wie aber, wenn die Christologie nur noch als Idolatrie verstanden werden kann? Weichenstellend heißt es bei Daly:

»*Ich glaube, daß die christliche Idolatrie in bezug auf die Person Jesu kaum überwunden werden kann, es sei denn durch die Revolution, die sich im Bewußtsein der Frauen vollzieht. Es wird, meine ich, immer deutlicher werden, daß die ausschließlich männlichen Symbole für das Ideal der ›Inkarnation‹ oder das Ideal der Suche des Menschen nach Erfüllung nicht ausreichen. So, wie eine nur männliche Bilderwelt und Ausdrucksform für die Gottheit an Glaubwürdigkeit verliert, so wird vielleicht*

gins. New York 1983 [London ²1986]). Vgl. M.-Th. Wacker, Feministische Theologie. In: NHThG I 353–60 (Lit.).

[52] M. Daly, Jenseits von Gottvater & Co. Aufbruch zu einer Philosophie der Frauenbefreiung. München 1978, 44.

auch der Gedanke einer einzigen göttlichen Inkarnation in ei-
nem Menschen männlichen Geschlechts im religiösen Bewußt-
sein der zunehmenden Erkenntnis Platz machen, daß die Macht
des Seins in allen Menschen ist...
Es geht nicht darum, zu leugnen, daß sich eine Offenbarung in
der Begegnung mit der Person Jesu vollzogen hat. Aber es muß
bekräftigt werden, daß die schöpferische Gegenwart des Wortes
(Verb) sich in jedem historischen Augenblick offenbaren kann,
in jedem Menschen und in jeder Kultur« (89f. 90).

So kann Daly das »Dogma von der hypostatischen Union« *»für*
eine Art kosmischen Witzes« halten (91). Daly interpretiert »das
Erwachen der Frauen zu ihren menschlichen Möglichkeiten
durch schöpferisches Handeln« als eine Art von Offenbarung
der Gottheit,

»die ihre zweite Inkarnation wäre; sie erfüllte die latente Ver-
heißung der ursprünglichen Offenbarung, daß Frau und Mann
nach dem Bilde Gottes gemacht sind« (91f.92).

Was dies für ein idolkritisches, feministisches Verständnis der
Christologie bedeutet, ist S. 98 besonders eindrücklich gesagt.

»Das Problem besteht nicht darin, daß der Jesus der Evangelien
männlich, jung und ein Semit war. Vielmehr liegt das Problem
in der ausschließlichen Identifikation dieses Menschen mit Gott,
und zwar derart, daß die christlichen Vorstellungen des Göttli-
chen und ›Gottesbildes‹ alle in Jesus vergegenständlicht wer-
den... Die grundlegende Prämisse dieser Art von Orthodoxie ist,
daß Gott in dem Menschen (Manne) Jesus in die Welt kam und
zwar nur in Jesus – und daraus ergibt sich die Schwierigkeit, die
von ihren Vertretern als ›der Skandal der Besonderheit‹ be-
zeichnet wird (gemeint sind alle Formen von Besonderheit).
Dieser Standpunkt setzt die religiöse Erfahrung mit einer Art
›Glaubenssprung‹ gleich – einem ›Sprung‹, den viele als unecht
oder sogar als Götzendienst durchschaut haben«[53].

M. Daly spricht davon, es sei »einer der Grundgedanken« ihres
Buches, »daß eine schöpferische Eschatologie durch das ent-
mündigte Geschlecht [der Frauen] verwirklicht werden

---

[53] Wenn ich mich nicht täusche, klingt Dalys These von der ausschließlichen Identifikation Gottes mit diesem Menschen Jesus von Nazareth eher nach Monophysi-
tismus denn nach chalkedonischer Christologie. Die Konsequenzen für die trinitarische Gotteslehre liegen auf der Hand.

muß«(50). Die wirklich eschatologische Offenbarung wird nicht die Wiederkunft Christi sein, sondern die »*Wiederkehr der weiblichen Anwesenheit*«, die für die Menschheit den großen Sprung in die »*psychische Androgynie*« bedeutet (116). Während die Christologie noch eine Verabsolutierung des Mannes darstellt,

> *bedeutet die Frauenrevolution keine Verabsolutierung der Frau, eben weil sie die zweigeteilte geschlechtliche Stereotypisierung* **überwindet,** *die der Ursprung des Verabsolutisierungsprozesses [sic] ist«* (116).

Deshalb kann nach M. Daly erst die Wiederkehr des Weiblichen auch Jesus von seiner Sündenbockrolle befreien. So ist auch das zweite Kommen nicht eine Rückkehr des Christus, sondern die Ankunft des Weiblichen, die der Zweiteilung der Menschheit ein Ende bereitet, Jesus aus seiner Erlöserfunktion befreit und so die neue, androgyne (paradiesische) Geschwisterschaft heraufführt (vgl. bes. 116).

Ich habe den Eindruck, daß hier bei Daly sehr viel zur Debatte steht. Denn ob Jesus die von Gott kommende Offenbarung oder das Idol der Männerwelt unter Ausschluß der Frauen darstellt, drängt fast zu Grundsatzentscheidungen, die es freilich zu verantworten gilt. Eine ganze Sprachtradition wird daraufhin befragt, ob die »Verhexung« der christologischen Sprache nur davon zeugt, wie identisch Sprache und Inhalt sind, hier nämlich identisch mit den Wünschen und Machtgelüsten einer patriarchalen Gesellschaft. Ist die christliche Religion der Inbegriff von Idolisierung? Erschöpft sie sich in der »Abbildung« einer Männerwelt und in der Perhorreszierung der Frauen? Ist die Christologie nichts anderes als der »erstarrte Blick« der Männerwelt, in der sie nur sich selbst anschaut?

Nun ist ja auch M. Daly auf der Suche nach der »Ikone«, die sich nicht im Idolsein erschöpft. *Die* Ikone Gottes aber ist für sie – und dies ehrt ihr Denken ungemein – nicht einfach die Frau (im Gegensatz zum Mann), sondern die menschliche Geschwisterschaft, die im Werden begriffen ist. Daß Frau und Mann nach dem Bilde Gottes gemacht sind, sei – so hörten wir – die latente Verheißung der Schrift, die entsprechend aus der Versenkung gehoben werden müsse (vgl. 91f.). Der ganze Mensch, d. h. der androgyne Mensch ist die »Ikone« Gottes in der Welt, und dies bedeutet für M. Daly die »Gestalt« des wahren Gottes, der sich in allen Menschen, nicht nur in auserwählten Männern oder gar nur in einem einzigen Mann offenbaren wolle. Es wäre m. E. sehr kurzsichtig, dieses – zumindest seit Hegel ernst zu nehmende Postulat – einfach abzuschieben. Sollte nicht die Heraufführung einer neuen Geschwisterschaft auch für eine liturgische Ästhetik Konsequenzen haben?

Immer wieder ist die Utopie eines leidensfreien, paradiesischen Menschseins auch schon von Männern zum höchsten Ideal und zum Ersatz des Göttlichen erhoben worden. Ich kann M. Daly darin rechtgeben, daß die Verobjektivierung Gottes und das Hinausverlegen der Transzendenz in eine Über-allen-Wolken-Ferne theologisch überwunden werden müssen. Aber ich möchte doch mit Adornos Theorem eines bilderlosen Materialismus warnen, daß nun eine Androgynie idolisiert wird, als könne bereits *vor* aller Auferstehung des Fleisches die Differenz, das Leiden, das Stöhnen der ganzen Schöpfung, wegerklärt werden. Gewiß darf dieser Einwand nicht bedeuten, es könne in der Kirche bezüglich der Stellung der beiden Geschlechter alles beim Alten bleiben. Aber die Ikone Gottes ist – eschatologisch gesprochen – nicht die androgyne Gesellschaft, sondern eine androgyn verstandene Auferstehung des Fleisches, die es ohne den Preis des Todes nicht gibt. In Jesu Galgen wurde somit paradoxerweise die Männerwelt selbst in ihrer Idolisierungswut enttarnt, so daß – nach einer Interpretation von Marion – gerade das »Kreuz« zur völlig unerwarteten, alles andere als aus der Männerwelt hinausprojizierten »Ikone« Gottes wurde, das die Christenheit bis heute davor bewahrt hat, eine »Abbildtheorie« des Gesellschaftlichen zu betreiben.[54] Sonst hätte die Menschheit durch die Errichtung eines Kirchenstaates oder einer klassenlosen Gesellschaft die Versöhnung längst erreicht oder sie würde sie durch die Heraufführung einer androgynen, herrschaftsfreien Kommunikationsgemeinschaft bald erreichen.

Die hermeneutische Grundproblematik lautet nun: Führt das Zerschlagen, die Enttarnung idolischer Gottesvorstellungen schon zur wahren »Ikone« Gottes? Oder hat E. Levinas recht, daß von den Göttern zu Gott kein Weg führe?[55] Verspricht aber

---

[54] Vgl. J.-L. Marion, Der Prototyp des Bildes. In: A. Stock, Hg., Wozu Bilder im Christentum, 117–35.
[55] Vgl. B. Casper, Einführung zu »Phänomenologie des Idols« 19.

nicht jede neue Vorstellung jeweils im Überschwang, die letzte und endgültige zu sein? Wäre die Mystik der Geschwisterlichkeit eine solche letzte Stufe? Die Frage ist im Rahmen meiner Überlegungen insofern provokativ, weil es ja in der Tat eine der vornehmsten Aufgaben der Liturgie ist, von Jesus her und aus der Inspiration seiner Geisteskraft auch in der Kirche eine überzeugendere Geschwisterlichkeit zu leben.

Nach M. Dalys Hermeneutik ist das Ende der Idolisierung dann gekommen, wenn eine androgyne Menschheit evolutiv heraufgeführt wird und der Prozeß dieser Heraufführung – als unabschließbarer – Züge der Transzendenz trägt.[56] So wird die

>*Entfaltung Gottes ein Ereignis, an dem wir Frauen aktiv teilhaben, wie wir aktiv an unserer eigenen Revolution teilhaben*« (56).

Der Mut zum Sein ist der Mut zu diesem Prozeß. Dieser Prozeß gibt eine Vorstellung vom Sein,

>*an dem wir teilhaben und das wir mitschaffen. Das heißt, er kann in gewissem Sinn eine Theophanie oder Offenbarung Gottes sein*« (54).

D. Strahm[57] hat die Kritik noch verschärft, indem sie (mit Elga Sorge) das männlich geprägte Gottesbild als Ursache einer nekrophilen, machtbesessenen, faschistischen Gesellschaft ansieht. Während M. Daly zunächst das Wort »Gott« noch für verwendbar hielt, kommt sie in ihrer späteren Arbeit[58] zu einer Ablehnung dieses Wortes. »Göttin« wird nun zur Bezeichnung für lebendiges Sei-en (vgl. 12). In diesem Sprachwechsel soll sich »eine andere Einstellung zur Welt als der Glaube an Gott, den Herrn« anzeigen.[59] Die bereits von D. Sölle[60] zitierte amerikani-

---

[56] Vgl. die Frühphase des vorderasiatischen Montanismus, mit der bedeutenden Rolle, die die beiden prophetischen Frauen Priscilla und Maximilla einnahmen. (Handbuch der Kirchengeschichte I 231–37). Tertullian wollte hingegen das Zeitalter des Geistes nicht mit dem der Frau in der Kirche verquickt sehen.

[57] Aufbruch zu neuen Räumen: Eine Einführung in feministische Theologie. Freiburg/Schw. ²1989 (1987), 45–57.

[58] M. Daly. Gyn/Ökologie. München 1981.

[59] Zit. Strahm 64. Strahm erinnert daran, daß E. Sorge auf Heide Göttner-Abendroth (Die Göttin und ihr Heros. München 1980) aufbaut. Dort wird das Göttliche zum Inbegriff des Lebendigen und miteinander Verbundenen. Nur von daher könnten die Abspaltungen von Natur und Kultur überwunden werden und eine Ganzheit in Sicht kommen (Strahm 64f.). Entsprechend werden auch bei D. Sölle jene Bilder bevorzugt, die Herrschaft und Gehorsam überwinden. (Wasser,

sche Theologin C. Heyward spricht von Gott als von einer »power in relation«. Die Frauen machten durch ihre Art zu lieben, Freundschaft zu leben und Gerechtigkeit zu schaffen Gott in der Welt leibhaftig.[61] Ein solches Leibhaftigmachen Gottes in der Welt hat hier offensichtlich keinerlei liturgische Konnotation. Nach Strahm muß das Weibliche in eine künftige Symbolik der Gottrede einbezogen werden. Aber die Autorin meint, das Göttliche habe bis jetzt noch »keinen neuen Namen« gefunden. Das gibt Mut zu neuer Benennung:

> »... die namenlose Gottheit weckt unsere Phantasie, sie gibt Mut, die Kraft des Lebendigen mit eigenen Namen zu benennen, sie nicht vorschnell in neue Symbolgefängnisse zu sperren, sondern uns offen zu halten für immer neue Erfahrungen des Göttlichen in unserem Leben« (69).

Der Verdacht Adornos vor der realpräsentischen Auslegung der religiösen Symbole wird hier noch verschärft. Die Symbole werden zu Gefängnissen. Auch wenn sie christlich wären: eine Rettung könnte man durch sie nicht mehr erwarten. Denn viele Frauen sind nicht mehr der Überzeugung, daß für sie aus der jüdisch-christlichen Tradition überhaupt etwas zu erhoffen sei. Sie sei patriarchalistisch, und wenn man einen Schritt weiterkommen wolle, dann bleibe nur der Weg hinter die jüdisch-christliche Tradition zurück zum verlorenen Paradies matriarchaler Gesellschaft. Die Befreiung der unterdrückten Frau ruft nach ihrem religiösen Symbol, und dieses kann nicht ein Vater-Gott oder ein Mann-Christus sein, die zum Inbild der patriarchalen Unterdrückungswelt geworden sind.

Ich frage, ob hier im Gewand historischer Rekonstruktion nicht doch erneut eine Idolisierung durch Wunschprojektion geschieht.[62] Dennoch muß für das weitere Gespräch beachtet wer-

---

Licht, Grund, Tiefe, Meer). Vgl. D. Sölle. Vater, Macht und Barbarei. In: Conc 17 (1981) 223–27.

[60] lieben und arbeiten. Eine Theologie der Schöpfung. Stuttgart 1985, bes. 44.

[61] Vgl. Strahm 68 mit Bezug auf C. Heyward, Und sie rührte sein Kleid an. Eine feministische Theologie der Beziehung. Stuttgart 1986, 52. Es fällt mir auf, daß sowohl bei M. Daly als auch bei Heyward der Terminus »power« verwendet wird, ohne daß er bezüglich einer »machtförmigen« Sprache als problematisch empfunden würde.

[62] Vgl. bes. Heide Göttner-Abendroth, Die tanzende Göttin. Prinzipien einer matriarchalen Ästhetik. München 1982 (³1985).

den, daß die Autorinnen nicht einfach auf der Ebene der Sprachkritik stehenbleiben, sondern versuchen, eine neue Gottrede und
eine neue bzw. abgelehnte Christologie mit anderen Erfahrungen in Verbindung zu bringen, die nach ihrer Überzeugung den
Frauen näherliegen. Von der Sprache allein her – auch nicht von
einer verdorbenen Männersprache – kann nicht entschieden
werden, ob und wie man heute noch von Gott und von Jesus
Christus sprechen kann.[63] Aber die These Horkheimer/Ador-
nos, die Christologie sei Ergebnis einer Remythisierung des Judentums,[64] erfährt in der feministischen Sprach- und Verstehens-
kritik dennoch eine Radikalisierung: Der Grund der Remythisierung ist jetzt die Repatriarchalisierung des Glaubens, die im
frühen Judentum bereits am Werk gewesen sei und sich im Christentum – nach anfänglichen Einsprüchen – vollends durchgesetzt und weltweit verbreitet habe.

Es konnte und kann nicht ausbleiben, daß diese und ähnliche
gravierende Vorbehalte sich über kurz oder lang auch auf die
Feier der Liturgie auswirkten. Frauen, die sich in der überkommenen Liturgie nicht wiederfinden, machen sich auf die Suche.
Bisweilen werden sie Jesus zum Messias salben.[65] Bisweilen werden sie den Zugang zur Transzendenz in der Kraft der Beziehung oder in der Erfahrung, »daß ich ein Teil von allem bin«, suchen. Eine mystische Dimension kann ich diesen Bemühungen
nicht absprechen. Aber ich frage, ob es über kurz oder lang noch
eine *christologische* Mystik sein wird.

Eine in den Vereinigten Staaten entstehende Frauenkirche hat
inzwischen auch Dokumente ihrer Liturgie vorgelegt.[66] Da ich
oben Radford Ruether als gemäßigte Position in der Christologie und in der Gotteslehre kurz vorgestellt habe, überrascht die
von ihr verantwortete Textsammlung für eine Frauenliturgie um
so mehr. Es würde zu weit führen, alle Texte hier einer genauen

---

[63] Vgl. auch M.-Th. Wacker, Die Göttin kehrt zurück. Kritische Sichtung neuer
Entwürfe. In: Dies., Hg., Der Gott der Männer und die Frauen. Düsseldorf
1987, 11–37.
[64] Vgl. Dialektik der Aufklärung 185–87.
[65] Damit spiele ich auf einen Buchtitel an. Vgl. C. Mulack, Jesus – der Gesalbte der
Frauen. Stuttgart 1987. Nach dem Untertitel (Weiblichkeit als Grundlage christlicher Ethik) geht es nicht um Liturgie.
[66] R. Radford Ruether, Unsere Wunden heilen – Unsere Befreiung feiern. Rituale
in der Frauenkirche. Stuttgart 1988.

Analyse zu unterziehen. Ich will nur die Taufliturgie kurz vor-stellen. Taufe wird verstanden als bewußte Metanoia, die Er-wachsene vollziehen. Taufe bedeutet »die Abkehr von ungerech-ten sozialen Systemen und Ideologien«, »Hinterfragung der konventionellen Sozialisation« und »Bewußtseinswandel« (148). Die Taufformel hat folgenden Wortlaut:

> »*Durch die Kraft des Ursprungs, den Geist der Befreiung und die Vorboten unserer Hoffnungen sei von der Macht des Bösen befreit. Mögen die Mächte der Gewalt, des Militarismus, des Sexismus, des Rassismus und der Ungerechtigkeit, mögen alle negativen Kräfte, die die Menschlichkeit entwürdigen, die Macht über dein Leben verlieren. Mögen diese reinigenden Wasser den Einfluß aller dieser Kräfte hinwegwaschen. Mögest du in das gelobte Land kommen, wo Milch und Honig fließen und in Tugend, Stärke und Wahrhaftigkeit des Geistes wach-sen. Und möge das Öl der Freude immer auf deiner Stirn glän-zen*« (150f.).

Die Anklänge sind unüberhörbar christlich. Aber man könnte fast sagen, es bleibe dabei. Die poetische Form der Epiklese ver-meidet jeden direkten christologischen oder gar trinitarischen Bezug. Es bleibt eine Sprachgestik der Metanoia.[67] Natürlich steht es mir nicht zu, dagegen die Tauftradition der großen Kir-chen ins Feld zu führen, weil diese ja nach allem oben Ausge-führten dem Verdacht unterliegt, Machtinstrument der Männer-welt zu sein. Dennoch wird durch den positiven oder negativen Bezug auf den Namen Jesus und seinen Gott und die von ihm geschenkte Geisteskraft auch in Zukunft die Scheidelinie zwi-schen christlicher Gemeinde und sonstiger Gemeinschaft unter Menschen, Frauen und/oder Männern, verlaufen. Daß dann etwa Weihnachten »als Feier der Geburt des messianischen Kin-des« liturgisch zusammenschmilzt zum Spiel der Herbergssuche und zur Feier der Wintersonnwende (262–64) ist kaum noch verwunderlich.

Ein solcher Weg in der liturgischen Entwicklung kann zweifel-los nur deshalb so radikal beschritten werden, weil entweder die Frauen der neu entstehenden Frauenkirche in ihren bisherigen

---

[67] Vgl. auch die S. 203-07 vorgestellte Liturgie der Namensgebung eines neugebo-renen Kindes.

Kirchen nie richtig in die Liturgie hineinwachsen konnten oder – und dies vermute ich fast noch mehr – weil sie mit ihrem Hineinwachsen von dieser Liturgie immer mehr enttäuscht wurden. Jetzt endlich tut sich die Chance auf, das eigene Leben zu feiern, die eigenen Probleme beim Namen zu nennen. Jetzt sind sie Subjekte ihrer Liturgie geworden. Niemand mehr, auch keine liturgische Tradition kann ihnen vorschreiben, was sie feiern wollen und was nicht. Eine faszinierende Erfahrung, hinter der sich eine wahrhaft mystische Begeisterung verbirgt. Ob ich hingegen mit der hier vorgelegten christologischen und ästhetischen Besinnung auf die große liturgische Tradition der römischen Kirche noch Leserinnen finden werde, die sich mit dieser Liturgie in ihre Mystik des Heilsversprechens einlassen?[68]

Mystagogische Christologie[69] – ein Programm

In diesem Punkt kann ich mich nun kurz fassen. Denn nach meiner Überzeugung ist in allen bisherigen Überlegungen schon

---

[68] Das bereits erwähnte Werk: T. Berger/A. Gerhards, Hg., Liturgie und Frauenfrage, konnte ich leider nicht mehr konzeptionell in dieses Kapitel aufnehmen. Sowohl bezüglich der liturgiegeschichtlichen Beiträge als auch bezüglich der Analyse heutiger Liturgien und liturgischer Versuche wird sich dieses Werk mit Sicherheit als Standardwerk erweisen. Zugleich zeigt sich, wie sehr die Entwicklung weitergeht, wenn die Textsammlung von Radford Ruether beispielsweise noch nicht berücksichtigt werden konnte. Im Vergleich mit den unter II (Bestandsaufnahme) vorgelegten Beiträgen zeigt sich m. E., daß Ruethers Textsammlung über bisherige Versuche weit hinausgeht. Es zeigt sich aber auch, daß das Anliegen einer weiteren Reform im Bereich der Römischen Liturgie und ihrer Übersetzungen unumgänglich ist.

[69] Vgl. R. Gertz, Mystagogie. In: Handbuch religionspädagogischer Grundbegriffe I 82–84 (Lit.). Es ist mir bewußt, daß ich das in der derzeitigen Pastoraltheologie behandelte Problem der Mystagogie nicht aufgreifen kann. Offensichtlich führt aber eine Linie von K. Rahners kurzen Ausführungen im Handbuch der Pastoraltheologie (III 528–34: Die Notwendigkeit einer neuen Mystagogie), wo Rahner bereits eine altersentsprechende Einführung in den Glauben ohne direkten Bezug zur Liturgie vorschwebte, zu einem pädagogisch-didaktischen Konzept einer Mystagogik, das sich von der hier intendierten liturgischen Mystagogik unterscheidet. Ich war jedoch zu lange im religionspädagogischen Bereich tätig, um nicht zu wissen, daß auch eine liturgische Mystagogik einer Didaktik bedürfte, zumal sich die Einführung in die Mitfeier der Liturgie immer schwieriger gestaltet. Vgl. P.-M. Gy, La liturgie entre la fonction didactique et la mystagogie. In: La Maison-Dieu Nr. 177 (1989) 7–18 (und das gesamte Heft zum Thema Mystagogie).

mitgesagt, was ich unter einer mystagogischen Christologie verstehen möchte. Es handelt sich natürlich zunächst um eine Christologie, die von der Liturgie her entwickelt wird, die dann aber auch dazu beitragen kann, zur Feier der Liturgie hinzuführen. Hier treffe ich mich mit der patristischen Praxis der Mystagogik, die eine Einführung in die »Mysterien« der Kirche, d. h. in die Feier der Sakramente bedeutete. In patristischer Zeit wurde beispielsweise durch Unterricht vor der Taufe und durch Einweihung in erstmaliger Mitfeier der Liturgie und durch weitere homiletische Vertiefung viel Mühe und Sorgfalt darauf verwendet, die Nacht aller liturgischen Nächte, die Oster- und Taufnacht, zu einem Höhepunkt in der Glaubensbiographie der Täuflinge werden zu lassen.

Ich setze eine gewisse Vertrautheit mit der Liturgie schon voraus und versuche, in das einigermaßen Vertraute tiefer einzudringen und dessen Mysterium ein wenig zu erschließen. Daß dies nicht im Vollzug der Liturgie geschieht, sondern in Gestalt eines Buches, unterscheidet diese Form von Mystagogik von der patristischen Praxis der liturgisch-homiletischen Vertiefung. Wenn meine Überlegungen in die Praxis der Liturgie und der Verkündigung Eingang finden und zu einer tieferen Erfassung der Mysterien beitragen, kann ich darüber nur froh sein.

Ein Gesichtspunkt, der meinen gesamten Versuch begleitet, besteht darin, mit der Einführung in die christlichen Mysterien auch deren jüdische Wurzeln mitzubedenken. Dadurch gelingt es vielleicht, die überkommene Christologie von der liturgischen Besinnung her für eine größere Ökumene zwischen Juden und Christen zu öffnen.

Eine mystagogische Christologie, wie ich sie zu entwerfen versuche, erhält durch ihre Verknüpfung mit der liturgischen Ästhetik noch einen besonderen Akzent. Die Einführung in die Mysterien muß sich, wie bereits gezeigt, einer Reihe von grundsätzlichen Fragen der Ästhetik stellen, um zu begründen, daß zwischen Kunst und Liturgie kein absolut garstiger Graben besteht, und daß bei aller Differenz das Gespräch mit zeitgenössischer Ästhetik einen neuen Zugang zur Liturgie erleichtern kann. Der Zugang zu Jesus Christus über die Feier der Liturgie ist im wahrsten Sinn des Wortes eine An-näherung von beiden Seiten, von Seiten dessen, der vorübergegangen ist, und von seiten derer, die ihn nicht lassen können. Die Liturgie wird in den Kreisläufen des liturgischen Jahres zu einem bisweilen mühsamen Weg, auf dem alles davon abhängt, ob wir einen wirklich treuen Wegbegleiter finden, der sich uns anvertraut und dem wir uns anvertrauen können, seien wir als Glaubende Frauen oder Männer, Kinder oder Erwachsene, Gesunde oder Kranke. Die Liturgie will uns bei der Hand nehmen, indem wir sie zu unserer ureigensten Sache machen. Sie wird unsere ureigenste Sache sein, wenn sie die Sache jenes Anderen bleibt, der uns zu den wahren Quellen des Lebens, zu lebendigen Wassern inmitten der Wüsten unserer Zeit führt. Damit eine christliche Mystagogik nicht in denkfeindlicher Gefühlsschwärmerei verkommt, bedarf sie des christologischen Korrektivs, das sich an der Vergangenheit ebenso abarbeitet wie an den Herausforderungen der Gegenwart. Gebet und Argument dürfen gegeneinander nicht ausgespielt werden.[70]

---

[70] Vgl. H. Vorgrimler, Liturgie als Thema der Dogmatik; R. Schaeffler, Das Gebet und das Argument. Düsseldorf 1989 (vgl. meine Rezension in ZMR 75, 1991, 250–52).

2
Liturgie – Christologie – Zeit

H. Blumenberg schreibt in seinem Buch »Matthäuspassion« im Kapitel »Seit wann bin ich? Seit wann war dieser?« (130–47) vom Irrtum, der darin besteht, alle frühkindliche Erinnerung auf das »Gattungsgemeine« (139) zu reduzieren. Die Berufung auf Chronik und Datum sei eine »ironische Hilfe für Zuordnungen« (141). Musil habe das Paradoxe eines erinnerten Anfangs in seinen Tagebüchern auf die Kurzformel gebracht: »*Ich bin am ... geboren, was nicht jeder von sich behaupten kann. Auch der Ort war ungewöhnlich: Kl in K.; verhältnismäßig wenig Menschen kommen dort zur Welt. In gewissem Sinn deutet sich in beidem schon meine Zukunft an.*« In Übertragung auf die Datierung der Geburt Jesu schreibt Blumenberg dann:

> »*Das Mißverhältnis von Erinnerbarkeit und Datierbarkeit hat den Gipfel seiner Ironie längst erreicht in der jedermann vertrauten Tatsache, daß unsere Zeitrechnung zwar* **post Christum natum** *zählt, die zwingende Voraussetzung aber nicht erfüllt, das Datum der Geburt in der Stallhöhle von Bethlehem stehe so fest, als sei denen nichts gewisser, die noch diesseits aller Nachchristlichkeit das anschaulichste der Ereignisse zu Heil oder Unheil der Menschen festlicher begehen als jedes andere. Dabei geht der Streit um den historischen Geburtstermin des Jesus von Nazareth um Jahre, nicht um Tage oder Stunden. Dennoch hat das Datum im Maße seiner Umstrittenheit die seltsamste Gleichgültigkeit angenommen, weil die tief in die Gemüter eingesenkte Mythe den Status der Zeitlosigkeit erreicht hat*« (141f.).

Blumenberg kontrastiert den schon von Lukas unterstützten Versuch, Jesus zeitlich einzuordnen, mit dem Prolog des Johannesevangeliums, der die Frage: »*Seit wann war dieser?*« mit dem Satz: »*Im Anfang war der Logos*« beantwortet (144). Jesus selbst habe sich die Frage: »*Seit wann bin ich?*« nicht gestellt (145).

> »*Der Johannesprolog bleibt damit einsam in seinem Rivalisieren mit der Mariengewährleistung für Lukas bei Beurkundung*

des wirklichen Anfangs wie bei der Steigerung **seines** *Gottes-*
sohnes auf einen anderen Anfang hin und durch dessen Uner-
denklichkeit. Denn mit größerem Eifer noch stellt sich Johannes
wörtlich wie formal mit **seiner** *Schrift neben* **die** *Schrift, indem*
er mit seinem **Im Anfang (en archē)** *beginnt, wie Moses, nach*
den Septuaginta, den Anfang aller Anfänge gesetzt hatte: **Am**
Anfang (b'reschît)« (146f.).

Wer sich auf die frühkindliche Erinnerung einläßt, steht nach
Blumenberg vor einem Paradox. Entweder besagt die Erinnerung, die Kindheit sei nie und nichts in ihr gewesen, oder sie besagt, die Kindheit sei immer und alles komme von ihr her. Während die Kindheit selbst zeitlos ist, müsse sie sich als erinnerte
ihrer Zeitgenossenschaft versichern. Somit hält Blumenberg un-
ausgesprochen die johanneische Interpretation Jesu für die zu-
treffendere, weil von Datierbarkeit und Chronik freigehaltene.
Aber selbst der Johannesprolog wisse noch nichts von dem späteren zweiten Glaubensartikel »filium Dei unigenitum« und »et ex
patre natum ante omnia saecula« und schließlich von dem »genitum non factum«, der auf langem Nachdenken beruht.

Ohne Zweifel spricht Blumenberg hier Fragen an, die tief hin-
einreichen in die Überlegungen, die es in diesem Kapitel anzu-
stellen gilt. Mag er recht haben, daß sich ein durchschnittlicher
Mensch und auch Christ unseres westlichen Kulturkreises kaum
Gedanken macht über Chronik und Datierbarkeit der Geburt
Jesu, so dürfte doch die von Blumenberg mitbedachte Begründung, der *zeitlose* Christusmythos sei schließlich entscheidender
als alle Zeitberechnung, nur die halbe Wahrheit sein.

Liturgie »post Christum natum«

Die Einführung der christlichen Zeitrechnung ist ein historisches
Faktum, dessen hermeneutische Bedeutung kaum hoch genug
eingeschätzt werden kann. Was die exakte Chronik und Datierbarkeit des Lebens Jesu anbetrifft, wissen wir heute um die
Unexaktheiten, von denen Blumenberg mit Recht spricht. Dies
hängt damit zusammen, daß die historischen Angaben in den ntl.
Schriften höchst spärlich sind und ihrerseits von anderen Datie-
rungen abhängen. Noch gravierender ist die Tatsache, daß die

christliche Zeitrechnung erst Jahrhunderte nach den Ereignissen eingeführt wurde. Noch zur Zeit des Augustinus († 430) gab es die christliche Zeitrechnung nicht. Man zählte die Jahre – wie das Judentum – seit der Schöpfung, wobei die Wochentage des Schöpfungstextes von Gen 1 immer mehr auch als Geschichtsperioden interpretiert wurden. Das sechste Zeitalter hatte demnach mit Jesus Christus begonnen. Aber in seinem Transitus sind die beiden letzten Zeitalter schon vorweggenommen. Der siebte Tag erscheint nicht mehr als Tag der Schöpfungsruhe und Vollendung, sondern als Tag der Grabesruhe. Deshalb muß dieser siebte Tag durch den achten Tag als Tag der Auferstehung erst noch vollendet werden. So schreibt Augustinus:

»Das siebte (Weltalter) aber wird unser Sabbat sein, dessen Ende kein Abend ist, sondern der Tag des Herrn, gleichsam der achte ewige, der durch Christi Auferstehung seine Weihe empfangen hat und die ewige Ruhe vorbildet, nicht nur des Geistes, sondern auch des Leibes. Dann werden wir stille sein und schauen, schauen und lieben, lieben und loben. Das ist's was dereinst sein wird, an jenem Ende ohne Ende. Denn welch anderes Ende gäbe es für uns, als heimzugelangen zu dem Reich, das kein Ende hat?« (De Civitate Dei XXII, 30) [1]

An Augustinus sieht man das Interesse der Patristik, nicht nur die Tage und Jahre zu zählen, sondern sie zu deuten, so daß sich heilsgeschichtlich relevante Einschnitte ergeben. Statt von Chronologie muß man hier eher von einer heilsinteressierten *Kairologie* sprechen. Ihre Spuren reichen weit hinein in die mittelalterlichen Geschichtstheorien. Nicht ganz unbekannt ist ja die Tatsache, daß die Neueinteilung der Geschichte in drei heilsgeschichtliche Perioden bei Joachim von Fiore († 1202) ideengeschichtlich bis in unser Jahrhundert herein wirksam geblieben ist.[2] Erst im 8. Jh. setzte sich die christliche Zeitrechnung in Europa durch, nachdem sie zu Beginn des 6. Jhs. von Dionysius Exiguus erstmals eingeführt wurde. Die Zählung der Jahre »post Christum natum« hängt mit seinen Versuchen zusammen, den

---

[1] Ich zitiere hier nach W. Rordorf, Die theologische Bedeutung des Sonntags bei Augustin. Tradition und Erneuerung. In: A.M. Altermatt/Th. A. Schnitker, Hg., Der Sonntag. Anspruch – Wirklichkeit – Gestalt. Würzburg–Freiburg/Schw. 1986, 30–43, hier: 39.
[2] Vgl. M. Kehl, Eschatologie. Würzburg 1986, 183–85.

Termin des Osterfestes auf längere Sicht vorauszuberechnen.[3]
Noch hier ist das »kultische Interesse« größer als das historische.
Die neue Zeitrechnung greift also die bereits im Neuen Testament zum Ausdruck kommende Überzeugung von der Äonenwende auf und kleidet sie in Zahlen. Damit geschieht aber mehr
als die Zählung von Jahren, weil diese nur für eine Äonenwende
stehen sollen, die die christliche Theologie nun im Rückblick auf
500 Jahre bestätigt sieht. Die Zeit seit Jesus Christus erfährt eine
heilsgeschichtliche Interpretation, die Jahre seitdem werden als
»Jahre des Heiles« gedeutet.[4]
Verständlicherweise ist die Einführung der christlichen Zeitrechnung für das Judentum ein Stein des Anstoßes. Im Anschluß
an F. Rosenzweig schreibt Stephan Mosès:

> *Diese Besitzergreifung der Zeit durch die christliche Ewigkeit*
> *wird durch die Tatsache versinnbildlicht, daß das Christentum*

---

[3] Vgl. A. Schotterer, Kalender. In: H. Waldenfels, Hg., Lexikon der Religionen.
Freiburg–Basel–Wien 1987, 336; J. Lenzenweger, Dionysius Exiguus. In: LThk²
III 406. Im Jahre 525 berechnet Dionysius die Ostertermine für die folgenden 95
Jahre. Vgl. Liber de paschate (PL 67, 483–98); Argumenta paschalia (PL 67,
497–508); 2 Epistulae de ratione paschae (PL 67, 19–28).

[4] Dionysius Exiguus war sich dieser Zusammenhänge sehr wohl bewußt, wenn er
im Ersten Brief über den Ostertermin schreibt, er wolle nicht mehr wie noch der
heilige Cyrillus die Zeitrechnung von Diokletian abhängig machen, sondern von
Geburt und Leiden Jesu Christi als dem Beginn unserer Hoffnung und der Ursache der Erneuerung der Menschheit. (... sed magis elegimus ab Incarnatione Domini nostri Jesu Christi annorum tempora praenotare: quatenus exordium spei nostrae notius nobis existeret, et causa reparationis humanae, id est passio Redemp-
toris nostri, evidentius eluceret. PL 67,20; vgl. 487) – Was die Berechnung selbst
betrifft, so wird sie zu Beginn von Argumenta paschalia vorgeführt. Ihr Ergebnis
lautet: $15 \times 34 + 12 + 3 = 525$. (Si nosse vis quotus sit annus ab incarnatione Domini nostri Jesu Christi, computa quindecies XXXIV, fiunt DK; iis semper adde
XII regulares, fiunt DXXII; adde etiam indictionem anni cujus volueris, ut puta,
tertiam, consulatu Probi junioris, fiunt simul anni DXXV. Isti sunt anni ab incarnatione Domini.) (498f.) Die »Indiktion« gibt die Stelle eines Jahres in einem
15jährigen Zyklus an. Diesen Hinweis verdanke ich Herrn Dr. Lichtenberg vom
Bonner Bundesministerium der Finanzen, der mich auf weitere interessante mathematische Zusammenhänge der Zeitberechnungen (Gauß'scher Osteralgorith-
mus) aufmerksam gemacht hat. Aus Lichtenbergs Berechnungen geht auch hervor, daß der Ostertermin des Jahres 517 bei Dionysius entweder falsch berechnet
ist (27.3. = VI Kal. april.) oder auf einem Druckfehler in PL beruht. Es muß 26.
März heißen. Falsch sei auch die Angabe XIII Kal. april. für das Jahr 520. Es muß
richtig XIII Kal. mai. (= 19. 4.) heißen. Dies stimme dann auch überein mit den
Angaben bei Lietzman/Aland (Zeitrechnung. Berlin 1956). Vgl. die Zeittafeln in
PL 67, 493–98. Die mathematisch-astronomischen Zusammenhänge gehen aber
über das hier verfolgte theologische Interesse hinaus.

*in der abendländischen Welt seinen eigenen Kalender durchge-
setzt hat; die Geschichte des Abendlandes beginnt nunmehr mit
Christi Geburt...«*[5]
Schon bei Rosenzweig heißt es:
*»So wird das Christentum, indem es den Augenblick zur epo-
chemachenden Epoche macht, gewaltig über die Zeit. Von Christi Geburt an gibt es nun nur noch Gegenwart.«*[6]
Nach Rosenzweig ist die Christenheit »die Gemeinschaft des
ewigen Wegs«, während das Judentum »die Gemeinschaft des
ewigen Lebens« ist (378). Rosenzweig verwendet das Bild von
Brücke und Strom. Die beiden Pfeiler der Brücke bilden den ewigen Anfang und das ewige Ende. Darüber wölbt sich die Thora
»himmelhoch über den Strom der Zeit«. So ist das Judentum der
Zeit enthoben, während das Christentum »den Wettkampf mit
dem Strom« aufnehmen muß (376). Die Strecke besteht aus lauter Mittelpunkten, denen Anfang und Ende gleich nahe sind. Sie
ist »ganz Mitte, ganz Zwischen, ganz Weg« (377). Ich komme
darauf zurück. Im Judentum prallt die Zeit ab, im Christentum
wird sie gebannt und muß »als ein gefangener Knecht nun dienen« (377). Zugleich teilt aber das Christentum die Geschichte
epochal ein. Alles, was vor Christus ist, ist Vergangenes, »ein für
alle Mal Stillstehendes«; die Zukunft, zögernd aber unausweich-
lich bevorstehend, ist das Jüngste Gericht.
*»Dazwischen steht als eine einzige Stunde, ein einziger Tag, die
christliche Weltzeit, in der alles Mitte, alles gleich taghell ist.
Die drei Zeiten der Zeit sind so auseinandergetreten in ewigen
Anfang, ewige Mitte, ewiges Ende des ewigen Wegs durch diese
Zeitlichkeit«* (377).
Das Christentum geht den Weg durch die Geschichte, indem es
die Jahre zählt. Aber es zählt zugleich nur noch vom Geburtstag
Christi an, er-zählt nicht mehr das Vergangene davor, sondern
nur noch die Gegenwart der einzigen Stunde und des einzigen
Tages, »des ewig gegenwärtigen Wegs« (377f. 378). Dabei
schreitet die Christenheit durch die Geschichte

---

[5] System und Offenbarung 183.
[6] F. Rosenzweig, Stern der Erlösung 377. Soweit nicht anders angegeben beziehen
sich die Zahlen in Klammern des folgenden Textes darauf. Im Zusammenhang
mit Adornos Ästhetik habe ich oben schon vermerkt, daß ich diese These, in der
Rosenzweig im Grunde mit Adorno einig geht, nicht teilen kann.

»immer mit dem Herrscherblick des Bewußtseins, daß es der ewige Weg ist, den sie schreitet« (378; vgl. Mosès 184).

Beiden Glaubensweisen kommt der Aspekt des Ewigen zu, wobei Rosenzweig noch einmal betont, Ewigkeit bestehe darin, »daß alles an jedem Punkt und in jedem Augenblick ist« (378). Wie aber unterscheiden sich »ewiges Leben« und »ewiger Weg«? Sie unterscheiden sich »wie die Unendlichkeit eines Punkts und einer Linie« (379). Der unendliche Punkt wird erhalten, indem er nicht ausgewischt wird. Er erhält sich

»in der ewigen Selbsterhaltung des fortzeugenden Bluts. Die Unendlichkeit einer Linie aber hört auf, wenn es nicht mehr möglich wäre, sie zu verlängern; sie besteht in dieser Möglichkeit ungehemmter Verlängerung« (379).

So ist also für die eine Gestalt der Ewigkeit, die des Judentums, die Zeugung und die Volksgemeinschaft das Symbol, für die andere, die des Christentums, die Mission. Die Missionierung sei die Form der Selbsterhaltung des Christentums (379).

»Die Ewigkeit wird Ewigkeit des Wegs, indem sie nach und nach die Punkte des Wegs alle zu Mittelpunkten macht... Jeder Punkt des Wegs muß einmal bezeugen, daß er sich als Mittelpunkt des ewigen Wegs weiß« (379).

Erzeugung und Zeugnis treten so, Judentum und Christentum voneinander unterscheidend, als die zwei Gestalten des Ewigen in der Zeit auf. Der Christ steht somit immer im Schnittpunkt zweier Sphären. Die Dissonanz läßt sich nicht überwinden. Der Christ nimmt diese Dissonanz als Leiden an der Zeit und ihrer Widersprüche auf und gibt seiner eigenen Zerrissenheit eine Gestalt. Zwar kann der einzelne sein Seelenheil wirken, doch die Völker und die Gesellschaften bleiben dem Gesetz der Zeit und des Todes unterworfen. Demgegenüber stehe das Judentum außerhalb der Geschichte, sei somit die gelebte Gestalt einer Ewigkeit, die zum Modell der Völker und zum Ausweis gelingender kommunikativer Existenz wird, ohne den Wechselfällen der historischen Zeit unterworfen zu sein.[7]

Aus diesem Verständnis der Zeit folgt eine überraschende Umschreibung dessen, was Kirche ist. Brüderlichkeit stellt das Band dar, das die Verschiedenen zusammenbindet.

---

[7] Vgl. Mosès, System und Offenbarung 203.

»*Wo zwei in seinem Namen beisammen sind, da ist Mitte des Wegs, da ist der ganze Weg überschaubar, Anfang und Ende gleich nah, weil der, der Anfang und Ende ist, hier mitten unter den Versammelten weilt. So auf der Mitte des Wegs ist Christus nicht Stifter noch Herr seiner Kirche, sondern Glied, er selber Bruder des Bundes*« (382).

Die Stelle ist auch christologisch bedeutsam. Der Titel »Bruder des Bundes« reiht Jesus ein in die Gemeinschaft des Bundes.[8] Während die Ewigkeit des Judentums durch Ahn und Enkel bestimmt wird, wird die des Christentums durch den zum Bruder (und zur Schwester) gewordenen Mitmenschen bestimmt. »An Greisen und an Kindern erleben wir unmittelbar unser Judentum« (384). Die Christenheit steht – auf der Mitte der Zeit – zwischen Ewigkeit und Ewigkeit. Trotz dieser Mitte, die zum Bruder und zur Schwester drängt, kennt das Christentum den Hang zum (historischen) Anfang des Wegs, hin zu Jesus Christus, »zum ersten Christen, zum Gekreuzigten« (385), während es das Judentum hin zum Messias, dem »Manne der Endzeit, zu Davids königlichem Sproß«, und damit in die Zukunft treibt (385f.). So befriedigt sich das Christentum nach Rosenzweig an der Nähe Gottes, die im Sohn gegeben ist, während das Judentum unmittelbar in der Nähe des Vaters lebt (388f.).

Aus diesen Gedankengängen ergibt sich, daß das Christentum »die Gegenwart zur Epoche gemacht hat« (375). Zwischen Christi Erdenleben und seiner Wiederkunft gibt es nur die einzige große Gegenwart, die »Stundung der Zeiten« und »jenes Zwischen, worüber die Zeit ihre Macht verloren hat« (375). Nun ist die Zeit überblickbar geworden, weil allen Zeitpunkten Anfang und Ende gleich nahe sind. So wird die Zeit nach Rosenzweig im Christentum zum Weg, »aber ein Weg, dessen Anfang und Ende jenseits der Zeit liegt, und also ein ewiger Weg« (376). Das Leben in der Zeit läßt sich von der Vergangenheit davontragen und

---

[8] Etwas später schreibt Rosenzweig über die Kirche: »Die Kirche ist die Gemeinschaft aller derer, die einander sehen. Sie verbindet die Menschen als Zeitgenossen, als Gleichzeiter an getrennten Orten des weiten Raums. Gleichzeitigkeit ist etwas, was es in der Zeitlichkeit garnicht gibt. In der Zeitlichkeit gibt es nur Vorher und Hernach; der Augenblick, wo einer sich selbst erblickt, kann dem Augenblick, wo er einen andern erblickt, nur voraufgehen oder folgen; gleichzeitiges Erblicken seiner selbst und des andern im Gleichen Augenblick ist unmöglich... In der Mitte der Zeit erblicken sich die Gleichzeitigen« (383.384).

es ruft die Zukunft heran (vgl. 376). Hingegen gilt für das Judentum:

> »*Diesem Leben entzog Gott den Juden, indem er die Brücke seines Gesetzes himmelhoch über den Strom der Zeit wölbte, unter deren Bogen sie nun in alle Ewigkeit machtlos dahinrauscht*« (376).

Rosenzweig verwendet für das Judentum, wie bereits gezeigt, das Bild der Brücke, um dessen Zeitüberhobenheit zu symbolisieren, für das Christentum das Bild des Stromes. An jedem Punkt des Flusses sieht er Anfang und Ende, die »beide im Ewigen sind« (376). Nur deshalb weiß sich der Christ »in jedem Augenblick als Mittelpunkt« (377).[9] Der Christ selbst aber bleibt immer auf der Strecke und sein eigentliches Interesse ist das Unterwegssein und Unterwegsbleiben. Letztlich überblicken kann der Christ den Strom nicht, es sei denn von einer Krümmung zur andern. Aber der Christ vergißt auch nicht, »daß sowohl der Ort, von dem er kommt, wie der Ort, zu dem er fährt, jenseits des Stromgebiets liegen« (376). Deshalb weiß er: ich bin unterwegs und ich befinde mich an jedem Punkt in der Mitte. Die Augenblicke der dahinfließenden Zeit werden erst dadurch zum Vertreter der Ewigkeit, daß sie je Mittelpunkt der christlichen Weltzeit sind. Die christliche Weltzeit, die nicht vergeht, besteht aus lauter Mittelpunkten, so daß

> »*jedes Ereignis mitten zwischen Anfang und Ende des ewigen Wegs (steht) und durch diese Mittelstellung im zeitlichen Zwischenreich der Ewigkeit selber ewig (ist)*« (377).

Tatsächlich teilt der christliche Kalender die Zeiten epochal ein. Und tatsächlich unterscheidet sich die Zeit des »ante Christum« vom »anno domini«. Aber ich kann Rosenzweig nicht folgen, wenn er das Christentum ausgespannt sieht zwischen zwei Ewigkeiten (Anfang und Ende) und ihm deshalb eine Ewigkeit der Gleichzeitigkeit zuschreibt, als zähle die Zeit der Schöpfung überhaupt nicht mehr. Das »ante Christum« ist nicht »ein ein für allemal Stillstehendes« (377). Der Christ hat auch nicht nur Geschwister im Glauben, sondern auch Väter und Mütter und Kin-

---

[9] Der mathematische Vergleich ist offensichtlich: Eine Strecke, die aus dem Unendlichen kommt und ins Unendliche verläuft, macht jeden beliebigen Punkt auf ihr zum Mittelpunkt. Anfang und Ende sind jedem Augenblick dann gleich nahe bzw. gleich fern.

der, wenn auch nicht (nur) des Blutes, sondern des Glaubens. Selbst wenn es mathematisch zutrifft, daß Punkte auf einer Linie, die nach vorne und hinten im Unendlichen endet, selbst unendlich werden, d.h. keine Entfernung mehr haben zwischen dem unendlichen Anfang und dem unendlichen Ende, so ist dieses Modell zur Charakterisierung der christlichen »Gegenwart« als Weg doch widersprüchlich. Ist es nicht vielmehr so, daß für Juden und Christen das »ewige Heute« von Vergangenheit und Zukunft bestimmt ist? Muß nicht auch der Christ, der bereits »im Jahr des Heiles« lebt, seine Geschöpflichkeit, die bei Levinas mit unvordenklicher Vergangenheit in Verbindung gebracht wird, bedenken, die «hinter» das «ante Christum» zurückführt? Und kennt er nicht den eschatologischen Anbruch des Gottesreiches, auf das er sich ausstreckt, ebenso wie der Jude?

Zur Zeitstruktur christlicher Liturgie

Die Geschichtsdeutung, die mit der Einführung des christlichen Kalenders verbunden ist, ist auch für das Christentum selbst wie ein Stachel im Fleisch. Hat in der »Zeit des Heiles« das Heil tatsächlich so um sich gegriffen, daß es als heilender Eingriff gezeigt werden kann, statt daß es ständig nur verkündet werden muß? Wird die liturgische Feier »mit der Zeit« nicht unglaubwürdig? So stellt die Einführung der christlichen Zeitrechnung nicht so sehr Blumenbergs Vermutung unter Beweis, die Chronologisierung könne ohnehin die Zeitlosigkeit des Christusmythos nicht antasten. Vielmehr besteht Blumenbergs ernsthafte Anfrage an das Christentum darin, ob die Erlösung am Kreuz denn hinreichend gewesen sei, wenn das Ende doch nicht kam und die Welt weiterging, als sei nichts geschehen.
Hier zeigt sich, daß sich die christliche Gemeinde mit ihrer liturgischen Feier »im Jahr des Heiles« ohnmächtig der fortschreitenden Zeit ausgesetzt sieht, so daß sie selbst mitsamt der ganzen Schöpfung die sehnsüchtig Wartende bleibt, bis das Ende aller Leiden gekommen ist und als letzter Feind auch der Tod vernichtet ist (vgl. 1 Kor 15,26). Blumenbergs Frage, ob das »sehr gut«, das am Anfang über die Schöpfung gesprochen wurde, nicht doch zu vorschnell gesagt worden sei, ja vielleicht

sogar das »Es ist vollbracht« des johanneischen Jesus am Kreuz zur Un-Zeit gesagt wurde, reiht die liturgische Feier, die von der Schöpfung bis zur Vollendung ausgreift, samt ihrer ästhetischen Gestalt in die Ohnmachtsgesten der Kunst ein. Deren Neigung zu verstummen muß ernst genommen werden, je grauenvoller die Erfahrungen der fortgehenden Zeit sind. Nicht einmal die Kirche selbst konnte sich im Fortgang der Zeit als über alle Zweifel erhabene Arche der Rettung für die Menschheit erweisen. In der Feier der Liturgie wird sie deshalb ihrem Wesen am ehesten gerecht, wenn der Ruf »maranatha« mit einer Stimme ertönt, die es der feiernden Gemeinde bereits verschlagen hat. Die österliche »Stimmung« dieser Stimme wird sich darin zu bewähren haben, in der Menschheit nicht vollends zu verstummen.

Es versteht sich, daß das jüdisch-christliche Gespräch gerade hier, wo es um nichts Geringeres geht als um das Heil der Welt, seine Mitte hat, denn hier steht zugleich die »Qualität« der Schöpfung auf dem Spiel. Schöpfung und Heil erweisen sich als eine geballte Frage nach der Zeit, ob sie nämlich ein bloßes Indiz der Endlichkeit, ja der Machtergreifung des Bösen ist oder *auch* das Einbruchstor der Transzendenz sein kann, die ihre kontinuierliche Dauer aufbricht für Neues, Nicht-Erwartetes, den Tod Überwindendes. Diese Fragen, die heute vor allem in der Eschatologie behandelt werden, haben auch für die liturgische und christologische Ästhetik große hermeneutische Bedeutung. Für das Verständnis der Liturgie hängt nämlich viel davon ab, daß ihre Zeitstruktur erfaßt wird. Sie darf weder in die Kategorien der normalen Zeit eingeordnet werden noch in die Ewigkeit entschwinden.

Gerade jüdische Denker unseres Jahrhunderts haben eine Zeitkonzeption entwickelt, die den katastrophischen Zeiterfahrungen vom Ersten Weltkrieg bis Auschwitz gerecht zu werden versuchte. Die messianische Hoffnung ließ sich nicht mehr in den Kategorien der normalen Zeit und ihrer Geschichte denken. Die Vorstellung eines Zeitkontinuums und dessen Herrschaft muß durchbrochen werden. Eine katastrophisch verlaufende Zeit, wie sie W. Benjamin in seinen Geschichtsthesen vor Augen hatte, konnte nur noch durch radikale Unterbrechung gestoppt werden. So verschwistern sich bei Benjamin jüdischer Messianis-

mus und revolutionäres Handeln.[10] Auf diesem Hintergrund hat
J. B. Metz in seinen Thesen zur Apokalyptik die inzwischen be-
rühmte Definition von Religion geprägt: »Kürzeste Definition
von Religion: Unterbrechung.«[11]
Sowohl Rosenzweigs als auch Benjamins Verständnis von Zeit
setzt sich also mit der Theorie des Zeitkontinuums auseinander.
Aber auch in dem sonst ganz anders gearteten Denken von E.
Levinas ist die Zeit »immer wieder beginnende Andersheit des
Vollendeten«[12]. Es bedarf auch nach ihm des Bruches der Kontinuität. *Das zentrale Geschehen der Zeit ist die Wiederauferste-
hung.«* Die Vollendung der Zeit wäre nach Levinas nicht der
Tod, vielmehr die messianische Zeit. Die messianische Zeit wäre
letztlich geschützt gegen die Rückkehr des Bösen. Die messianische Zeit wäre auch mit dem Terminus der Ewigkeit zu umschreiben. In ihr würde sich nach Levinas »das Fortwährende
in Ewigkeit« verwandeln. Was dies letztlich bedeutet, läßt Levinas offen. Eine neue Struktur der Zeit? Die intensivste Gestalt
des messianischen Bewußtseins?[13] Wie dem auch sei: man darf
Levinas vielleicht mit Rosenzweigs Umschreibung der Ewigkeit
interpretieren. Nach Stephan Mosès geht es Rosenzweig
nämlich

> *nicht um eine endlose Folge immer gleicher Augenblicke, son-*
> *dern vielmehr um den Eintritt in eine andere Seinsmodalität,*
> *die dem zeitlichen Verfall nicht unterworfen ist und in der sich*
> *das Leben unaufhörlich erhält, indem es sich jeden Augenblick*
> *regeneriert. Die Ewigkeit ist also zugleich mit* **Erhaltung** *und*
> *mit* **Erneuerung** *synonym.«*[14]

Rosenzweig nennt die Ewigkeit, die schon in die Zeit einbricht
und sie erhält und erneuert, die *sakrale Zeit*. Benjamin sprach
von der »Jetztzeit«, in der unerfüllte Versprechen der Vergan-

---

[10] Vgl. J. Wohlmuth, Zur Bedeutung der »Geschichtsthesen« Walter Benjamins für
die christliche Eschatologie. In: EvTh 50 (1990) 2–20.
[11] J. B. Metz, Hoffnung als Naherwartung oder der Kampf um die verlorene Zeit.
Unzeitgemäße Thesen zur Apokalyptik. In: Ders., Glaube in Geschichte und Gesellschaft. Mainz 1977, 149–58, hier: 150. Die Thesen sind zwar E. Bloch zu Eh-
ren formuliert, atmen aber sehr viel vom Geist Walter Benjamins und seiner Thesen zur Geschichte.
[12] Totalität und Unendlichkeit 414. Vgl. 414f.
[13] Vgl. Totalität und Unendlichkeit 416.
[14] Mosès, System und Offenbarung 201.

genheit (u.U. durch revolutionäres Handeln) eingelöst werden und die sich in der messianischen Zeit vollendet.[15]

Nach Rosenzweig ist, wie bereits gesagt, das Christentum »epochal« geworden, d.h. es hat die Zeit eingeteilt in eine Zeit vor Christus, in die absolute Zukunft des Jüngsten Gerichts und in die absolute Gegenwart, als die einzige Stunde der Gleichzeitigen.[16] Die historische Zeitauffassung, die sich nach Mosès darin auswirkt,

> »*verwandelt den an sich selbst unfaßbaren Augenblick zum un[wi]derruflich zwischen einem Vorher und einem Nachher liegenden* **Ereignis**. *Um historisch zu werden, muß der Augenblick aus dem unaufhörlichen Strom der Zeitlichkeit herausgelöst und als Fixpunkt definiert werden, im Verhältnis zu dem eine Vergangenheit und eine Zukunft bestimmt werden*« (Mosès 181).

Eine so verstandene historisch rekonstruierte Fixierung von Zeitpunkten unterscheidet sich aber nach Rosenzweig ganz grundsätzlich von der sakralen Zeit der Feste und Riten.[17] Letz-

---

[15] Benjamins Versuch, Theologie und Marxismus miteinander zu versöhnen, führte ihn in seinen Thesen »Über den Begriff der Geschichte« (Gesammelte Schriften I. 2. Ausgabe suhrkamp Tb II 693–704) einerseits zu der Auffassung, daß der Messias jeden Augenblick in die Geschichte eintreten und deren katastrophalen Lauf wenden könne. Andererseits neigt Benjamin zum revolutionären Eingriff in die Zeit, damit das katastrophale Zeitkontinuum unterbrochen wird. Man gewinnt den Eindruck, daß Rosenzweig an die Stelle, an der bei Benjamin das revolutionäre Handeln steht, das Gebet setzt, das das Reich vorwegnehmen kann. Das Gebet ist aber engstens verbunden mit einer Ethik der Liebe.

[16] Es ist hier nicht möglich, Rosenzweigs These zu diskutieren, daß das Judentum durch seine sakral-liturgische Zeit der Geschichte enthoben ist und in der rituellen Symbolik – zumal des Versöhnungsfestes – schon die Erlösungserfahrung lebt. Rosenzweigs These, daß das Christentum an der Geschichte der Völker teilnimmt, um in ihr eine Transformation der Menschheit auf Erlösung hin zu erreichen – wobei das Schicksal der Völkerwelt auch zum Schicksal der Kirche(n) wird –, dürfte jedenfalls zutreffen und im christlich-jüdischen Dialog hilfreich sein. Auch bezüglich der These, daß sich das Christentum ständig fragen müsse, wie es der Geschichte entkommen kann, wenngleich es tief mit ihr verwickelt ist, verdient Rosenzweig m.E. Zustimmung.

[17] Bei der Einführung der Zeitrechnung bei Dionysius Exiguus liegt ohne Zweifel eine gewisse historisierende Tendenz vor. Da er aber in seinem Schrifttum Wert darauf legt, das Element Zeitrechnung nicht als christliche Erfindung einzuführen, sich vielmehr auf griechische, römische und hebräische Denkweisen beruft, wenn es um Terminberechnungen geht und ihm zugleich noch bewußt ist, daß Zeitberechnung mit kultischen Interessen (bis zur Festlegung der Olympischen Spiele) verbunden ist, dürfte Rosenzweigs Analyse hier in der Gegenüberstellung von Judentum und Christentum doch zu kurz greifen. Chronologisch ging es ja

tere gründet nicht im Zeitfluß, sondern im Unvergänglichen, das allerdings in ein Heute umgeschaffen werden muß. Ist dies aber möglich?

»Ein unvergängliches Heute – aber ist es nicht wie jeder Augenblick pfeilschnell verflogen? und soll nun unvergänglich sein? Da bleibt nur ein Ausweg: der Augenblick, den wir suchen, muß, indem er verflogen ist, im gleichen Augenblick schon wieder beginnen, im Versinken muß er schon wieder anheben; sein Vergehen muß zugleich ein Wiederangehen sein« (Stern der Erlösung 322).

Rosenzweig führt weiter aus, eine solche Ewigkeit in der Zeit, im Heute, dürfe nicht einfach ein ewiger Kreislauf des ständig Neuen, des unerschöpflichen Gebärens, sein. Es müsse vielmehr so etwas wie einen *»stehenden Augenblick«* geben. Rosenzweig kommt zu der ebenso einfachen wie fundamentalen These:

»Ein solches stehendes Jetzt heißt man zum Unterschied vom Augenblick: Stunde« (322).

Deren Symbol ist nicht das tickende Pendel, sondern der Glockenschlag. Mit ihm beginnt »›wieder eine‹ Stunde«. (322) Solche Zeiteinteilung ist »ganz menschliche Stiftung«. Eine Stunde kann wiederbeginnen, weil sie einen Anfang und ein Ende hat. Ohne Markierung von Anfang und Ende wäre sie eine bloße Folge von Augenblicken.[18] Nach Rosenzweig ist es der Mensch, der Anfang und Ende festlegt. Es sind nicht einmal die großen Gestirne und ihre Kreisbahnen, die die Stunde markieren. Die Festlegung aber von Anfang und Ende im Kreislauf der Zeit geschieht durch das Fest:

»... erst durch die Festlegung jenes Punktes, das Fest, wird die Wiederholung, die im Durchlaufen der Kreisbahn geschieht,

---

auch schon zu, als man die Jahre nach Kaiserdaten berechnete. Interessant ist aber, daß bei Dionysius die Dimension des Eschatologischen keine Rolle spielt. Epochal erscheint ihm die Zeitrechnung in der Zweiteilung, die durch den Kreuzestod Jesu herbeigeführt wurde, wobei der Schwerpunkt der neuen Zeiteinteilung, wie wir sahen, darin gesehen werden müsse, daß an die Stelle eines Tyrannen ein Heilsbringer tritt.

[18] Der bloße Kreis ohne Anfang und Ende, so könnte man im Rückgriff auf ein religionspsychologisches Symbol folgern, wäre jene Schlangengestalt (Uroborus), deren Anfang und Ende so ineinander übergehen, daß sie gerade nicht mehr unterschieden werden können. Die Schlange würde sich selbst in den Schwanz beißen, so daß Anfang und Ende nicht mehr markierbar wären: der perfekte Kreislauf.

*wahrnehmbar. Nicht der himmlische Kreislauf, sondern die ir-
dische Wiederholung macht diese Zeiten zu Stunden, zu Bürgen
der Ewigkeit in der Zeit«* (323).

Dabei betont Rosenzweig, daß das kultische Gebet zum Kreu-
zungspunkt von Zeit und Ewigkeit wird:

»*In der alltäglich-allwöchentlich-alljährlichen Wiederholung
der Kreise des kultischen Gebets macht der Glaube den Augenblick zur ›Stunde‹, die Zeit aufnahmebereit für die Ewigkeit;
und diese, indem sie Aufnahme in der Zeit findet, wird selber –
wie Zeit«* (324).

Zugleich gilt, daß der Kult nicht die Zeit des Einzelnen ist, sondern »die Zeit Aller« (325). Da aber für jeden einzelnen die Tage
verschieden sind, versammelt der Kult alle in das Ende der Tage,
das allen gemeinsam ist.

»*Der Scheinwerfer des Gebets erleuchtet jedem nur, was er allen
erleuchtet: nur das Fernste, das Reich«* (325).

Deshalb sei das kultische Gebet letztlich gar nichts anderes als
die Bitte um das Kommen des Reiches. Die Liturgie macht ein
Zukünftiges zum Heute. In der Liturgie verbirgt sich das Ewige.
In ihrem Licht schauen wir das Licht, sie ist »stille Vorwegnahme einer im Schweigen der Zukunft leuchtenden Welt«
(327). In diesem Zusammenhang betont Rosenzweig das, was
für eine ästhetische Betrachtungsweise des Liturgischen auch
mir wichtig erscheint:

»*Daher kommt es, daß das Höchste der Liturgie nicht das gemeinsame Wort ist, sondern die gemeinsame Gebärde. Die Liturgie erlöst die Gebärde von der Fessel, unbeholfne Dienerin
der Sprache zu sein, und macht sie zu einem Mehr als Sprache.
In der liturgischen Gebärde allein ist die ›geläuterte Lippe‹ vorweggenommen, die den allzeit sprachgeschiedenen Völkern für
›jenen Tag‹ verheißen ist«* (329).

Ich habe schon darauf hingewiesen, daß für Rosenzweig das
Knien der Gemeinde am Versöhnungstag eine Gebärde von besonderer Bedeutung war. Daran denkt er an dieser Stelle.

Die periodische Stunde der Feste und Jahreskreise liegt nach
Rosenzweig unserer *Zeiterfahrung* zugrunde, unterscheidet sich
jedoch von unserer *Geschichtserkenntnis*. Die periodische Zeit
gestaltet unser soziales (und psychisches) Leben, nicht jedoch
unser Wissen. Das geschichtliche Wissen distanziert, macht das

Vergangene zum unwiederbringlich Vergangenen. Die sakrale Zeit hingegen betrifft ein ewiges Jetzt. Sie ist die Gleichzeitigkeit des Vergangenen und Zukünftigen – ein Widerspruch, der logisch nicht mehr zu fassen ist.

Dies alles sagt Rosenzweig natürlich von der jüdischen Liturgie. Ich frage aber: Trifft dies auch auf die christliche Liturgie zu? Nach Rosenzweig besteht die christliche Zeit aus einer eigenartigen »mixtio« zwischen Profanität und Sakralität. Die gleiche Ereignisfolge kann historisch gedeutet werden und unterliegt somit notwendigerweise einer Relativität oder Zweideutigkeit. Vom Standpunkt der Ewigkeit her ist jedes Ereignis jedoch ein Schritt näher zur Ankunft der Basileia.

So sehr ich oben ablehnte, eine Supervision des Ewigen der Zeiterfahrung gegenüberzustellen, so sehr möchte ich nun betonen, daß das Christentum am jüdischen »jeden Tag neu« und somit an der Ewigkeit der Zeit ebenso teilnimmt wie an der Rettung des Vergangenen und dem Ausblick auf den Kommenden. Deshalb verstehe ich auch die liturgische Zeit christlich möglichst so, wie sie Rosenzweig auf jüdische Art verstanden hat. Die Inkarnation möchte ich deshalb auch nicht einfach als den Beginn des einzigen Tages und der einzigen Stunde interpretieren. Wohl aber möchte ich deren Verkoppelung mit dem ewigen Anfang und mit dem ewigen Ende annehmen, wie Rosenzweig es von der Thora sagte. Das, was ich die Transzendenz im Fleisch nenne, radikalisiert aber das christliche Zeitverständnis noch.

Eine christologische Ästhetik muß zeigen, daß es in der Feier der Liturgie um eine Gegenwärtigkeit des Heils (praesentia salutis) geht, die auch die Gleichzeitigkeit[19] sprengt und in den ewigen Anfang und in das ewige Ende hineinreißt. Ohne Gegenwart des Heils wäre die Feier der Liturgie leer, ohne Rettung des Vergangenen kraftlos, ohne Bezug auf die Zukunft bar der Verheißung. Auch die Begegnung mit dem notleidenden Bruder oder der hilfesuchenden Schwester durchbricht das Zeitkontinuum und stellt ins Gericht des kommenden Messias, der mit Jesus identisch ist (vgl. Mt 25,31ff.).

---

[19] Zur zentralen Bedeutung dieses Begriffes bereits bei Kierkegaard vgl. K. Wolff, Das Problem der Gleichzeitigkeit des Menschen mit Jesus Christus bei Sören Kierkegaard im Blick auf die Theologie Karl Rahners. Bonner Dogmatische Studien 8. Würzburg 1991.

Odo Casel sah im Kirchenjahr als dem Kreislauf des Jahres (anni circulus) ein Bild des Ewigen. Das gesamte Heilswerk erhält darin seine Gegenwart.[20]Die traditionelle Sakramententheologie hat das von Jesus vollbrachte Werk der Erlösung (opus operatum redemptionis) in die Ewigkeit verlegt, so daß es vom Himmel her »applizierbar« erschien. Auf diese Art erhielt die Vorstellung der fließenden Zeit, die vom Ereignis der Erlösungstat Jesu immer weiter wegführt, durch die Vorstellung eines allen Zeiten kopräsenten Raumes des Himmlischen ein Korrektiv. So konnte z.B bei Calvin Jesus nach der Himmelfahrt nur kraft des Geistes auf Erden gegenwärtig gedacht werden, ohne daß mit ihm selbst eine räumliche Veränderung geschieht. Hier zeigt sich, daß die Fragen der eucharistischen Realpräsenz engstens mit den Vorstellungen von Raum und Zeit zusammenhängen. Dies hat Konsequenzen für das Gesamtverständnis der Eucharistie als der zentralen liturgischen Feier der Christenheit. Dies hat auch Konsequenzen für eine liturgische Ästhetik und deren christologische Zusammenhänge.

Wenn es gelänge, die liturgische Zeit als qualifizierte Zeit der kontinuierlichen Zeit von Herrschaft und Fortschritt gegenüberzustellen, dann wäre die liturgische Feier für die Gemeinde nicht mehr religiöse Bedürfnisbefriedigung, sondern Beunruhigung, Ausdruck einer unstillbaren Sehnsucht, die durch keine Bedürfnisbefriedigung gestillt werden kann: Liturgie als humaner Hang zur Transzendenz und zugleich als Hereinstehen des Göttlichen durch die Berührung mit der Zeit.[21] Die Liturgiefä-

---

[20] Mit Recht kritisiert Schilson (Theologie als Sakramententheologie) das platonisierende Urbild-Abbildtheorem, das der Theologie Casels zugrunde liegt, wonach das Meßopfer die Kraft habe, uns in die unmittelbare Gegenwart der Heilstat Christi zu stellen, »uns der Heilstat gleichzeitig zu machen« (294). Wenn das Kreuz dabei auf einen Wesenskern eingegrenzt wird und nicht die ganze Passionsgeschichte Gegenwart erhält, dann vertieft sich die platonisierende Tendenz noch. Man merkt, daß bei Casel noch eine Theorie der qualifizierten Zeit fehlt. Immerhin spricht Casel von dem Christusereignis als »Einbruch aus der Ewigkeit in diese Zeitlichkeit« (zit. Schilson 296, Anm. 104); dieser Einbruch hebt nach Schilson Geschichte auf. Dies erscheint m.E. nur von einer ausgesprochenen Geschichtstheologie her als ein Manko, nicht aber von einer diachronischen Zeittheorie her. Vgl. zur Bedeutung O. Casels für das Verständnis des Kirchenjahres: H. Auf der Maur, Feiern im Rhythmus der Zeit I. Handbuch der Liturgiewissenschaft V. Regensburg 1983, 225.

[21] Levinas, auf dessen Gedanken ich hier anspiele, verwendet den Terminus »Liturgie« in seiner Philosophie öfter. Vgl. z.B.: »Sie (sc. die Liturgie) ist die Ethik

higkeit des Menschen wird im wahrsten Sinn des Wortes zu einer »Zeitfrage«.[22]

Die rechte Zeit des Gebets nach F. Rosenzweig

Von Franz Rosenzweig ist bekannt, daß er nicht zuletzt durch die Erfahrung der Liturgie am »Yom Kippur«, dem jüdischen Versöhnungsfest, einen erneuten Zugang zu den tiefsten Quellen des Judentums fand, so daß die Liturgie in seinem Werk »Stern der Erlösung« einen hohen Stellenwert bekommt.[23] Er hat bezüglich einer größeren Ökumene zwischen Judentum und Christentum schon lange vor dem Zweiten Vatikanum einen erstaunlichen Weg eröffnet.[24] Für Rosenzweig ist die jüdische Li-

selbst«. In: Die Spur des Anderen, Freiburg-München 1983, 218. Wenn die bisherigen Überlegungen zutreffen, dann kann auch in einer liturgisch-christologischen Ästhetik der ethische Aspekt nicht übersehen werden. Der Liturgie geht es aber auf keinen Fall um Bedürfnisbefriedigung (le besoin), nicht einmal um Heilsbedürfnis. Es geht vielmehr um die Kultur einer Sehnsucht (le désir), die nichts für sich selbst verlangt, ja sogar die »selbstherrliche Identifikation des Ich mit sich selbst (gefährdet)« (Die Spur des Anderen 219). Es ist ein Begehren, das sich als Güte zu erkennen gibt. So wundert es nicht, wenn Levinas in einem Gespräch einmal geäußert hat: »*Die echte Eucharistie ist in diesem Moment, wo der Andere mir begegnet; dort ist wirklich – mehr als in Brot und Wein – die Persönlichkeit des Göttlichen selbst.*« (In: G. Fuchs/H.H. Henrix, Hg., Zeitgewinn. Frankfurt/M. 1987, 164)

[22] Auch die postchristlichen Formen der »Liturgie« ahnen etwas von diesen Dimensionen, wenn etwa Olympische Spiele nicht nur ihre Zeremonien, sondern auch ihre genau bestimmten Zeiten haben, wenn Museumsbesuche als Zelebration der Freizeit gelten, Lesungen von Gedichten und literarischen Werken als Lebensbereicherung angesehen werden, Party oder Arbeitsessen rituellen Charakter annehmen und körperlich-psychische Ganzheitserfahrungen heute einen so hohen Stellenwert einnehmen. Man soll nicht gleich klagen, daß dies ja alles säkularisierte Pseudoformen seien. Vielmehr läßt sich darin entdecken, welche Sehnsucht nach Ganzheit auch im Menschen von heute steckt und wie sie in der Liturgie der Gemeinde zu einem möglichst authentischen Ausdruck kommen müßte.

[23] Vgl. Mosès, System und Offenbarung 31f.; 154–58.

[24] Ich bin davon überzeugt, daß das christologische Proprium christlicher Liturgie(n) nicht gegen das Judentum ausgespielt werden muß. Das Aufruhen der christlichen Liturgien auf der Basis der jüdischen Feste ist zu eindeutig, gerade wenn man sich auf die Liturgien der ersten Jahrhunderte besinnt und nicht die spätmittelalterliche Liturgietradition zum einzigen Maßstab erhebt. Tatsache ist aber, daß dem Christen die Teilnahme am jüdischen Gottesdienst leichter erscheint als umgekehrt dem Juden die Teilnahme am christlichen Gottesdienst, da das »per Christum dominum nostrum« ohne Aufarbeitung der Differenzen in der

turgie – zumal am Versöhnungsfest (Yom Kippur) – geradezu ausschließlich Feier der im jüdischen Volk bereits gegenwärtigen Erlösung.[25] Seine Sicht der jüdischen Liturgie kann m. E. auch auf die christliche Liturgie neues Licht werfen, auch wenn damit fundamentale Fragen anstehen, die hier nicht hinreichend diskutiert werden können. Viele Aspekte seines Denkens, die für meine Überlegungen bedeutsam sind, hat B. Casper in einem bemerkenswerten Aufsatz bereits herausgearbeitet.[26]

Rosenzweig polemisiert in seiner Gebetsphilosophie ebenso gegen den Mystiker, der sich über die Welt hinwegsetzt, wie gegen den Revolutionär und Aktivisten, der das Reich Gottes herbeizwingen möchte. Das Reich, um das der Beter betet, ist

»immer zukünftig – aber zukünftig ist es immer. Es ist immer ebenso schon da wie zukünftig. Es ist ein für allemal noch nicht da. Es kommt ewig. Ewigkeit ist nicht eine sehr lange Zeit, sondern ein Morgen, das ebensogut Heute sein könnte. Ewigkeit ist eine Zukunft, die, ohne aufzuhören Zukunft zu sein, dennoch gegenwärtig ist. Ewigkeit ist ein Heute, das aber sich bewußt ist, mehr als Heute zu sein. Und wenn also das Reich ewig kommt, so bedeutet das, daß zwar sein Wachsen notwendig ist,

---

jüdischen und christlichen Jesusinterpretation zum unüberwindlichen Hindernis werden kann. Eine Auseinandersetzung mit Rosenzweigs weiterer These, das Christentum trete nur vermittelt durch Jesus Christus in die Nähe der Transzendenz, während das Judentum unvermittelt bei Gott ist, kann ich hier nicht versuchen. Nur soviel sei gesagt: Die Entfaltung der Trinitätstheologie hat gerade darauf Wert gelegt, daß die Vermittlung durch den Sohn keine Zwischeninstanz zwischen Gott-Vater und den Menschen einschaltet, sondern umgekehrt die radikale Nähe Gottes zu den Menschen (und umgekehrt der Menschen zu Gott) gewährleistet wird, ohne die bleibende Differenz zwischen Gott und Schöpfung aufzulösen.

[25] Wenn Rosenzweig meint, die Verschiebung des jüdischen Sabbat auf den ersten Tag der Woche im Christentum bedeute eine Veränderung seines Charakters, da im Christentum der Sabbat als Tag der Schöpfung und der Vollendung zu einem Tag des Ursprungs gemacht wird, so daß die sakrale Zeit eine beständige Rückkehr zum Ursprung verlange, nicht aber eine Vorwegnahme der Vollendung und der »Ruhe« sei, dann müßte man mit Augustinus bedenken, daß der achte Tag zugleich der Tag der Schöpfung und der Vollendung durch Neuschöpfung sein wird. Freilich hat Rosenzweig scharfsichtig bemerkt, daß die Verschiebung vom Sabbat zum Sonntag dennoch auch ein ganz bestimmtes Verhältnis des Christentums zur Geschichte zum Ausdruck bringt. Ob sich dieses jedoch so vom jüdischen Zeitverständnis unterscheidet, wie Rosenzweig meint, möchte ich eher bezweifeln.

[26] B. Casper, »Das Gebet stiftet die menschliche Weltordnung«. – Zum Verständnis der Erlösung im Werk Franz Rosenzweigs. In: Zeitgewinn 127–50.

aber daß das Zeitmaß dieses Wachstums nicht bestimmt ist, ja genauer: daß das Wachstum gar kein Verhältnis zur Zeit hat. Ein Dasein, das einmal ins Reich eingegangen ist, kann nicht wieder herausfallen, es ist unter das Einfürallemal getreten, es ist ewig geworden.«[27]

Das Gebet ist nach Rosenzweig das Sich-Ausstrecken nach der Erlösung. Aber es kennt auch den chorischen Psalmvers des Psalms 136, in dem die Gemeinde die bereits gegenwärtige Erlösung besingt: »Denn er ist gut« – »Und seine Huld währt ewig.« Casper beschreibt Rosenzweigs Verständnis von Gebet und Liturgie, das für Judentum und Christentum gilt, folgendermaßen:

»*In dem gemeinsamen Gebet, in den Festliturgien des Judentums und Christentums finden wir uns so in einer merkwürdigen Zwischenzeit; einem Zeithaben, das diesseits der zeitlosen Zeit des Reiches, aber jenseits der Zeit unser[e]s Alltags liegt. Rosenzweig zeigt im Dritten Teil des* **Stern***, wie diese Feste das ewige Kommen des Reiches anzeigen und so unser stündliches Leben richten: in dem dreifachen Sinn des Aufrichtens, des Ausrichtens und so schließlich auch des Gerichts*« (142).

Den auffälligen Satz Rosenzweigs aus der Einleitung zum Dritten Teil des »Stern«: »*Das Gebet stiftet die menschliche Weltordnung*«,[28] hat Casper zum Titel seines Aufsatzes gemacht.

Es lohnt sich, den Kontext dieses Zitats bei Rosenzweig kurz zu bedenken. Rosenzweig fragt, welche Kraft das Gebet hat. Kurz zuvor hatte er schon davon gesprochen, Gott habe den Menschen ohne seinen Willen erschaffen und sich ihm ohne sein Verdienst geoffenbart, »aber erlösen will ihn Gott ›nicht ohne ihn‹« (296). Die Erlösung geschieht also nicht ohne das Geschöpf. Gott befreit »in seiner Liebe die Seele zur Freiheit der Liebestat« (297). Die Freiheit der Liebestat greift also nicht in Gottes Walten ein. Die Taten der Liebe sind aber blind, während das Gebet die Liebestat eines bestimmten Augenblicks »in das Licht des göttlichen Antlitzes (stellt)« (297f.). Das Gebet bittet um Erleuchtung, weil die Augen blind sind, solange die Hände schaffen. Den Nächsten macht nicht das suchende Auge aus, sondern die tastende Hand. Deshalb handelt die Liebe gewissermaßen blind und so,

---

[27] Stern der Erlösung 250. Vgl. Casper 141.
[28] Zit. 143 aus Stern 298.

»als ob es im Grunde nicht bloß keinen Gott, sondern sogar keine Welt gäbe. Der Nächste vertritt der Liebe alle Welt und verstellt so dem Auge die Aussicht. Aber das Gebet, indem es um Erleuchtung bittet, sieht – zwar nicht am Nächsten vorbei, aber über das Nächste hinweg und sieht, soweit sie ihm erleuchtet wird, die ganze Welt« (298).

Das Gebet befreit also die Liebe von der Begrenztheit des Augenblicks. Ein völlig neuer Horizont tut sich auf. Nächstes wird plötzlich ferngerückt, ganz Ungekanntes rückt in die Nähe. Hier folgt nun der Satz: »Das Gebet stiftet die menschliche Weltordnung.« Aber Rosenzweig fragt sofort weiter: Hat das Gebet auch Einfluß auf die göttliche Ordnung? Oder ist es nur eine erleuchtende Hilfe für das betende Subjekt und die betende Gemeinde, größere Zusammenhänge zu entdecken? Rosenzweig bringt zunächst seine Überzeugung zum Ausdruck, daß es keine Liebestat gebe, »die ins Leere fällt« (299). Aber die Liebestat ist zu unterscheiden von der Zwecktat, die sehr wohl ihre Ziele und ihre Wege kennt. Wenn nun aber das Gebet den größeren Horizont erleuchtet, dann besteht die Gefahr, daß der Nächste übersprungen wird und der zweite Schritt vor dem ersten getan wird. Dann kann es sein, daß die Liebe »den einen (übersieht und überhört), um in gewaltig-gewaltsamem Überspringen den andern zu erreichen« (301). Darin sieht Rosenzweig magische Wirkmöglichkeiten des Gebetes, »indem es der Liebe den Weg erleuchtet« (301). Solches Beten – schließlich um das Kommen des Reiches – kann gewaltsam werden und steht in der Gefahr, Gott zu versuchen. Die Tyrannen des Reiches machen das Letzte zum Nächsten und verfehlen so das Gebet, das vom Nächsten ausgreift auf das »fernste Ziel«. Hier wird die rechte Zeit nicht abgewartet und ein Stück Erdboden bestellt, der noch gar nicht reif ist, Frucht zu tragen (vgl. 302). Da Gott – nicht für sich selbst, sondern – für die Erlösung von Welt und Mensch Zeit braucht, oder besser gesagt, weil Welt und Mensch zur Herbeiführung der Erlösung Zeit brauchen, kommt alles darauf an, daß das Gebet zur »rechten Zeit« geschieht (vgl. Casper 145). Rosenzweig resümiert:

»... so kommt es für das Gebet darauf an, ob der Lichtschein, den es in das Dunkel der Zukunft wirft und der in seinen letzten Ausläufern immer in die fernste Ferne reicht, an der Stelle seines

ersten Auftreffens, an dem nächsten Punkt also, den er dem Be-
ter erleuchtet, der Liebe vorauseilt, hinter ihr zurückbleibt, oder
mit ihr Schritt hält. Nur im letzten Falle wird das Gebet erfüllt;
nur dann geschieht es in der ›angenehmen Zeit‹, der ›Gnaden-
zeit‹...« (303).
Wenn hier das Gebet so eng zusammengesehen wird mit der Tat
der Liebe und mit der Erlösung, dann ist damit ohne Zweifel
auch eine Brücke gebaut für das jüdisch-christliche Gespräch
über die Soteriologie. Wenig später bietet Rosenzweig eine
Kurzformel an, wenn er unter Erlösung nichts anderes versteht
»als dies, daß das Ich zum Er Du sagen lernt«. Rosenzweig begründet seine These mit dem Liebesgebot. Es bedeutet nach seiner Auslegung, der Andere, den das Ich lieben soll, sei in Wirklichkeit »kein Anderer, kein Er, sondern ein Ich wie Du, ›er ist
wie du‹« (305).[29]

Zur christologischen Dimension des Gebets

So sehr nach christlicher Soteriologie die Erlösung in Kreuz und
Auferstehung Jesu schon geschehen ist, so wenig bedeutet dies
für die Christenheit die Aufhebung des Liebesgebotes. Im Gegenteil. Das »vollbrachte Werk der Erlösung« (opus operatum
redemptionis), das in der Liturgie gefeiert wird, ermöglicht erst
das Werk derer, die die Erlösung vollziehen (opus operantium
redemptionem), das sich – schon nach Rosenzweig – auf die
Heimholung der Völkerwelt richtet. Daß Jesus seiner Gemeinde
nicht nur das vertrauensvolle Gebet empfiehlt, sondern selbst der
erste Beter ist, dessen Gebet das Handeln im rechten Kairos erst
ermöglicht, zeigt ihn auch diesbezüglich in seiner Verwurzelung
in der Gebetstradition seines Volkes bis heute.[30]
Wenn nun Jesus von Nazareth in seiner historischen Unverwechselbarkeit als der erscheint, der das Gebet »zur rechten

---

[29] Von dieser Interpretation hat sich offensichtlich auch E. Levinas inspirieren lassen. Vgl. Wenn Gott ins Denken einfällt. Freiburg–München 1985, 115 f. Levinas
setzt noch hinzu: »diese Liebe des Nächsten ist es, die du selbst bist« (115).
[30] Vgl. dazu weiterführend und sehr erhellend: M. Theunissen »Ho aitōn lambanei«. In: B. Casper u.a., Jesus – Ort der Erfahrung Gottes. Freiburg–Basel–Wien
²1977 (1976), 13–68, wo die Gebetshaltung Jesu bedacht und mit Hilfe der philosophischen Reflexion der Zeitstruktur des Gebetes vertieft wird.

Zeit« zu seinem Lebensinhalt machte, dann ist die Liturgie der Gemeinde eine Fortsetzung dieser Gebetspraxis und steht somit im Auftrag, die Weltordnung durch die erlösenden Eingriffe in das zunächst zu Tuende zu stiften. Dann ist Jesu Zeit mit unserer Zeit engstens verflochten. Jesu Erwartung des Reiches provozierte die Taten der liebenden Zuwendung. Das Heute des Heiles, von dem die Evangelien bisweilen sprechen, kann mit Rosenzweig als ein Heute der Ewigkeit verstanden werden, solange es sich bewußt bleibt, mehr als Heute zu sein. So hat auch das Wachstum der Basileia kein Verhältnis zu der kontinuierlich verlaufenden Geschichtszeit. Die Erweise der von Jesus getanen und zugleich aufgetragenen Liebe werden so zum Einbruch des Reiches in die verlaufende Zeit.[31]

Die Feier der Liturgie stellt das Widerfahrnis dieses Einbruches »in das Licht des göttlichen Antlitzes«. Dabei erkennt die christliche Liturgie in der letzten Liebestat Jesu, in der er »die Seinen liebte bis zur Vollendung« (vgl. Viertes Eucharistiegebet), den Durchbruch des Neuen Bundes, der nun die Völkerwelt einbezieht.

Der soteriologische Aspekt der Liturgie hat aber auch noch einmal Rückwirkung auf die liturgische Ästhetik, wie ich sie zu verstehen versuche. J.B. Metz hat schon vor Jahren eingeschärft, daß eine Soteriologie letztlich nicht argumentativ zu betreiben sei, vielmehr memorativ-erzählend, indem die »gefährliche Erinnerung« des Todes und der Auferstehung Jesu »vor Augen geführt« wird.[32] Metz setzt sich von drei Trends in der heutigen Soteriologie ab: 1. eine existentiale Interpretation des Subjekts, in der die konkrete Geschichte zur »Geschichtlichkeit« verkürzt wird, weil man sich so aus der faktischen Nicht-Identität des geschichtlichen Lebens auf einen geheimen Identitätspunkt der Existenz zurückziehe; 2. die Futurisierung von Heil und Erlösung und somit die Beschwichtigung der Soteriologie zu einer Erlösungsutopie; 3. die Rückbindung der Soteriologie in die

---

[31] Vgl. zu den exegetischen Zusammenhängen Merklein, Jesu Botschaft, bes. Kap. V (Gottesherrschaft als bereits in Gang gekommenes Geschehen).

[32] J. B. Metz, Erlösung und Emanzipation. In: L. Scheffczyk, Hg., Erlösung und Emanzipation. Freiburg u. a. 1973, 120–40. Leicht überarb. und gekürzte Fassung in: J. B. Metz, Glaube in Geschichte und Gesellschaft. Mainz 1977, 104–19.

Trinität, wodurch menschliches Leid durch die Kenose des Logos in die trinitarische Geschichte einbezogen (und somit eigentlich verharmlost) wird (vgl. 135–37; 116–18). Gegen diese Trends in der Soteriologie richtet sich J. B. Metz mit seiner These, Soteriologie müsse memorativ-narrativ sein (137 = 118f.).

»Christentum als Gemeinschaft der in Jesus Christus Erlösten ist von Anfang an nicht primär eine Interpretations- und Argumentationsgemeinschaft, sondern eine Erinnerungs- und Erzählgemeinschaft: erzählende Erinnerung der Passion, des Todes und der Auferweckung Jesu. Der Logos des Kreuzes und der Auferweckung hat indispensable Erzählstruktur. Der Austausch von Glaubenserfahrung wie von jeder ursprünglichen Erfahrung des Neuen, Niedagewesenen, hat nicht die Gestalt des Arguments, sondern der Erzählung. Der Glaube an die Erlösung der Geschichte und an den ›neuen Menschen‹ tradiert sich angesichts der menschlichen Leidensgeschichte in gefährlich-befreienden Geschichten (unter denen der von ihnen betroffene Hörer zum ›Täter des Wortes‹ wird)« (138).

Gegen eine zu leicht mißverständliche Verengung des Narrativen auf die Sprache setze ich in meinen Überlegungen den ästhetischen Zugang zur Christologie beim »Ensemble« der ästhetischen Phänomene an, zu denen neben dem Wort gerade auch die Gestik und überhaupt alle Ausdrucksformen des Liturgischen gehören.

Die Feier der Liturgie verweist eine allzu logozentrische Christologie in ihre Schranken. Heil ist nicht identisch mit abgeschlossenem Wissen. Der ästhetisch bedingte Wahrheitsdiskurs der Liturgie betrifft die Heilswahrheit eines jetzt noch beschädigten Lebens. Dieser Diskurs gelingt dort, wo er zur vertieften Mitfeier der Liturgie führt, und diese ihrerseits kann als gelingende Feier angesehen werden, wo sie heilere Lebensmöglichkeiten eröffnet, deren Gipfelpunkt in der Auferweckung des Fleisches erreicht wäre. Jetzt aber tragen wir die uns anvertrauten Schätze in zerbrechlichen, dem Tod ausgesetzten Gefäßen (vgl. 2 Kor 4, 7). Dem Einwand W. Pannenbergs muß allerdings Aufmerksamkeit geschenkt werden, daß nämlich die Soteriologie allzu schnell in die anthropologisch bedingte Heilsillusion abdriften könnte und daß dies nur zu verhindern sei, wenn gegen sie die harte Historie des historischen Jesus gesetzt wird. [33] Aufgabe einer entfalteten Christologie in all ihren Dimensionen wäre es, zu zeigen, daß der »Christus praesens« nicht ein Phantasiegebilde ist gegenüber dem Jesus der Historie, sondern eben die spezifische Präsenzweise der einmaligen historischen Gestalt Jesus von Nazareth *in* seiner soteriologischen Bedeutung für uns. Der hier vorgelegte Entwurf kann dies nur an wenigen Stellen andeuten.

Während die synoptische Tradition immer wieder auf die Gebetspraxis des irdischen Jesus verweist und von ihm die Gebetspraxis der Gemeinde ableitet, wird Jesus im Hebräerbrief als der in das Allerheiligste des Himmels erhöhte große Beter vor Gott vorgestellt, der für die Gemeinde Fürsprache einlegt (vgl. Hebr 7,25). In den Abschiedsreden des Johannesevangeliums wird der betende Jesus bereits mit dem Erhöhten gleichgesetzt (vgl. Joh 17,1–26). Nach 1 Tim 2, 5 ist »Der Mensch Christus Jesus« der »Mittler zwischen Gott und den Menschen«. Das »per Christum« der späteren Liturgie könnte man an solchen und vielen anderen neutestamentlichen Stellen grundgelegt sehen.

Die naturale Verknüpfung der liturgischen Zeit mit dem Lauf der Gestirne

Ahmt die Liturgie die Natur nach? Kommt der Liturgie ein »mimetischer« Charakter zu? Diese Frage kommt noch einmal zu einer unserer früheren Überlegungen zurück. Nach Adorno gehört es zum Kunstwerk, daß es Sinnlichkeit und Geist verknüpft. Dies bedeutet aber, daß die materiale Dinghaftigkeit und die geistige Durchdringung im Kunstwerk in eine spannungsvolle Einheit treten, ohne je eine vollendete Versöhnung zu erreichen. Die Liturgie hat für unser normales Empfinden viel mehr mit menschlicher Geistigkeit zu tun als mit einer naturalen Rückbindung. In Wirklichkeit ist es so, daß die christliche Liturgie eine intensive Rückbindung in die naturalen Kreisläufe von Sonne und Mond hat, die mehr bedeutet als einen kaum noch ins Ge-

---

[33] Vgl. A.E. McGrath, Christology and Soteriology. A Response to W. Pannenberg's Critique of the Soteriological Approach to Christology. In: ThZ 42 (1986) 222–36.

wicht fallenden metaphorischen Bezug. Dies gilt es nun kurz ins Bewußtsein zu rufen.

Wenngleich F. Rosenzweig Wert auf die Feststellung legt, die sakrale Zeit entspringe nicht einfach aus dem Kreislauf der Gestirne, ist doch unverkennbar, daß die Festlegung der jüdischen und später der christlichen Feste mit dem Lauf der Gestirne, vor allem der Sonne und des Mondes, zu tun hat.[34]Trotz späterer heilsgeschichtlicher Tendenzen wirkt sich dies auf die Gestaltung der gesamten Liturgie aus.[35] Adorno weist der Kunst für die Versöhnung von Natur und Geist eine ausgezeichnete, freilich dialektische Rolle zu.[36]

Daß der jüdische Kalender möglicherweise auf einem Mondkalender basiert[37] während der christliche Kalender eine Kombina-

---

[34] Zu den historischen Hintergründen vgl. Auf der Maur, Feiern im Rhythmus der Zeit I 26–55 (Der Sonntag und die Woche), 211–230 (Die Jahresfeier als Ganze). Es ist eigenartig genug, daß die Bemessung der Zeit nach dem Kreislauf des Jahres, den die Sonne bestimmt, vorgenommen wird, während der Mond in seinem Auf und Ab die kleinere Einteilung nach Monaten bedingt. Obwohl die Woche vom Monat und Jahr unabhängig ist, reicht ihre Geschichte in sehr frühe Zeiten zurück. Der kultisch-agrikulturelle und mythologisch-religiöse Hintergrund ist nicht bestreitbar. In der Mythologie hat der Sonnengott männlichen Charakter, während »luna« bis nach China ein Symbol für das Weibliche darstellt. Vgl. P. Parusel, Mond. In: Lexikon der Religionen 430f; ders. Sonne, ebd. 615. Die Unregelmäßigkeiten der Zeitrechnung nach Mondjahren führten schon im Altertum zur Zeitrechnung nach der Sonne. Für das Judentum blieb der Mond – vor allem der Neumond – für die Berechnung der Feste noch von ausschlaggebender Bedeutung, als längst die weibliche Konnotation früherer Mondverehrung der Vergangenheit angehörte.

[35] Auf der Maur spricht von einer »historisierenden« Tendenz bereits in Israel, wenn aus den agrarischen Festen allmählich Feste der »memoria« werden, fragt dann aber nicht mehr, warum diese »memoria« dennoch zyklisch gefeiert wird. Ist dies nur ein Zugeständnis gegenüber nicht ganz überwindbaren naturalen Vorgegebenheiten agrarischer Kultur? Oder könnte nicht die zyklische Zeit auch Bedeutung für das »Gedenken« haben, das sich nicht in der Historisierung von Ereignissen erschöpft?

[36] »Der Begriff des Naturschönen rührt an eine Wunde, und wenig fehlt, daß man sie mit der Gewalt zusammendenkt, die das Kunstwerk, reines Artefakt, dem Naturwüchsigen schlägt. Ganz und gar von Menschen gemacht, steht es seinem Anschein nach nicht Gemachtem, der Natur, gegenüber. Als pure Antithesen aber sind beide aufeinander verwiesen: Natur auf die Erfahrung einer vermittelten, vergegenständlichten Welt, das Kunstwerk auf Natur, den vermittelten Statthalter von Unmittelbarkeit. Darum ist die Besinnung über das Naturschöne der Kunsttheorie unabdingbar.« (Ästhetische Theorie 98 und öfter.).

[37] Die bis heute nicht völlig geklärte Frage besteht darin, ob der mesopotamische »sapattu« und der jüdische »Sabbat« eine gemeinsame Wurzel haben. F.-L. Hossfeld vertritt die These, daß ein Zusammenhang besteht, so daß sich aus vorexili-

tion von Mond- und Sonnenumlauf darstellt[38], mag zunächst
rein zufällig erscheinen. Es zeigt jedoch, wie sehr die liturgische
Zeit unter einem zweifachen »Stern« steht: dem Rhythmus der
Woche und dem Rhythmus des Jahres[39], als deute sich in der
Kombination des Kalenders an, daß sich das junge Christentum,
selbstbewußt genug, die römisch-»heidnische« Kosmoszeit und
ihre fundamentalen mythologischen, zumal weiblich-männlich
konnotierten Symbolwerte anverwandeln konnte. Daß dabei zugleich ein Wechsel vom Sabbat zum »ersten Tag der Woche« als
dem Tag des Gedächtnisses (und später auch der Ruhe) stattfand, hat F. Rosenzweig dazu veranlaßt zu sagen, das Judentum
lebe schon in der Vollendung, dessen Symbol der Sabbat ist,
während das Christentum mit dem »ersten Tag der Woche« einen Neuanfang der Schöpfung feiere, weil die übrige Welt erst
noch der Vollendung bedürfe.[40] Der Sabbat ist für das Judentum

[38] schen Texten zunächst ein Vollmondsabbat belegen läßt, während erst in exi-
lisch-nachexilischer Zeit eine Fusion zwischen dem siebten Tag (als dem bereits
bekannten Ruhetag) und dem Vollmondsabbat geschieht. Vgl. F.-L. Hossfeld,
Sabbat/Sonntag – ein Tag für Gott und für den Menschen. Wissenschaftliche
Problemstudie. Materialien zum lebenskundlichen Unterricht. Hg. Kath. Militärbischofsamt. Bonn o. J. (1989), 14–16, zur Entstehung des siebten Tages
10–14. (Lit.) – Auf der Maur referiert eine ähnliche, synthetisierende Hypothese
von P. Grelot, wonach der Sabbat einen doppelten Ursprung hat: er ist Festtag
des Neu- bzw. Vollmondes (abhängig von den Mondphasen) und andererseits
Ruhetag, der alle sieben Tage (unabhängig von den Mondphasen) wiederkehrt.
Ursprünglich liege beiden Kalendern, dem mesopotamischen wie dem jüdischen,
ein archaischer Mondkalender von 28 Tagen zugrunde, der später in Mesopota-
mien durch den klassischen Mondkalender von 29½ Tagen ersetzt wurde. Später
habe Israel auch diesen neuen Mondkalender übernommen und nun erst die Feste und den Sabbat als Ruhetage (sbt) gefeiert. Auf der Maur, 29f.

[38] Vgl. die Belegung der Sieben Tage mit den Planetennamen bzw. den entsprechenden germanischen Gottheiten. Schematische Zusammenstellung bei Auf der
Maur 50 f.

[39] Es ist jedoch zu beachten, daß der Wochenrhythmus an Bedeutung dem Jahres-
rhythmus weit überlegen ist und im römischen Kalendarium der Woche die
Sonne als einer der Planeten rangiert. Aber noch bei Eisenhofer (Handbuch der
katholischen Liturgik, Freiburg 1932) wird das liturgische Jahr als »Sonnenjahr,
geordnet nach den Normen der Kirche« verstanden. (Zit. Auf der Maur, 225) –
Im Zug der Säkularisierung zeigt sich m.E., daß nach Ablegen der christlichen
Inhalte immer noch ein gemeinsamer Grundbestand verbleibt, der sich vor allem
auf die natural-siderale Grundlegung unserer Existenz bezieht und den nicht von
ungefähr bestimmte Tendenzen von »New Age« für aktualisierenswert erachten.
– Es dürfte übrigens bezeichnend sein, daß ein christliches Neujahr keine Bedeutung erhielt. Dies hängt ohne Zweifel damit zusammen, daß wir kein Fest der
»Schöpfung« haben, es sei denn die Osternacht wird als solches verstanden.

[40] So etwa in Stern 398 f. Hier schreibt er von der Feier des Sabbat: »Der Sabbat ist

nach Rosenzweig das Fest der Schöpfung, der Befreiung und der Erlösung. Rosenzweig bedauert deshalb die Auseinanderentwicklung von Synagoge und christlicher Gemeinde in der Einschätzung des Sabbat, weil im Christentum dadurch der Blick auf die kommenden Werktage vollends die Oberhand gewann. *»Am Sonntag häuft sich der Christ seinen Schatz geistlicher Stärkung, den er im Lauf der Woche verbraucht«* (Stern 398). Ohne Zweifel hat hier eine Verschiebung stattgefunden, die von keinem Sternenlauf bestimmt ist. Hat diese Verschiebung allein christologische Gründe? Und bedeutet dies, daß die Feier des Sonntags als Fest des Anfangs kein Tag der Erlösung mehr sein kann, der bis in die »Erlösung« ungerechter gesellschaftlicher Verhältnisse hineinreicht? Da hier keine Theologie des Sonntags vorgesehen ist, wird vor allem in der Liturgie des christlichen Hochfestes, Ostern, zu überprüfen sein, ob Rosenzweigs Bedenken gegen die Trennung von Sabbat und «Erstem Tag der Woche» ein Indiz dafür ist, daß die Christen die ewigen Anfänger sind, so daß sie ein Fest der Schöpfung und damit der entlastenden Ruhe nicht zu feiern vermögen.

Augustinus, der sich noch vehement gegen die heidnische Bezeichnung »Sonntag« wehrte, versucht das Problem, warum die Christen nicht beim Sabbat verblieben sind, dadurch zu lösen, daß er die Ruhe des Sabbat auf die Grabesruhe Jesu überträgt, so daß der erste Tag der Woche zum Tag der Neuschöpfung und der Vollendung zugleich wird. Faktisch sei nämlich der Lauf der Welt durch die Sünde gestört worden. Wir aber leben im »triduum paschale«, womit das ganze christliche Leben eine christologische Dimension erhält. Rordorf faßt Augustinus so zusammen:

»Individuell und kollektiv schreitet die gläubige Menschheit

---

das Fest der Erlösung; er ist es sogar doppelt, in seinen beiden Begründungen, sowohl als Erinnerung des Werks vom Anfang, denn er feiert die göttliche Ruhe des siebenten Tags, wie als Gedenktag der Befreiung aus dem Sklavenhaus Egypten, denn sein Zweck ist, daß Knecht und Magd ruhen wie ihr Herr. Schöpfung und Offenbarung münden bei ihm in der Ruhe der Erlösung« (398). Hingegen heißt es vom Sonntag: »Der Sonntag, der die Vorschrift der Ruhe selten, auch in sonst gesetzlich gerichteten Zeiten, sehr streng genommen hat, ist ganz zum Fest des Anfangs geworden... Der Christ ist ewiger Anfänger; das Vollenden ist nicht seine Sache, – Anfang gut, alles gut. Das ist die ewige Jugend des Christen; jeder Christ lebt sein Christentum eigentlich noch heutigen Tags, als wäre er der erste« (398 f.).

vom sechsten zum achten Tag voran, vom Karfreitag der Ge-
genwart zum Karsamstag der körperlichen Ruhe nach getaner
Arbeit, bis das universale Ostern anbrechen wird, die geist-leib-
liche Ewigkeit.« (40)[41]

Man spürt bei Augustinus förmlich noch das Bemühen, mit dem
Verschiebungsproblem argumentativ fertig zu werden. Was Rosenzweig dem christlichen Sonntag schon nicht mehr zugestehen kann, das bleibt freilich bei Augustinus noch sehr deutlich.
Der Sonntag ist Fest der Erlösung, indem er allerdings Fest der
leiblichen Auferstehung Jesu ist. Augustinus legt außerdem Wert
darauf, dem Sonntag eine weltgeschichtliche und nicht nur indi-
vidualistische Heilsbedeutung zuzuschreiben. Schließlich geht
aus Augustinus ganz deutlich hervor, daß er nicht nur den ewigen Anfang im Auge hat, sondern daß ihm das Thema der eschatologischen Vollendung noch wie selbstverständlich bewußt ist.
Vielleicht zeigt sich gerade bei Augustinus eine Nahtstelle, an
der heute das ökumenische Gespräch zwischen Juden und Christen und die Rezeption von Rosenzweig in diesem Punkt einset-
zen könnte. Je weniger man die theologische Schnittlinie bei der
Unterscheidung zwischen der Anfangsorientiertheit der christlichen und der Vollendungsgestalt der jüdischen Hochfeste ansetzt, umso fruchtbarer werden Rosenzweigs Überlegungen
über die liturgische Stunde auch für die christliche Liturgie, die
ohne Zweifel in der Gefahr steht, sich zu konsumistisch für die
Geschäfte der Woche zu rüsten und so ihren kritischen Impuls
einzubüßen. Um der Auseinanderentwicklung von Sabbat und
Sonntag die Schärfe zu nehmen, wurde in jüngerer Zeit wiederholt der Vorschlag gemacht, den Sabbat (mit den Juden) als Fest
der Schöpfung und den Herrentag als Tag der Auferstehung zu

---

[41] Vgl. oben zu Augustins Theorie der Schöpfungstage als heilsgeschichtliche Zeit-
epochen. – Um sich vom Judentum deutlich abzusetzen, argumentiert der Bar-
nabasbrief (Kap. 15) schon um 130 n. Chr., der siebte Tag sei auf die Wiederkunft Christi hin zu deuten. Erst da komme die Welt – nach 6000 Jahren – zur
Ruhe, und mit dem achten Tag beginne eine andere Welt. Vgl. Schriften des Urchristentums II 180–183. K. Wengst verweist in der Ausgabe bezüglich der Geschichte und Entstehung des Symbols der Acht auf R. Staats, Ogdoas als ein
Symbol für die Auferstehung (in: VigChr 26, 1972, 29–52), wonach die Ogdoas
»ein ursprünglich judenchristliches Symbol für die Auferstehung« gewesen sei.
(Anm. 238 S. 200 f.) A. Gerhards machte mich darauf aufmerksam, daß die Sab-
battradition in der äthiopischen Liturgie bis heute ihren Niederschlag findet.

feiern. Dieser Vorschlag findet sich schon in den Apostolischen Konstitutionen.[42]

Der Verdacht legt sich nahe, daß ein zyklisches Zeitverständnis, wie es sich aus dem Kreislauf der Gestirne ergibt, einen Rückfall in den Mythos bedeutet. Tatsächlich wurde die zyklische Zeit zu einem Symbol der Fruchtbarkeit, sofern Saat und Ernte nicht einfach ineinander verschlungen werden. Von Rosenzweig ist aber zu lernen, daß der Stundenschlag die Ewigkeit in der Zeit markiert und daß somit diese Markierung dazu beiträgt, nicht im Zeitkontinuum zu zerfließen oder im Zeitzyklus zu erstarren. Augustins Umschreibung des Achten Tages als eines «Endes ohne Ende» macht darauf aufmerksam, daß das Zyklische der Woche eine Zielgerichtetheit kennt, den Anbruch der Vollendung. Gefährlich wird ein zyklisches Zeitverständnis dort, wo es ein ewiges Kreisen in sich bedeutet, so daß es zur Figur der Identität wird. Der Kreis als ein Verbleiben bei sich, das keine Transzendenz kennt. Dies wäre in der Tat Rückfall in ein mythisches Verständnis der Zeit. Der Achte Tag ist bei Augustinus gleichsam die Dynamisierung des Siebten Tages, um ihm den Charakter der Grabesruhe zu nehmen. So hätte Rosenzweig nie schreiben können. Aber wenn man seinen Einsatz bei der Todesproblematik, der die gesamte Philosophie revolutionieren will, ernst nimmt, müßte es nicht völlig unmöglich sein, den Tag der Grabesruhe der Menschheit in den Tag der Neuschöpfung hinein zu vollenden. Ich werde auf diese Frage bei der Christologie des Karsamstags zurückkommen.

Die Liturgie des Kirchenjahres[43] und insbesondere ihr Zentrum, die Feier des Todes und der Auferstehung Jesu (Triduum paschale) gestaltete das christologische Geheimnis des »Pascha« im Laufe der Jahrhunderte aus. Die aus dem Judentum übernommene und beibehaltene zyklische Wiederkehr unter Einbezug der Mondphasen, der Tag- und vor allem Nachtzeiten des Gebetes gaben der Liturgie bald ein unverwechelbares Gepräge.[44]

---

[42] Vgl. Rordorf, Die theologische Bedeutung des Sonntags bei Augustin 41; J. Moltmann, Gott in der Schöpfung, München 1985, 279–98.

[43] Daß man im Grunde erst sehr spät davon sprechen kann, hängt damit zusammen, daß der Terminus »Kirchenjahr« erst 1689 von einem lutherischen Pfarrer von Magdeburg (Johannes Pomarius) geprägt wurde.

[44] Vgl. jedoch die Praxis der Quartodezimaner, die – gegen den westlich-römischen Brauch – Ostern nicht am ersten Sonntag nach Frühlingsneumond feiern wollten,

Alle Register liturgischer Ästhetik werden gezogen, um Augen, Ohren, Hände und Herzen der Mitfeiernden zu öffnen. Aber auch mit der Dialektik der »Elemente« wird gearbeitet, wenn etwa das Wasser der Taufnacht in eine Gestik von Untergang und Neubeginn einbezogen wird.

Ohne Zweifel teilt die liturgische mit der mythischen Zeittheorie die Auffassung, daß in ihr der geschöpfliche Ursprung und das Ziel der Vollendung gefeiert werden. Dies könnte zunächst auf eine Kontraktion der Zeiten schließen lassen, die die feiernde Gemeinde selbst vollbringt, um so eine ewige Präsenz zu simulieren. Können wir aber – selbst wenn wir es wollten – die Zeiten des Anfangs und der Vollendung zusammenhalten, ja sie sogar noch hinter- bzw. überschreiten? Die Liturgie läßt keinen Zweifel daran, daß wir es in unserer irdischen Raumzeit faktisch nicht können. Die zyklische Wiederholung zeugt davon. So wie ein (in jeder Hinsicht) vollendetes Kunstwerk sich selbst auflösen würde, wenn es von der Verheißung zur Versöhnung überginge, so würde auch eine einzige vollendete Feier des Hochfestes Ostern zugleich dessen Ende bedeuten. Auch das rabbinische Judentum wußte, daß der Messias käme, wenn Israel einen einzigen Sabbat wirklich heiligen würde. So wird die zyklische Feier der Feste zu einem sich verstärkenden Ruf nach der messianischen Vollendung der Welt. Die zyklische Zeit vermag diese Vollendung nicht zu bringen, nicht einmal vorzugaukeln. Dies ist der Grund, warum sich schon das frühe Israel bald von den Mond- und Sonnenkulten abwandte. Es besteht wohl auch heute kein Grund, sie wieder neu zum Leben zu erwecken.[45]

Dennoch gibt es auch in den christlichen Festen so etwas wie die Botschaft der Gestirne. Unsere Lebenszeit ist einbezogen in ihre Kreise, derer wir nicht mächtig sind. Aber wir wissen zugleich, daß ihre Kreise auch nicht die Ursache unserer Existenz sind. Die Zeiten, die sie uns einteilen, verweisen uns deshalb über unsere Lebenszeit hinaus in die unvordenkliche Zeit unseres Anfangs und in die erhoffte Zeit unserer Vollendung. Dies bedeutet

---

sondern am 14. (= quarta decima) Nisan, um so wahrscheinlich die Kontinuität mit dem jüdischen Pascha zu betonen. Vgl. J. Quasten, Quartodezimaner. In: LThK² VIII 924.
[45] Vgl. M. Zobel, Gottes Gesalbter. Der Messias und die messianische Zeit in Talmud und Midrasch. Berlin 1938, 80.

freilich nicht, daß wir ekstatisch in unseren Urgrund zurück-
oder in die Vollendung vorauskommen können. Vielmehr werden wir in unsere Zeit zurückgestoßen, damit wir Gutes tun, solange Zeit ist. Wenn also, wie oben bereits zitiert, nach Levinas
das Geheimnis der Zeit nicht der Tod, sondern die Auferstehung
ist, dann wird dennoch nicht nur das Zeitkontinuum, sondern
auch die zyklische Zeit durchbrochen. Die Zeit wird zum Stundenschlag von Ende und Neubeginn.

Eine zyklische Christologie, die sich an den «Stundenschlägen»
der liturgischen Feste orientiert, stellt ihrerseits eine entfaltete
Theorie der Unterbrechung der kontinuierlichen Zeit dar. Die
Feier der Liturgie selbst aber ist die Praxis dieser Theorie, in der
diese Unterbrechung zur überraschenden Erfahrung werden
kann. Sie eröffnet einen Zugang zur qualifizierten Zeit, in der
sich die Erfahrung des Heiligen Israels in der Zeit ereignet, ohne
ihn der kontinuierlichen Zeit und ihren innerweltlichen Logiken
zu unterwerfen. Dies geschieht im Rhythmus der Woche und im
Rhythmus des Jahres, im Rhythmus des Mondes und im Rhythmus der Sonne. Der zyklische Rhythmus der Feste wird selbst zu
einem Ausdruck der Unterbrechung, in der wir – liturgisch inszeniert – die Stundenschläge von Tod und Auferstehung feiern,
bis uns die eschatologische Stunde schlägt.

Die Liturgie der großen Feste des Kirchenjahres[46] erscheint also
wie eine große Partitur, die nicht nur aus Menschenworten und
-gestiken besteht, sondern auch noch die naturalen Elemente
samt den kosmischen Bewegungen der Gestirne einbezieht. Dies
erreicht im christlichen Kalender im Triduum paschale ohne
Zweifel seinen Höhepunkt. Wenn Augustinus darin die Kurz-
fassung der christlichen Existenz für den einzelnen und die Ge-

---

[46] Die christologische Deutung des Kirchenjahres setzt in lehramtlichen Texten eigentlich erst mit »Mediator Dei« ein und setzt sich in der Liturgiekonstitution
fort. In Nr. 102 heißt es, die Kirche halte es für ihre Aufgabe, »das Heilswerk ihres göttlichen Bräutigams an bestimmten Tagen das Jahr hindurch in heiligem Gedenken zu feiern.« Die eigentliche Mitte bildet die Feier des Todes und der Auferstehung Jesu, wobei die Vergegenwärtigung nicht mehr nach dem Modell der
»causa instrumentalis« und den sakramentalen »effectus« verstanden wird, sondern als Heilsgegenwart in der gesamten Feier. (vgl. Nr. 7) Vgl. Auf der Maur,
226f. Vgl. schon O. Casel, Das christliche Kultmysterium 117–31 (Das heilige
Jahr der Kirche), wo Jesus Christus, der Verklärte, als der »eigentliche Führer
des Kirchenjahres« bezeichnet wird. (118) Allerdings möchte Casel im Kreis »das
Symbol des Ewigen und Göttlichen« sehen (119).

meinschaft sah, dann eröffnet dies einen Zugang zur Christologie, deren ästhetische Dimension in den folgenden Analysen ein wenig aufgezeigt werden soll.[47] Es ist gut, daß die erneuerte Liturgie der Drei Tage wieder Dimensionen der Feier offengelegt hat, die durch manche zusätzliche Tradition anderer Zeiten verändert und z.T. auch verschüttet waren.[48] Die Entdeckung der rechten Zeit für den Vollzug der Liturgie gehört dazu, auch wenn die Chancen, die damit für Theologie und Spiritualität verbunden sind, längst noch nicht genügend erfaßt sind.

Die zyklische Wiederkehr von Sabbat und Herrentag hat in beiden Glaubensweisen eine erhebliche praktische Bedeutung, die sich auch auf die Sprache[49] und eine ganze Anthropologie auswirkte. So ist es eindrucksvoll, was Levinas unter heutigen Voraussetzungen des Denkens zur Schöpfung[50] und zur »Sabbat-Existenz« zu sagen weiß. Nach Levinas ist die Welt der Ontolo-

---

[47] Daß die Liturgie nicht so sehr an einer Christologie des »Wer ist dieser?« interessiert ist, sondern eher an der Frage »Was bewirkt dieser an uns?«, also an der soteriologischen Frage (vgl. Auf der Maur 227), bestätigt noch einmal, daß die innere Verknüpfung von Christologie und Soteriologie ein ernsthaftes Desiderat ist, wenn auch diese Verknüpfung nicht so geschehen darf, daß die Anthropologie zur Konstanten einer variablen Christologie wird. Dadurch würde das »prosōpon« Jesu preisgegeben.

[48] Es kann im folgenden natürlich nicht um eine liturgiegeschichtliche Bearbeitung gehen. Vgl. dazu Auf der Maur 56–153 (Die jährliche Osterfeier).

[49] Der liturgische Kalender ist bis heute bei der jüdischen Zählung geblieben, indem die Wochentage einfach durchgezählt werden, also der Montag »feria secunda« usw. heißt (wie übrigens auch im Portugiesischen). Während »sabbato« erhalten blieb, konnte sich die jüdische Bezeichnung für den »ersten Tag« der Woche nicht durchsetzen. Er wird bald »dominica (dies)« heißen.

[50] In «Totalität und Unendlichkeit» kommt Levinas wiederholt auf den Begriff der Schöpfung zu sprechen. Er vertritt die These: Das Gute ist jenseits des Seins (146) und als solches ein »Luxus« (146). Daraus ergibt sich, daß Schöpfung nicht in ontologischen Kategorien ausgesagt werden kann. Gott kann nicht mit dem Sein zusammengeschlossen werden. Er kann nicht einfach Ursache des Seins genannt werden. Die philosophische Anthropologie habe nicht aufgehört, Endlichkeit und Unendlichkeit miteinander zu verknüpfen und dabei voll Pathos die Endlichkeit betont (147). Für Levinas hingegen impliziert der Gedanke der Schöpfung zunächst die radikale These der Trennung, indem er einen Grundgedanken jüdischer Mystik anklingen läßt, den des »Zimzum«, der Kontraktion des Unendlichen, um dem Endlichen Raum zu geben: »Das Unendliche ereignet sich, indem es in einer Kontraktion auf die Ausbreitung zu einer Totalität verzichtet und damit dem getrennten Seienden einen Platz läßt. So zeichnen sich Beziehungen ab, die einen Weg aus dem Sein hinaus bahnen. Ein Unendliches, das sich nicht kreisförmig mit sich zusammenschließt, sondern sich aus dem ontologischen Raum zurückzieht, um einem getrennten Seienden einen Platz zu lassen, existiert göttlich« (148).

gie eine Wochenexistenz, die dem Reich der Notwendigkeit verpflichtet ist. Frei wird erst der Mensch, der, von seinen Bedürfnissen absehend, *das Gute feiern* kann, der *Sabbatmensch*.[51] Er ist ein Mensch, der anerkennen kann, was existiert, ohne daß es von seinen Gnaden ist; er ist ein Mensch des Dankes. Dieser Gedanke ist m.E. in christlicher Theologie rezipierbar. Dies hat auch Konsequenzen für die zentrale christliche Liturgie des Sonntags, wenn man an sie mit ästhetischer Aufmerksamkeit herangeht. Immerhin geht die sonntägliche Eucharistiefeier mit den Gaben der Schöpfung so um, daß sie aus dem Bereich der Bedürfnisse (»besoin«) herausgenommen und zu ästhetischen Gestalten jener »Güte« werden, die in Jesus von Nazareth offenbar geworden ist. Gerade eine ökologische Neubesinnung darf sich nicht darin erschöpfen, die Welt der Bedürfnisse auf den Menschen hin zu bedenken oder gegen die Zerstörungen des Sechstagewerkes zu protestieren, ohne eine Kultur der Sabbat-Existenz zu pflegen. Vielleicht ist dieser vertiefte Sinn des ökologischen Umgangs mit der Schöpfung auch eine geheime Verbindungslinie zu einer »Gyn-Ökologie« und damit zur weiblichen Konnotation des lunaren Mythos.

Kurze Bemerkung zum Verhältnis von Zeit und Raum

Ohne Zweifel hat die Veränderung des astrophysikalischen Weltbildes auch eine Auswirkung auf die Frage des Raumes. Ich habe schon davon gesprochen, daß die Zerstörung der Vorstellung von einem Himmel oben dazu geführt hat, die liturgischen Gestiken des Aufschauens nach oben oder der zum Gebet erho-

---

[51] Levinas unterscheidet die Welt des Seins als Welt der Bedürfnisse, die erfüllt werden müssen, von der Welt der »Sehnsucht«, des »Begehrens« (désir) nach dem Unendlichen als des Guten, eine Sehnsucht, die durch nichts gestillt werden kann. Die Philosophie des Parmenides sei eine innerweltliche Ontologie, die auf die Bedürfnisse des Menschen abgestellt ist. »Aber die Ordnung des Begehrens – eine Beziehung zwischen Fremden, die sich nicht gegenseitig fehlen – des Begehrens in seiner Positivität – findet ihre Bestätigung in der Idee der Schöpfung ex nihilo. Hier erlischt die Ebene des bedürftigen Seienden, das gierig sucht, was es ergänzt, und es entsteht die Möglichkeit einer Sabbat-Existenz, in der die Existenz die Notwendigkeit der Existenz suspendiert. In der Tat ist ein Seiendes nur in dem Maße Seiendes, in dem es frei ist, d.h. außerhalb des Systems, das Abhängigkeit bedeutet« (148f.).

benen Hände neu zu bedenken. Es bedeutet in diesem Fall vor allem, die humane Dimension dieser Gestik zu entdecken. Auch die christologische Dimension der veränderten Raumvorstellung habe ich schon kurz angedeutet. Solange die Vorstellung bei dem Bild des »Sitzens zur Rechten Gottes« verbleiben konnte, war die Topographie des Heiligen gesichert. Es bestanden höchstens die bekannten Schwierigkeiten, wie die verschiedenen Räume zueinander gebracht werden konnten. Es gehört bereits zur atl. Bewältigung des Problems, daß man die Herrlichkeit Gottes, ohne sie auch nur im geringsten anzutasten, z.B. im Tempel von Jerusalem verehren, ja erblicken konnte[52] (vgl. Jes 6). Nach einem der liturgischen Grundtopoi senkt sich bei der Feier der Liturgie die himmlische Welt auf die Erde nieder, so daß die Gemeinde z.B. das Dreimalheilig zusammen mit der himmlischen Welt singt.

Während in ntl. Zeit die Überzeugung wachsen konnte, daß die Gemeinde als »Tempel Gottes« (1 Kor 3,16) oder »Tempel des Heiligen Geistes« (1 Kor 6,19) den Tempel von Jerusalem ersetzt oder gar übertrifft, so daß die Versammlungsräume der Gemeinden durch ihre Anwesenheit geheiligt wurden, setzt nach der Konstantinischen Wende ohne Zweifel eine Entwicklung ein, die den Raum architektonisch gestaltet und so ein neues Bewußtsein für den ästhetisch qualifizierten Raum als sakralen Raum schafft. Wie es eine Unterbrechung der Zeit gibt, so auch eine »Unterbrechung« des Raumes, indem bestimmte, gestaltete Räume ausschließlich für die Feier der Liturgie entstehen. So wird – von der Vorstellung des Raumes her – die Kirche selbst wie ein Raum, in den wir hineingehen, obwohl wir doch schon darin sind. Für die Glaubenden ist die Kathedrale nach wie vor kein musealer Ausstellungsraum für Gegenstände, sondern ein Raum, der gefüllt werden muß, so daß sich eher der Vergleich mit dem Raum des Theaters nahelegt als mit dem des Museums. Niemand bezweifelt, daß die ganze Welt eine Bühne ist, daß überall gespielt werden kann. Und doch gibt es die architektonisch errichteten Theater. Niemand soll zweifeln, daß dort, wo zwei oder drei unterwegs sind von Jerusalem weg oder wo das Brot in den Häusern gebrochen wird, auch Räume ent-

---

[52] Vgl. Hoeps, Das Gefühl des Erhabenen und die Herrlichkeit Gottes bes. 118–49.

stehen, in denen Begegnung mit Jesus stattfinden kann. Dennoch ist es auch heute noch sinnvoll, den gewissermaßen von allen Funktionalismen ausgesparten Raum zu bauen und zu pflegen, in dem die Gemeinde in öffentlicher Zugänglichkeit Liturgie feiern kann. Zeit und Raum bilden die naturale Basis liturgischer Ästhetik. In den Koordinaten von Zeit und Raum gestaltet sich die Ästhetik des Glaubens und wird sie mit Leben erfüllt. Über die Eigenart des liturgischen Raumes, der offensichtlich nicht in seiner bloßen Funktionalität auf die Liturgie hin bestimmt sein darf, wäre viel zu sagen. Doch dies würde zu sehr vom Thema wegführen.

Ich möchte nur noch einen anderen Gesichtspunkt erwähnen. E. Levinas spricht einmal vom »gekrümmten Raum«. Er meint damit nicht den gekrümmten Raum, von dem die Astrophysik spricht, wenn sie die Endlichkeit oder Unbegrenztheit des Weltalls, soweit es uns zugänglich ist, erforscht. Für Levinas ist der gekrümmte Raum vielmehr eine Metapher für das »Kraftfeld«, in das wir geraten, wenn wir in die Nähe eines Menschen kommen, den wir uns nicht ausgesucht haben, der aber uns meint, weil er unsere Hilfe braucht. Nach Levinas ist meine Antwort auf seinen Appell »erst das Ereignis seiner Wahrheit«. So entsteht ein Überschuß der Wahrheit über das Sein. Diesen Überschuß belegt Levinas mit der Metapher von der »›Krümmung des intersubjektiven Raumes‹«, von der gilt: »Diese ›Krümmung des Raumes‹ ist vielleicht die eigentliche Gegenwart Gottes.«[53] Ohne diese Metapher spricht er an einer anderen Stelle von der Rückkehr aus der Ekstase des Unendlichen in die Nähe des nicht ausgesuchten Nächsten. Gott verweist uns in unserer Sehnsucht zurück. Eine Bewegung wird abgebogen auf den Anderen hin. Dies ist der Raum einer Güte, die nicht mehr auf Bedürfnisbefriedigung aus ist, sondern auf das unstillbar Ersehnenswerte.[54]

Ein so verstandener Raum ist nicht fern. Wir befinden uns in seinem Kraftfeld, er ist gewissermaßen energiegeladen von der Güte, die je gelebt wurde. Der architektonisch gestaltete Raum ist der ästhetische Ausdruck dafür. Der Zeit-Raum der Liturgie

---

[53] Totalität und Unendlichkeit 421.
[54] Vgl. E. Levinas, Gott und die Philosophie. In: B. Casper, Hg., Gott nennen. Freiburg-München 1981, 81–123, hier: 106 f.

ist erfüllt von jener Herrlichkeit, die in Jesus aufgeleuchtet ist, der im Namen des »Ich-bin-da« gekommen ist und kommen wird. Er entreißt uns in der Liturgie nicht in die himmlischen Sphären, sondern weist uns zurück zu den Schwestern und Brüdern, in denen wir sein verborgenes Antlitz erkennen. Der liturgische Raum ist ein gekrümmter Raum, aber deswegen nicht weniger erfüllt von geheimnisvoller Mystik, die alles Erkennen übersteigt. Als mystischer Raum hat er deswegen auch keinen Fluchtweg ins imaginäre Jenseits, sondern verweist in das diesseitige Jenseits zurück, in dem gelebt, gelitten und gestorben wird.[55]

---

[55] Vgl. weiterführend H. Emminghaus, Der gottesdienstliche Raum und seine Gestaltung. In: Handbuch der Liturgiewissenschaft III 347–416; A. Gerhards, Vorbedingungen, Dimensionen und Ausdrucksgestalten der Bewegung in der Liturgie. In: W. Meurer, Hg., Volk Gottes auf dem Weg. Mainz 1989, 11–24.

3
Liturgie und Christologie
in der römischen Liturgie der großen Feste

Die Drei Österlichen Tage als innere Achse von Liturgie[1]
und Christologie

Daß die Liturgie des Osterfestes den Gipfel- und Höhepunkt des gesamten liturgischen Jahres darstellt, ist heute in der Liturgiewissenschaft unbestritten, auch wenn nach fast einer Generation der Liturgiereform beim christlichen Volk emotional das Weihnachtsfest immer noch das größere Gewicht haben dürfte. Die christologische Bedeutung der Drei Österlichen Tage übertrifft das Weihnachtsfest in jedem Fall, zumal schon in den ntl. Schriften die Geburtschristologie von Tod und Auferstehung Jesu her konzipiert ist. In einer aufschlußreichen Studie hat K. Richter neuerdings vor allem auch den jüdischen Hintergrund dieser zentralen liturgischen Feier aufgewiesen und Parallelen nicht nur zum jüdischen Pesach, sondern auch zur Liturgie des jüdischen Versöhnungsfestes aufgewiesen.[2] Bis hinein in die Leseordnung wirkt die jüdische Liturgie nach. Von daher ist es auch nicht verwunderlich, wenn sich die Jesusinterpretation hermeneutisch an die bereits bekannten atl. Perikopen anschloß, wie aus einem der frühesten Dokumente, der Osterpredigt des Meliton von Sardes († um 190), hervorgeht. Er erweitert auch die Serie der christologischen Titel in einer Weise, daß das soteriologische Interesse unüberhörbar ist:

»Ich bin eure Vergebung; ich bin das Pascha des Heiles; ich bin
das Lamm, geschlachtet für euch; ich bin eure Taufe; ich bin

---

[1] Für die liturgiegeschichtlichen Einzelheiten und Zusammenhänge vgl. vor allem: H. auf der Maur, Feiern im Rhythmus der Zeit I 56–153.
[2] Vgl. K. Richter, Ostern als Fest der Versöhnung. In: H. Heinz/K. Kienzler/J.J. Petuchowski, Hg., Versöhnung in der jüdischen und christlichen Liturgie, 56–87. Dort finden sich auch wichtige Hinweise zur Literatur, die ich im einzelnen nicht aufführe.

euer Leben; ich bin eure Auferstehung; ich bin euer Licht; ich bin eure Rettung; ich bin euer König.«[3]

Eine solche homiletische Sprechweise erhält beinahe den Charakter der Selbstvorstellung des Gefeierten. Die Präsenz, die sonst in der Liturgie – zumal durch die Herabrufung des Geistes (Epiklese) in der Feier der Sakramente – erbeten wird, kommt in der Ichform der Rede zu besonderer Dichte. Durch das wiederholte »euer« wird die Gemeinde in die Ichformulierungen förmlich hineingezogen. Solche Sprache will nicht zuerst mitteilen, sie will vielmehr Beziehung stiften, Nähe gewähren. Die Gemeinde will in bereits erfahrener Nähe verbleiben oder verlorene Nähe neu erfahren. Beide Male weiß eine Gemeinde, wovon sie redet. Beide Male geht es um eine Betroffenheit, aus der die Gemeinde schon lebt oder in die sie die Liturgie erneut bringen soll. Die dabei verwendete oder entstehende Christologie erhält deutlich heilshafte Züge, wird zur Christo*soterik*. Die Sprache könnte man ästhetisch als Sprache der Betroffenheit und des Betroffenmachens bezeichnen. An die von Adorno unterstellte Magie reicht sie trotz ihres beschwörenden Charakters in keinem Fall heran. Das auffälligste Stilmittel ist die direkte Ich-bin-Rede, in der biblische Offenbarungs- und Selbstvorstellungsformeln anklingen. Würde diese Sprache in einen Diskurs einbezogen, müßte sie zuerst auf den Sprecher und dann auf die Inhalte reduziert werden. Ein Sprechakt in der Gestalt der Ich-bin-Rede stellt ästhetisch betrachtet ein Höchstmaß von Identifikation des Sprechenden mit dem Glaubensinhalt dar. Er ist nicht schon durch seine Intensivform als wahr erwiesen. Dahinter könnte ja auch Anmaßung oder Selbsttäuschung des Redenden stehen, der sich bezüglich des in der Rede Beschworenen übernimmt. Offensichtlich ist solche Sprache aber auch nicht bloße Meinungsäußerung eines Subjektes, das um die Wahrheit nicht besorgt wäre. Solche Sprache will auch nicht einfach behaupten, als wollte sie sich jedem Diskurs entziehen. Ihre genuine Aufgabe ist Nähe zu gewähren und Nähe somit wahr-nehmen zu lassen.

In der großen Liturgie der Drei Österlichen Tage wird die Gemeinde eingeladen, den Weg des Glaubens von der Schöpfung bis zur Vollendung mitzugehen. Die »Ich bin«-Worte Melitons

---

[3] Zit. bei Richter 60.

von Sardes könnte man über die gesamte Liturgie dieser Tage und Nächte schreiben. »Ich bin euer Leben...« Deshalb geht es der Liturgie nicht einfach darum, christologische Inhalte zur Kenntnis zu geben. Es geht ihr vielmehr um eine *Weggemeinschaft*, die als solche dann auch zu denken gibt, und zwar nicht wenig. Die Gemeinde auf ihrem Weg durch die Zeit versenkt sich im sich wiederholenden Jahreszyklus des Gedächtnisses Jesu immer tiefer in die Geschöpflichkeit von Welt und Mensch, in die Wunder der Befreiung, in die Abgründe der Gottverlassenheit, in die Nacht des Todes und der Unterwelt und in die Hoffnung auf vollendetes Leben, das im österlichen Mahl schon als realisierbares und ansatzweise bereits realisiertes gefeiert wird.

Wer die Liturgie vom Gründonnerstag Abend bis zur Zweiten Vesper des Ostersonntags in einer lebendigen Gemeinde mitfeiert, wird eine große Komposition von Traditionen, Motiven und Gestiken wahrnehmen, die vom Zweiten Vatikanum zu Recht als »Paschamysterium« bezeichnet wird.[4] Die kontinuierliche Zeit wird in diesen drei Tagen mehr als sonst gleichsam durch die Stundenschläge der Liturgie durchbrochen. Die Zeit erhält ihre eigene Qualität im Eingedenken des Vergangenen und in der Hoffnung auf das noch Ausstehende und eröffnet so ein Widerfahrnis der Gegenwart, zu dem das Bewußtsein gehört, mehr zu sein als vergehender Augenblick. Die Lebenszeit der einzel-

---

[4] Es ist jedenfalls auffällig, daß die österliche Feier seit den frühesten Zeugnissen überall mit »pascha« bezeichnet wird. Eine dreifache Wortbedeutung wird dabei wichtig: 1. Pascha meint »paschein/pathos« (zuerst vom Osterlamm, dann von Jesus); 2. Pascha als Vorübergehen (griechisch = hyperbainein), ausgehend von hebräisch psh = rettend vorübergehen, dann auf den rettenden Vorübergang des Kyrios Jesus gedeutet (Origenes); 3. Pascha als »transitus« (= Hinübergang) (psh = diabainein), freilich schon bei Philo allegorisch ausgelegt (Auszug der Seele aus dem Körperlichen und aus den Leidenschaften). Vgl. Auf der Maur, Feiern im Rhythmus der Zeit 69. Nach ihm umfaßt die Theologie der Frühzeit neben der etymologischen Auslegung von »Pascha« vor allem auch die Einheit der Heilsgeheimnisse, zumal des Todes und der Auferstehung, wenngleich die Akzente verschieden gesetzt werden können. Ostern bedeutet in der liturgischen Feier eine Einheit des Handelns Gottes bzw. Christi und der Gemeinde. In der kleinasiatischen Tradition ist die Paschanacht auch die Feier der Erwartung der Wiederkunft des Herrn. (69 f.) Die große liturgische Ausgestaltung der Osternacht und zugleich des Triduum paschale erfolgt aber erst im 4./5. Jh. (vgl. ebd. 70–83), also in der Zeit, in der auch die christologische Entwicklung im Konzil von Chalkedon zu einem ersten großen Abschluß gekommen ist.

nen Mitfeiernden wird davon betroffen. Die Widerfahrnisse der Vergangenheit erlangen im Gedenken eine Aktualität, die ein bloß vergegenwärtigendes Denken weit übertrifft. Die christliche Liturgie durchbricht in eigenartiger Weise das Gesetz der Irreversibilität der Zeit, ohne dabei alles in abstrakte Gleichzeitigkeit aufzulösen. Vergangenheit bleibt Vergangenheit und erhält gerade als Vergangenheit ihre Aktualität; Zukunft bleibt unverfügbar und betrifft gerade so das Heute. Die christliche Gemeinde nimmt teil an dem Zeitverständnis der jüdischen Paschatradition, in der es einmal heißt, nicht nur die Väter (und Mütter) der Mosezeit seien im Exodus gewesen, sondern auch die jetzt zum Pesach versammelte Tischgemeinschaft.

Gründonnerstag – Jesu Abschiedsvermächtnis im Heute der Gemeinde: Eucharistie und Diakonie

Im *Introitus*[5] der Abendmahlsliturgie rühmt sich die zum Abendgottesdienst versammelte Gemeinde »des Kreuzes unseres Herrn Jesus Christus«, in dem ihr »Heil und Auferstehung und Leben« geworden ist. Dieser Introitus hat ohne Zweifel die Funktion einer Ouvertüre, in der komprimiert vorausgenommen wird, was dann in der liturgischen Dramatik der Drei Österlichen Tage entfaltet werden soll. Sie wirkt wie eine große Überschrift, die nach Gal 6,14 gestaltet ist. Wenn es überhaupt irgendwo gilt, was Adorno vom Kunstwerk sagte, daß es nämlich Leiden zum Ausdruck bringt, dann von der Liturgie dieser Tage. Der Introitus macht deutlich, daß es hier nicht um ein Nacheinander von Tod und Auferstehung gehen kann, sondern um ein dialektisches Ineinander der beiden Aspekte. Dies darf aber in keiner Weise so gedeutet werden, als sei von der Auferstehung her das Leiden nicht mehr ernst zu nehmen. Im Gegenteil, gerade wenn die Glaubenden in Jesus den Auferstandenen sehen, wird die Frage nach seinem Leiden und dem Leiden aller Schöp-

---

[5] Wenn ich mit dem Introitus beginne, dann ist von vorneherein klar, daß die ästhetische Gestalt der Eucharistie nicht nur den zweiten, sakramentalen Teil betrifft, sondern die gesamte Feier mit Wort- und Mahlteil. Dies neu ins Bewußtsein gerufen zu haben ist eine der hervorragenden Früchte der Liturgiereform, wie sie längst zu einem ökumenischen Vorgang geworden ist.

fung noch unerbittlicher. Gibt es denn keinen anderen Weg der Befreiung aus Versklavung als den Galgen, an dem der von Gott Geliebte endet? Gibt es für die Glaubenden keine andere Öffnung zum Heil als die dunkle Pforte des Todes, die sie auch selbst durchschreiten müssen, für die Schöpfung keine andere Befreiung als in Seufzen und Geburtswehen (vgl. Röm 8, 22)[6]? Im *Tagesgebet* der erneuerten Liturgie betet die Gemeinde, Jesus, »der Eingeborene Gottes«, habe »am Abend vor seinem Leiden« das neue Opfer der (kommenden) Zeiten (saecula) als Mahl seiner Liebe der Kirche anvertraut. Aus diesem unbegreiflichen Mysterium möge die Gemeinde die Fülle des Lebens und der Liebe schöpfen.[7] Memorativ versetzt sich das Gebet in den Todesgang (transitus) Jesu. Es hat die bevorstehende Hingabe (morti se traditurus) vor Augen. Die Bereitschaft Jesu zu letzter Hingabe und die Tatsache, daß er sich beim Wort nehmen ließ, führt zu einer Innovation des jüdischen Mahles, die im Gebet mit dem Wort »novum« bezeichnet wird; es bezieht sich wohl in gleicher Weise auf das Opfer und auf das Mahl der Liebe (novum sacrificium ... dilectionisque suae convivium). Dabei wird Jesu Opfer nicht als von Gott abverlangtes verstanden, sondern als Selbsthingabe (morti se traditurus). Die Absicht und Bereitschaft Jesu, den Weg der radikalen Hingabe zu gehen, führt in die Zeiten (in saecula) der Kirche, der er sich anvertraute (Ecclesiae commendavit). Andere Heilswege als der der radikalen Liebe und der Lebensfülle sind somit grundsätzlich der Kritik unterzogen. Auch die Kirche verfiele dieser Kritik, wenn sie eines Tages auf eine andere Art des Heiles setzen würde. Das Andenken an das einst Geschehene mündet dann in die Bitte der Gemeinde (da nobis, quaesumus), mit der sie jetzt betend vor dem steht, den sie mit »Gott« (Deus) anredet. Vor diesem Gott

---

[6] Daß in Röm 8, 26–30 aller Wahrscheinlichkeit nach in der zum Gottesdienst versammelten Gemeinde das Seufzen und Stöhnen der gesamten Schöpfung ausgerechnet in den Kindern Gottes, denen die Geisteskraft geschenkt ist, laut wird, könnte diese Verse zum Ausgangspunkt einer ganzen christlichen Liturgieästhetik werden lassen.

[7] Vgl. K. Richter, Höre unser Gebet. Betrachtungen zu den Orationen der Sonntage und Hochfeste des Herrn. Mainz 1988, 31 f. Es handelt sich um eine im Geist der Eucharistietheologie des Zweiten Vatikanums neu gestaltete Oration im Stil der alten römischen Orationen. Vgl. Kaczynski, Was heißt »Geheimnisse feiern«? 251, wo die Übersetzung von »Mysterium« mit »Geheimnis« problematisiert wird.

möchte sich die Gemeinde dem »übergroßen Mysterium« (ex tanto mysterio) öffnen. Es ist das Mysterium einer verschenkten Liebe; deshalb wünscht sich die im Zyklus des Jahres feiernde Gemeinde (frequentantibus), die Fülle der Liebe und des Lebens daraus schöpfen zu dürfen (plenitudinem caritatis hauriamus et vitae).

In die kunstvolle Formulierung dieses Gebetes[8] sind christologische und soteriologische Inhalte von erstaunlicher Tiefe und Fülle eingewoben. Die kunstvolle Gebetssprache weist aber über das bloße Wohlgefallen an solcher Sprache hinaus und zielt auf die Erhörung, durch die erst gelebt werden kann, was gefeiert wird. Der Ort solcher Realisierung ist die Gemeinde, die sich von der durch die Lebenshingabe qualifizierten Zeit her als »liebevolles Zueinander« und als lebendige Tisch-Geschwisterschaft (dilectionis convivium) verstehen darf. Der einzige christologische Titel des Gebetes – neben »Christus« in der Schlußformel – ist der Ausdruck »Eingeborener (Gottes)« (unigenitus tuus). Weil er dieser ist, so das Gebet, kann seine Bereitschaft zur »Überlieferung« (traditio) der Gemeinde erst den Weg der Liebe und des Lebens eröffnen. Aber diese Eröffnung ist alles andere als eine mechanisch verstandene »objektive Erlösung«, die von einem über alles Privilegierten dann wie eine Ware ausgeteilt werden könnte. Nein, die Selbstübergabe Jesu kann nur deprekatorisch, in bescheidener Bitte, in der sich die Gemeinde neu öffnet, anvertraut werden. Fast müßte man sagen, die Lebenshingabe Jesu sei nur in der Form der Bitte vergegenwärtigbar. Können sich in ihr alle wiederfinden, Frauen und Männer, Kinder, Jugendliche und alte Menschen? Ich denke, in der radikalen Selbstüberlieferung, um die es Jesus ging und um die es denen gehen soll, die ihm folgen, fallen angesichts des Todes alle Un-

---

[8] Es ist nicht meine Absicht, die Übersetzungen zu kritisieren. Übersetzungen sind immer auch Interpretationen. Aber gerade an den Orationen zeigt sich, daß die Möglichkeiten der lateinischen Sprache gerade in poetischer Prosa viel reicher sind als im Deutschen. Eine Übersetzung wird sich häufig bemühen, die Inhalte richtig wiederzugeben. Die Übertragung der poetischen Ausdrucksgestalt wurde m. E. bei den Orationen bisher kaum versucht. Dadurch ist mit der Übersetzung aber auch eine Verarmung bezüglich der ästhetischen Qualität der Sprache eingetreten, um die man wissen muß, weil sich hier Aufgaben für weitere Entwicklungen abzeichnen.

terscheidungen und Einteilungskriterien, die wir sonst verwenden.[9]

Dies wirft ein überraschendes Licht auf das Verhältnis von Glaube (lex credendi) und Gebet (lex orandi): Die in kunstvolle Sprache gekleidete Bitte nimmt die betende Gemeinde (bzw. den mit ihr betenden einzelnen Menschen) mit Leib und Seele hinein in die »bevorstehende Selbstüberlieferung« Jesu. Wenn sich die Bitte in dieser Abendstunde tatsächlich erfüllt – und sie erfüllt sich, weil wer bittet auch empfängt – , dann wird die Gemeinde wieder ein wenig mehr aus diesem Geheimnis von Hingabe und Liebe ihr Leben gestalten können. Der Glaube, der sich in der Ästhetik einer solchen Oration auszudrücken versucht, gibt sich selbst die Gestalt der Bitte und öffnet sich so auf das Mysterium hin, das denkend niemals ergriffen, geschweige denn rational aufgelöst werden kann.

Ich möchte aber noch einen Schritt weitergehen. Der Glaube in der Gestalt der Bitte setzt sich dem aus, der sich nach synoptischer Tradition seinerseits zu Beginn des Leidensweges seinem Gott, den er »lieber Vater« (abba) nennt, zitternd und bebend anvertraut. Die Selbstübergabe wird zur flehentlichen Bitte. Das Subjekt des Leidens will nicht einmal mehr selbst über sein Leiden verfügen. Vielleicht muß man auch das vorausgehende Mahl mit seinem Aufruf zum Essen und Trinken des Sich-Überliefernden weniger als Befehl denn als Bitte verstehen. Es ist nicht die Eigenart von Todgeweihten, zu befehlen.

So steht Jesus zu Beginn der Österlichen Liturgie mit der Bitte vor der Gemeinde, seine Lebenshingabe nicht umsonst geschehen sein zu lassen. Er findet mit dieser Bitte nur Gehör, wenn sich die Gemeinde ihrerseits auf Jesu verschenkte Liebe einläßt und selbst liebender daraus hervorgeht. Eine Christo*logie* des

---

[9] Vielleicht sollte man den Ausdruck der Oration »se traditurus« durchaus doppelsinnig verstehen. Der innerste Kern der kirchlichen Überlieferung ist die Selbst-Übergabe Jesu in den Tod, die zuletzt ein gewaltloses Sich-Aussetzen bedeutet. Vgl. vertiefend und weiterführend: M. Theunissen, Ho aitōn lambanei. Ich kenne keinen Beitrag, wo so deutlich bedacht wird, daß der Glaube als Gebet, von dem das Jesuslogion in Mt 7,7 f. spricht, auch den Gebetsglauben Jesu selbst betrifft. Mit Recht betont H. B. Meyer die Bedeutung der Bitte für die gesamte Feiergestalt der Eucharistie. Vgl. H. B. Meyer, Eucharistie. Handbuch der Liturgiewissenschaft IV. Regensburg 1989, 459. Vgl. auch H. Vorgrimler, Liturgie als Thema der Dogmatik 123.

Gründonnerstags würde also ein Sich-Hineintasten in ein »so großes Mysterium« in Worte fassen, das nicht intellektuelle Einsicht, sondern Lebenspreisgabe zur Sprache bringt, die radikales Subjektsein erst ermöglicht.[10]

So sehr sich also das Gebet als Bitte auf das noch ausstehende Reich ausstreckt, wie Rosenzweig meinte, so deutlich wird in der Prägnanz dieser Oration, daß sie aus der Ferne des noch Ausstehenden zurückdrängt in das gelebte Leben und seine noch fällige Wandlung. Die Wiederholung solcher Bitte im Kreislauf der Jahre macht auch deutlich, daß solches Bitten immer auch ein geduldiges Warten auf das noch Ausstehende bedeutet – ein Umstand, der leider die Christenheit zur Lethargie verführen kann. Sie erkennt dann nicht mehr hinreichend, daß auch die Stunde der Liturgie eine der kleinen Pforten sein kann, durch die der Messias in die Welt eintritt.[11] Sie verfällt vollends der kontinuierlichen Zeit der Herrschaft von Arbeit, Bedürfnisbefriedigung. Apathisch geworden, ist sie auch nicht mehr der Ort des Eingedenkens von Leiden und somit noch weniger der »Vor-Ort« des Gottesreiches.

Schließlich möchte ich bei dieser ersten Oration in der Liturgie der Drei Tage noch darauf hinweisen, wie konsequent die meisten römischen Orationen – wie in diesem Beispiel – die frühchristliche Grundstruktur des Betens aufrechterhalten. Sie wen-

---

[10] Wenn der Mensch nicht durch Erkenntnis, sondern durch Liebe Subjekt wird, hat dies u.a. zur Folge, daß eine Christologie, die nicht mehr Jesu *Leiden* beredt machen würde, kaum den Namen verdienen würde. Aber dieses Leiden ist nicht rationalisierbar, es muß zuerst bittend anvertraut und bittend übernommen werden. Hier drängt ein kunstvolles Gebet in ein »Kunst« werdendes Leben gelebter Preisgabe. – Ich denke hier an einen Topos zeitgenössischen jüdischen Denkens. Schon in einer frühen Veröffentlichung macht Levinas darauf aufmerksam, daß sich im geäußerten Wort das Subjekt, indem es seine Position einnimmt, aussetzt, ja betet: Vgl. E. Levinas, La transcendence des mots. In: Les Temps modernes 44 (1949) 1090–1095. Deutsch jetzt in: Eigennamen 85–92: »Durch das vorgebrachte Wort exponiert sich das sich setzende Subjekt und, in gewissem Sinn, betet es« (92). Vgl. Th. Wiemer, Die Passion des Sagens. Freiburg–München 1988, 393; Lesch, Die Schriftspur des Anderen. Vgl. die Notiz von P. Celan, die er am 26.3.1969 niederschrieb: »La poésie ne s'impose plus, elle s'expose.« (Die Poesie zwingt sich nicht auf, sie setzt sich aus) In: Gesammelte Werke III 181. Auf diese Stelle wurde ich durch L. Koelle aufmerksam. Celan charakterisiert hier die Poesie, wie er sie verstehen möchte, daß sie sich nämlich »exponiert«, ohne irgendwelche Form von Gewaltsamkeit oder Machenschaft ins Auge zu fassen.

[11] Vgl. W. Benjamin, Über den Begriff der Geschichte. Anhang B. II 704.

den sich an Gott und rufen zunächst sein Heilswirken ins Gedächtnis. Daraus folgt die Bitte um die noch ausstehende Realisierung des Heiles, die vorgetragen wird »durch Christus« (per Christum), und zwar in der Überzeugung, daß er der Lebendige und das Reich Herbeiführende ist (qui vivit et regnat). Die so Betenden wissen sich in der Gemeinschaft seines Geistes (in unitate spiritus sancti). Diese Gebetsstruktur ist auch in den Eucharistiegebeten erhalten und findet ihren prägnantesten Ausdruck in der Schlußdoxologie der Eucharistiegebete.[12] So steht die Gemeinde betend mit und durch Christus in der Gemeinschaft des Geistes vor Gott, wissend, daß die Zeiten (per omnia saecula saeculorum) nun von einem Wendepunkt her bestimmt sind, der »letztlich«, d.h. eschatologisch, auch die kontinuierlichen Herrschafts- und Katastrophenzeiten der Menschheit durchbrechen kann.[13] Hier stiftet das Gebet eine Weltordnung.[14]

---

[12] Vgl. zum Römischen Kanon: J.A. Jungmann, Missarum sollemnia. 2 Bde. Freiburg [4]1958. Jungmann läßt keinen Zweifel daran, daß die Schlußdoxologie ökonomisch-trinitarisch auszulegen ist. Eine Gegenüberstellung des Textes der Schlußdoxologie und der Doxologie bei Hippolyt ergibt, daß das »in unitate Spiritus Sancti« bei Hippolyt »in sancta Ecclesia tua« heißt. »Die ›Einheit des Heiligen Geistes‹ in der heutigen Messe ist nur ein anderes Wort für die ›heilige Kirche‹ des Hippolytischen Textes« (II 329f.). Jungmann führt weiter aus, daß die Gemeinde, in der der Lobpreis ertönt, unter zwei Aspekten gesehen werden kann: durch Christus geht sie zu Gott; mit ihm steht sie – gleichsam im Chor – vor Gott; in Christus ertönt ihr Lobpreis wie aus einem Mund. Und dies ist zugleich eine Umschreibung dessen, was Gemeinschaft im Geist ist. So schreibt Jungmann: »In ipso und in unitate Spiritus Sancti bezeichnen also denselben alles umfassenden Quellbezirk der Verherrlichung des himmlischen Vaters, das eine Mal gesehen von Christus aus, dessen mystischen Leib die Erlösten bilden, das andere Mal vom Heiligen Geiste aus, von dessen Lebensodem sie beseelt sind.« (330) Weniger überzeugend finde ich die Ansicht Jungmanns, daß das »in unitate Spiritus Sancti« der Orationen sich auf die himmlische Welt beziehe, die im Heiligen Geist eine Gemeinschaft von Engeln und Heiligen bildet (vgl. II 330 Anm. 31 und I 490). Immerhin darf auch hier die Formel nicht vorschnell auf die »Einheit« hin gedeutet werden, die der Vater und der Sohn »im Heiligen Geist« bilden, auch wenn dies die landläufige Auffassung sein mag. Vgl. J. A. Jungmann, Die Doxologie am Schluß der Hochgebete. In: Th. Maas-Ewerd/K. Richter, Hg., Gemeinde im Herrenmahl. Einsiedeln u. a. 1976, 314–22. In diesem testamentarischen Beitrag bekräftigt Jungmann im Blick auf eine 50jährige Forschungsgeschichte seine bereits 1925 vorgetragene These von der heilsgeschichtlichen Auslegung der Doxologie, die ihrer Herkunft nach bereits vor den arianischen Streitgesprächen anzusetzen sei (vgl. 321).

[13] Bei der Verwendung der Kurzformel »per Christum dominum nostrum« wird m.E. in sträflicher Weise der Heilige Geist unterschlagen. Da aber Kurzformeln höchst praktikabel erscheinen, müßte bei ihrer Verwendung darauf geachtet werden, daß die Klausel »in der Einheit des Heiligen Geistes« nicht grundsätzlich

Folgt man dem Wortgottesdienst des Gründonnerstags nach der offiziellen Leseordnung, so wird ein Weg vorgezeichnet, den Jesus – in der Gemeinschaft seines Volkes – möglicherweise selbst gegangen ist, ehe er sich in radikaler Weise zu exponieren bereit war. Die christliche Liturgie denkt in der Auswahl und im Verständnis ihrer Perikopen ebensowenig historisch-kritisch wie die jüdische Pesachliturgie. Nachdem das Neue Testament zur Schrift geworden war, ging man sehr bald – wenn auch nicht unumstritten (vgl. Markion) – von der Einheit der ganzen Schrift aus. Man legte Früheres durch Späteres sowie umgekehrt Späteres durch Früheres aus.

Dies gilt wohl auch für die Erste Lesung aus dem Buch Exodus (12, 1–8. 11–14). Was bedeutet die Lektüre dieses Textes an diesem Abend für die Gemeinde? Längst hat ja die christliche Gemeinde aufgehört, das Pesach nach der Anordnung dieses Textes zu feiern, an die sich nicht einmal das frühe Judentum selbst peinlich genau halten konnte. Die christliche Gemeinde liest

---

ausfällt. Sie könnte etwa lauten: So bitten wir in der Einheit des Heiligen Geistes durch Jesus Christus unsern Herrn. Oder besser: So bitten wir in der Gemeinschaft des Heiligen Geistes..., weil hier die hippolytische Deutung »in sancta ecclesia« und die pneumatologische Auslegung des gesamten dritten Glaubensartikels (zumal in der Gestalt des Apostolikums) gerettet wäre. Eine ganze Theologie der (ökonomischen) Trinität hat sich nämlich in dieser Gebetssprache erhalten. Sie sollte möglichst vor dem Tod der Formelhaftigkeit bewahrt werden. Vgl. J. Baumgartner, »Durch Jesus Christus, unseren Herrn...«. Zur Schlußformel der Vorstehergebete. In: Gottesdienst 22 (1988) 105–07.

[14] Aus dieser Interpretation des Tagesgebetes ist zu ersehen – und dies gilt von der liturgischen Gebetssprache fast durchweg –, daß so komprimierte Gebetstexte in ihrer ästhetischen Prägnanz und zugleich theologischen Tiefe nur überleben können, wenn sie nicht nur »aufgesagt« oder »vorgelesen« werden, sondern eine Grundlage für Gebetserziehung und Meditation abgeben, aus der eine Gemeinde und die einzelnen Betenden in ihr ihre Widerfahrnisse mit der Transzendenz wahr-nehmen können. Das »Amen« der Gemeinde setzt dies geradezu voraus. – In seiner großen liturgiewissenschaftlichen Arbeit über die Eucharistie im Spiegel der erneuerten Liturgie und ihrer Gebetspraxis hat W. Haunerland über das hier Vorgetragene und noch Darzustellende hinaus ein umfassendes Bild der Eucharistie und ihrer Wirkungen vorgelegt. Dabei zeigt sich, daß die Spannung zwischen der realpräsentischen Gewährung der Gabe des Heiles und deren eschatologischer Ausständigkeit auch die Gebetstradition prägt. Vgl. W. Haunerland, Die Eucharistie und ihre Wirkungen im Spiegel der Euchologie des Missale Romanum. Münster 1989. (Vgl. z. B. S. 242, Anm. 1420 mit 249 Anm. 1472, 252 Anm. 1500, 258 f., 277–80 [Spes und Wegcharakter des Glaubens] und dann wieder 376 Anm. 2397 als besonders problematisches Beispiel präsentischer Gebetssprache [»Reich Gottes bauen«]). Leider kommt in Haunerlands Analysen der ästhetische Aspekt zu kurz.

deshalb diesen Text auf einen neuen »Gedenktag« hin, indem sie den feiert, der in seiner Lebenshingabe das »wahre Lamm« geworden ist. Dessen »Gedächtnis« (memoria) darf nicht verblassen. Vermag diese neue Sicht auch umgekehrt von Jesus her Licht zu werfen auf das, was Israel in seinem Pesach bis heute feiert? Die Frage muß im Grunde das Judentum selbst beantworten, und wir Christen können höchstens bitten, es auf die Dauer nicht bei einem Nein zu belassen. Wie bereits die Väterexegese erkannte, ist das Paschalamm die »figura«, d.h. das durchaus heilsrelevante Vorausbild dessen, was das christliche Pascha auch »post Christum« noch feiert. Der Durchbruch (transitus) von der Sklaverei zur Freiheit, von der Todesbedrohung zur Errettung aus den Fluten des Verderbens hat nach christlicher Interpretation von Jesu »Überlieferung« her eine nochmalige Vertiefung und eine Bedeutung für die gesamte Menschheit erhalten, ohne daß die Heilstaten an Israel deshalb widerrufen werden dürften. Sollte dann nicht auch das jüdische Pesach über Jesus hinaus eine eigenständige Heilsbedeutung für die jüdischen Gemeinden behalten haben? Und sollte das heutige Judentum sich nicht darüber freuen, wenn auch christliche Gemeinden am Gründonnerstag vor oder nach der Eucharistie eine Art von Sedermahl feiern? Dürfen nicht auch Christen sagen: Nicht nur unsere Väter und Mütter waren in Ägypten und wurden von dort befreit, sondern auch wir, die jetzt lebende Generation aus der Völkerwelt, gehören zu denen in Ägypten und feiern mit ihnen das Fest der Befreiung, das uns geschieht?[15] Könnte nicht

---

[15] Ich spiele auf die Stelle des Sederritus an, wo es heißt: »In allen Zeitaltern ist es Pflicht eines jeden Einzelnen sich vorzustellen, als sei er selbst aus Ägypten gezogen...« Vgl. Die Pessach-Haggadah. Übersetzt und erklärt von Dr. Ph. Schlesinger und J. Güns. Tel Aviv 1976, 28. Vgl. auch die Formulierung: »Sklaven waren wir einst dem Pharao in Aegypten, da führte uns der Ewige, unser Gott, von dort heraus mit starker Hand und ausgestrecktem Arm« (4f.). – Auf die schwierigen Fragen nach der Fortdauer der Pesachfeier in christlichen Gemeinden kann ich hier nicht eingehen. Nach allem, was wir heute wissen und was K. Richter erneut ins Bewußtsein ruft, hat sich die christliche Liturgie viel organischer und bruchloser aus der jüdischen Tradition herausgebildet, als die spätere Entwicklung wahrhaben wollte. Dies hat aber nicht nur historische Bedeutung. Es heißt vielmehr für die Christologie, daß sie ohne den atl. Verstehenshorizont gar nicht möglich geworden wäre. Es bedeutet ferner, daß der weiterlebenden jüdischen Tradition in vieler Hinsicht *messianologische* Elemente zugesprochen werden dürfen, so daß die jüdische Liturgie trotz erfolgter *christologischer* Interpretation *Jesu* – zumindest für das Judentum – heilsbedeutend geblieben ist.

die christliche Befreiungstheologie von hier aus liturgische Impulse empfangen?

Mit dem Ja zur frühjüdischen Literatur, die wir das Alte Testament nennen, hat die christliche Gemeinde auch das Gebet- und Gesangbuch Israels in alle Teile ihrer Liturgie übernommen. Die christologische Interpretation Jesu hat dies nicht verhindert, wenn sich auch bezüglich dieser poetischsten Gebetstexte der Weltliteratur[16] von der Christologie her die Hermeneutik beträchtlich erweiterte. Der Antwortgesang auf die Lesung greift Verse aus Psalm 116 auf, der zu den sogenannten Hallelpsalmen gehört, die schon in der jüdischen Liturgie ihren Ort im Paschamahl gefunden haben. Das poetische Ich des Psalms schließt in der Stunde der Liturgie Jesus mit ganz Israel und beide mit der nun feiernden christlichen Gemeinde zusammen. Der Kehrvers »Der Kelch des Segens ist Teilhabe am Blut Christi« (nach 1 Kor 10,16) unterstreicht, daß der eucharistische Segensbecher am Tod Jesu Anteil gibt, so daß dieser Tod – historisch zwar einmalig und unwiderruflich vergangen – hereinreicht in die Gemeinde und ihr eigenes Schicksal in allen einzelnen ihrer Mitglieder, welchen Geschlechts oder welchen Standes auch immer, bestimmt. Teilhabe, das ist alles andere als nur zur Kenntnis nehmen. Der Tod des Einen zieht den Tod der Vielen nach sich. Der Tod der Vielen erhält vom Tod dieses Einen seine Bedeutung. Teilhabe am Leiden, Teilhabe an der Gottverlassenheit, Vertrauen auf Rettung und schließlich das Widerfahrnis der Rettung gehören zusammen.[17]

Der Ausschnitt, den die Liturgie vornimmt, kann nur überzeugen, wenn man den ganzen Psalm im Auge behält. Denn der ganze erste Teil spricht von einem Ich, das in die Fesseln des Todes geriet, das den Herrn um Hilfe anrief und erhört wurde. Die Bitte »Ach, Herr, rette mein Leben«, wurde erhört. Mit den Versen 12–18, die im Antwortgesang aufgegriffen werden, setzt der

---

[16] Ich denke hier an den bemerkenswerten Aufsatz des großen Neukantianers H. Cohen: Die Lyrik der Psalmen. In: Ders., Jüdische Schriften Bd 1. Berlin 1924, 237–61.

[17] Die ekklesiologische Bedeutung des griechischen Wortes für Teilnahme (koinonia) kann ich hier nicht weiterverfolgen. Die viel besprochene »communio-Ekklesiologie« hat hier ihr Zentrum, nicht in der hierarchischen Organisation einer Großkirche. Letztere muß vielmehr von hier aus gesehen nötigenfalls auch der Kritik unterzogen werden.

Dank für die erfolgte Rettung ein. Er gipfelt in der öffentlichen Feier eines Dankopfers (nach V 19 im Tempel von Jerusalem).[18] Vers 16 (»Dein Knecht bin ich«) mag mit dazu beigetragen haben, daß ein Wort wie »Knecht« zu den frühen christologischen Titeln gehörte. Von größerer Bedeutung ist aber vielleicht die Erwähnung des Dankopfers (V 17), weil hier im hebräischen Text ein Wort steht, das sich auch auf die jüngste Eucharistiediskussion ausgewirkt hat.[19] Das Wort »toda« bedeutet nach H. Gese »Bekenntnisopfergottesdienst«. Es setzt die Situation der Rettung eines Menschen aus Todesnot, Krankheit oder Verfolgung voraus. Nach der Rettung feiert der Gerettete die göttliche Rettungstat in einem Dankopfergottesdienst und bekennt Gott dabei als Retter. Der Gerettete stiftet das Opfertier und lädt ein zum gemeinsamen Mahl, das nicht nur ein blutiges Fleischopfer umfaßt, sondern auch Brot und Wein. Psalm 116 erwähnt nur den Kelch, der im Hebräischen »Kelch der Rettung« (kos jeschuoth) genannt wird.[20]

Der Psalm in der Ich-Form trägt ohne Zweifel eher verallgemeinernde Züge und konnte auf viele ähnliche Rettungs- und Danksituationen Anwendung finden. Dabei erhält m.E. das Gebet des Einzelnen auch universale Züge. Das Ich des Psalms, das seine Rettung aus Todesnot erfährt und dafür die »toda« darbringt, ist auch das Ich Israels, des Knechtes JHWHs, in das sich der Betende hineinbegibt.[21] Mir ist es vorstellbar, daß Jesus sich

---

[18] Die Zählung 116 ist die hebräische Zählung. Septuaginta- und Vulgataübersetzung haben den Psalm zwischen den Versen 9 und 10 geteilt (Ps 114 und 115), aber zu Unrecht, wie A. Deissler meint. Vgl. Die Psalmen. Bd. 3. Düsseldorf 1964, 457–60. Eine genauere Exegese des vermutlich spät entstandenen Psalms würde hier zu weit führen.

[19] Vgl. J. Ratzinger, Das Fest des Glaubens. Einsiedeln 1981, bes. 47–51 (mit Bezug auf Arbeiten des Tübinger Exegeten H. Gese: Die Herkunft des Herrenmahls. In: Ders., Zur biblischen Theologie. München 1977, 107–27) und seine frühere Auslegung des Psalms 22 (Psalm 22 und das Neue Testament. Der älteste Bericht vom Tode Jesu und die Entstehung des Herrenmahls. In: Ders., Vom Sinai zum Sion. München 1974, 180–201). Vgl. weiterführend Meyer, Eucharistie, 446–53; A. Gerhards, Die literarische Struktur des eucharistischen Hochgebets. Zu einer Studie [sc. C. Giraudo, La struttura letteraria della preghiera eucaristica. Roma 1981] über die alttestamentlichen Wurzeln der Anaphora und deren Entfaltung im jüdisch-christlichen Beten. In: LJ 33 (1983) 90–104.

[20] Vgl. zu »toda« auch C. Westermann, Art. ›jdh‹. In: THAT I 674–82, bes. 679–81. »Wichtig ist Ps 116,17, weil die Zusammengehörigkeit von Lobopfer und Loblied zeigt...« (680).

[21] Auf das ganz andere Problem, das Ratzinger in seinen Ausführungen aufwirft,

in einer möglichen Stunde des Abschiedsmahls in der »Mentalität« dieses Psalms seinem Gott anvertraut und auf Rettung hofft und daß er von daher dem Jüngerkreis sein »Testament« hinterläßt. Der »Becher der Rettung« des Psalms könnte durchaus mit jenem Urgestein der Abendmahlsüberlieferung zusammenhängen, das in Mk 14,25 par(r) angesprochen wird. Danach wäre Jesu Zuversicht bezüglich des Bechertrinkens in der Erfüllung des Gottesreiches auch angesichts des Todes ungebrochen, so daß die Aussage von V 15, das Sterben des Frommen sei in den Augen des Herrn kostbar, auch die Überzeugung Jesu gewesen sein könnte. Ich weiß aber, daß vom Einblick, den Ps 116 theologisch ermöglicht, durchaus nicht auf historische Sachverhalte geschlossen werden darf. Die singende Abendmahlsgemeinde wird jedenfalls lernen müssen, solche Zuversicht mit Jesus zu teilen.

Die zweite Lesung aus dem ntl. Briefcorpus (Apostolus) ist dem Eucharistiekapitel des Ersten Korintherbriefes entnommen. Paulus stellt dort die »traditio« des Kyrios der Herrenmahlpraxis der korinthischen Gemeinde kritisch gegenüber. Eine Gemeinde – so ergibt sich aus dem Kontext der Perikope – , die am Leib des Herrn Anteil hat und die den Neuen Bund kraft des Todes Jesu feiert, steht auch unter der Verpflichtung, als Gemeinde Leib Christi und eine Gemeinschaft des erneuerten Bundes zu werden und darf deshalb keine Spaltungen und Rangstreitigkeiten zulassen.[22]

---

ob nämlich das Abendmahl Jesu dem christlichen Herrenmahl der nachösterlichen Zeit entspricht oder dieses als »Toda des Auferstandenen« erst später seine Gestalt gefunden hat, kann ich hier nicht eingehen. Der Unterschied dürfte insofern nicht so gravierend sein, als schon nach synoptischen Darstellung das Abendmahl von der »eucharistia/berakah« geprägt ist. Es entsteht höchstens auf anderer Ebene wieder die in der Theologiegeschichte unablässig behandelte Frage, ob das Abendmahl ein Opfer sein kann, da der Tod und die Auferstehung doch erst noch bevorstehen. Bezüglich der Entstehung der nachösterlichen Eucharistiegestalt scheinen mir deshalb Pascha- und Todatradition in dieselbe Richtung zu weisen: Das Mahl wird *als* Dankbekenntnis gefeiert.

[22] Über die Situation der korinthischen Gemeinde hat vor allem G. Theißen interessante Analysen vorgelegt, die zeigen, daß die Gemeinde von sozialen Gegensätzen geprägt war, die es schwermachten, eine echte Gemeinschaft von Schwestern und Brüdern zu werden. Vgl. G. Theißen, Soziale Schichtung in der korinthischen Gemeinde. Ein Beitrag zur Soziologie des hellenistischen Urchristentums. In: Ders., Studien zur Soziologie des Urchristentums. Tübingen 1979, 231–71. Zum exegetischen Stand der Dinge, den ich hier nicht ausbreiten kann, vgl. F.

Wer das Heil feiert, das aus dem Tod des Kyrios kommt, soll es so feiern, daß es nicht zum Gericht wird. Die Feier wird aber zum Gericht, wenn in der Gemeinde nicht auch »erscheint«, d.h. gelebt wird, was sie feiert. Der Tod des Herrn bestimmt somit bis zu seinem Kommen auch die ästhetische Gestalt des Herrenmahls und die daraus folgenden ethischen Konsequenzen für die Gemeinde. Deshalb soll die Feier des Mahles mit allen Sinnen wahr-nehmen lassen, woraus die Gemeinde lebt und was ihre Lebensgestaltung prägt.

Wenn es bei Adorno einen deutlichen Zusammenhang zwischen Kunst und Gesellschaft gibt, dann gilt dies im übertragenen Sinn weit mehr für die Gemeinde. Denn einerseits reicht – wie sich an den korinthischen Verhältnissen zeigen ließe – die Gesellschaft mit all ihren Problemstellungen mitten hinein in die christliche Gemeinde; andererseits kann diese, wenn ihr ein Stück Verwandlung zum verantwortlicheren Leben gelingt, auf die übrige Gesellschaft ausstrahlen. Somit gilt für das Verhältnis von Herrenmahl/Gemeinde und gesellschaftlicher Lebensgestaltung ein ähnliches Verhältnis, wie es Adorno bezüglich Kunst und gesellschaftlicher Realität sieht (wenngleich er selbst aus seiner Opfer- und Mysterienkritik diese Konsequenz nie hätte ziehen können). Das Herrenmahl wird zum Wandlungsimpuls für die vorfindliche gesellschaftliche und kirchliche Realität, nicht umgekehrt. Dies gilt auch noch, wenn eine gesellschaftliche Binnen-

---

Hahn, Herrengedächtnis und Herrenmahl bei Paulus. In: Ders., Exegetische Beiträge zum ökumenischen Gespräch. Gesammelte Aufsätze I. Göttingen 1986, 303–14. Vgl. ders., Zum Stand der Erforschung des urchristlichen Herrenmahls. Ebd. 243–52; P. Fiedler, Probleme der Abendmahlsforschung. In: ALW 24 (1982) 190–223; H. Merklein, Erwägungen zur Überlieferungsgeschichte der neutestamentlichen Abendmahlstraditionen. In: Ders., Studien zu Jesus und Paulus, Tübingen 1987, 157–80; P. Stuhlmacher, Das neutestamentliche Zeugnis vom Herrenmahl. In: ZThK 84 (1987) 1–35. Vgl. Meyer, Eucharistie 61–86 (Lit.). Mir fällt auf, daß in der neueren Exegese und Liturgiewissenschaft der jüdische Hintergrund der Eucharistie bewußter herausgearbeitet wird. Vgl. M. Macina, Fonction liturgique et eschatologique de l'anamnése eucharistique (Lc 22, 19. 1 co 11, 24.25). Réexamen de la question à la lumière des écritures et des sources juives. In: Ephem. Lit. 102 (1988) 3–25; A. Verheul, L'eucharistie mémoire, présence et sacrifice du Seigneur d'après les racines juives de l'eucharistie. In: Questions Liturgiques 69 (1988) 125–54; Richter, Jüdische Wurzeln 138–41. Vgl. auch Stembergers Mahnung zur Vorsicht bezüglich historischer Aussagen über den Sederritus in der Zeit vor 70 n.Chr.: G. Stemberger, Pesachhaggada und Abendmahlsberichte des Neuen Testaments. In: Kairos 29 (1987) 147–58.

119

struktur von Kirche entsteht. Dann sind die Sakramente nicht einfach Lebensvollzüge dieser Kirche, sondern immer auch und zuerst kritischer Wandlungsimpuls für diese Kirche. Das oben zum Gebet als Bitte Dargelegte muß deshalb nicht widerrufen werden. Es geht darum, die ethischen Konsequenzen der Gnade zu bedenken, wie Paulus es tut. Eine nicht dem gelingenderen Leben verpflichtete Ästhetik des Herrenmahles würde einen wichtigen Gesichtspunkt christlicher Ästhetik überhaupt unterschlagen. Es erscheint mir von großem Gewicht, daß Paulus dies zuletzt mit der Jesustradition begründet, aus der die Überzeugung erwachsen ist, daß seine von Gott angenommene Lebenshingabe das Grundmodell gelingenden Lebens bis hin zur Vollendung darstellt. Unter dessen Kritik müssen alle übrigen menschlichen Versuche gestellt werden. Insofern könnte man sagen, vom paulinischen Herrenmahl her gesehen sei die liturgische Ästhetik ganz eindeutig eine Ästhetik, in der es um die Sache eines Anderen geht, mit dem auch der ethische Impuls zusammenhängt.[23] Auf einige inhaltliche Aspekte der Lesung komme ich weiter unten noch zurück.

Der Text der Lesung legt offensichtlich keinen Wert mehr darauf, daß das Mahl Jesu im Kreis der Repräsentanten Israels, im Zwölferkreis, gefeiert wurde. Dafür steht Paulus schon viel zu sehr die Situation einer Gemeinde in einer neuen Umgebung vor Augen. Es wäre ein völliger Fehlschluß, aus der möglichen Historizität des Abendmahls im Zwölferkreis zu schließen, damit seien Frauen keine gleichberechtigten Teilnehmerinnen der Eucharistie.[24] Viel wichtiger erscheint es Paulus, daß sich die ganze

---

[23] Dennoch scheint mir Levinas in diesem Punkt zu weit zu gehen, wenn er – wie schon erwähnt – meint, die echte Eucharistie sei in dem Moment, wo der Andere mir begegnet. (Vgl. oben S. 85) Man müßte von christlicher Sicht her eher sagen: Die Eucharistie ist die ästhetische Gestalt, in der der eine Andere, Jesus Christus, den Feiernden bittend und zugleich gebietend gegenübertritt, damit sie auf diese Weise gewahr werden, jede Begegnung mit dem Anderen habe »eucharistische Qualität«. Die Einschätzung hängt m. E. damit zusammen, ob die Christologie zum Maß einer Anthropologie wird oder umgekehrt. Nach Lengeling hat die Zeichenhaftigkeit der Sakramente eine vierte Dimension neben den drei bekannten thomanischen Dimensionen (signum rememorativum, demonstrativum, prognosticum): Das Sakrament ist auch ein Signum obligativum (Zeichen des ethischen Anspruchs). Vgl. Lengeling, Liturgie/Liturgiewissenschaft 33 f. Hier trifft sich die Liturgiewissenschaft mit dem Anliegen einer ethisch verbindlichen Ästhetik.
[24] So wird auch ein anderes traditionelles Argument problematisch: Jesus habe das

Gemeinde durch Jesu Deuteworte und die dargereichten Gaben angesprochen weiß (»für euch«), daß sie die Lebensmöglichkeiten aus dem eschatologisch erneuerten Bundesverhältnis lebt und sich so dem Auftrag zur »Anamnese« stellt.[25]
Das Evangelium bringt die johanneische Perikope von der Fußwaschung zu Gehör. Wenn dieses Evangelium u. U. in der Gemeinde durch die Fußwaschung auch »nachgespielt« wird, so wird noch einmal und auf eindringliche Weise deutlich, daß ästhetische Feier und Ethik des Alltags engstens zusammengehören. Das Evangelium, das in einigen Partien eine »realisierte Eschatologie« kennt, zeigt an der Perikope der Fußwaschung, daß in der Gemeinde alles andere als ein Zustand der Vollendung bereits erreicht ist. Nach der johanneischen Interpretation Jesu wird dem Anderen unmißverständlich eine Priorität eingeräumt, indem er mich zum »Sklavendienst« provoziert. Wo dieser Ruf angenommen wird, kann mitmenschliche Sklaverei bis in die sublimsten Formen von gesellschaftlicher und psychischer Unterdrückung überwunden werden. Aus einer feindlichen

---

beim letzten Abendmahl gestiftete Priestertum nur Männern übertragen und dabei solle es bleiben.

[25] Ich erwähne damit nur die auffälligste Eigenart der paulinischen Version der Eucharistietradition, die neben dem Anamneseauftrag vor allem das Kelchwort betrifft. Der Kelch wird gedeutet als »neuer Bund kraft meines Blutes« (= Todes). Allmählich scheint sich ein neues Verständnis diesbezüglich anzubahnen, daß »neuer Bund« nicht einfach die Abschaffung des »alten Bundes« bedeutet. Vielmehr muß gesehen werden, daß die Bundeserneuerung schon selbst Thema in der Literatur ist, die wir die alttestamentliche nennen. Vgl. E. Zenger, Israel und Kirche im gemeinsamen Gottesbund. In: M. Marcus/E. W. Stegemann/E. Zenger, Hg., Israel und Kirche heute 236–54; ders., Nach 50 Jahren – von der Schuld der Christen und über das Bemühen um Aussöhnung zwischen Christen und Juden. In: G. Gotschenek/S. Reimers, Hg., Offene Wunden – brennende Fragen. Juden in Deutschland von 1938 bis heute. Frankfurt/M. 1989, 85–104. W. Sanders, Haben wir dazugelernt? Ebd. 105–12; Vgl. auch N. Lohfink, Der niemals gekündigte Bund. Exegetische Gedanken zum christlich-jüdischen Dialog. Freiburg-Basel-Wien 1989, bes. 59 ff.; ders., Der Begriff »Bund« in der biblischen Theologie. In: ThPh 66 (1991) 161–76. Ich spreche von *eschatologisch* erneuertem Bund, um die Endgültigkeit des Angebotes von seiten Gottes zu betonen, das nun an die gesamte Menschheit ergeht. Dadurch wird Israel gerade nicht sekundär! – Die Bundesgenossenschaft von Juden und Christen würde am Gründonnerstag besonders augenfällig, wenn die Eucharistie irgendwie mit einer Art Agape-Sedermahlzeit verbunden würde, ohne dabei die jüdische Liturgie einfach zu kopieren, als bloßes »Vorspiel« zu ästhetisieren oder zu einer interessanten Lernhilfe umzufunktionieren. Die jüdische Eigenart des Sedermahles dürfte m. E. nicht so übernommen werden, daß es heutigen Juden wie eine nachträgliche christliche Usurpation erscheint.

Sklavengesellschaft soll in der Nachahmung des Beispiels Jesu eine menschliche Gemeinschaft werden, die von der Freundschaft zueinander geprägt ist. Aus der Erwählung der einzelnen erwächst so eine Gemeinschaft, in der füreinander eingestanden wird (vgl. Joh 15,14–16). Hier wird Christologie in ihrer ästhetischen und ethischen Verschränktheit in die Praxis der Gemeinde eingepflanzt. Die Perikope mit ihrem Kontext ist zwar androzentrisch formuliert, doch scheint dieser alle gängigen Rollenklischees zu korrigieren, wenn gerade den Verantwortlichen in der Gemeinde der Sklavendienst aufgetragen wird. Was auf der »Bühne« der Liturgie geschieht, ist schon der Anfang einer praktischen Umsetzung, die auch die außerliturgische Zeit prägen soll.

So erhellt sich auch, warum immer wieder überlegt wurde, ob nicht die Diakonie der Fußwaschung als (achtes) Sakrament angesehen werden müsse. Doch es kam nicht dazu. Vielleicht geschah es aus dem inneren Gespür des Glaubens heraus, daß sich die Diakonie nicht in der Ästhetik einer symbolischen Fußwaschung erschöpfen darf. Es darf also gerade nicht bei der Ästhetik bleiben. Deshalb soll eine heutige Liturgie in diesem Punkt die Ritualisierung nicht übertreiben. Es wäre sicher nicht hinreichend, wenn in der Fußwaschung nur ein Zeichen gesetzt würde, das alle sonstigen gesellschaftlichen und kirchlichen Herrschaftsbeziehungen unangetastet ließe. Die christliche Dialektik von Herr und Knecht wäre verharmlost, wenn die einmalige liturgische Gestik der Fußwaschung die auch in den Raum der Kirche hineinreichenden Herrschaftsverhältnisse nur umso unantastbarer stabilisieren würde.[26] Wer im johanneischen Sinn Jesus als den »Meister und Herrn« bekennt, hat dies nur mit den Lippen getan, wenn keine Taten vorausgegangen sind oder folgen. Die Diakonie gehört so sehr zum Wesen der Kirche, daß alle Liturgie davon durchdrungen sein muß, weil – über die Stunde der Liturgie hinaus und von ihr her – im gelebten Leben selbst nichts vom Liebesgebot ausgenommen werden darf. Hier treffen sich R. Guardini und F. Rosenzweig, wenn sie von einer

---

[26] Im Grunde müßte eine Gemeinde jedes Jahr neu bedenken, wie sie den johanneischen Impuls der Fußwaschung aufgreift. Aber auch die Kirche insgesamt ist aufgerufen, die internen Beziehungsverhältnisse durch Abbau von gewollten oder ungewollten Herrschaftsstrukturen zu erneuern.

Ästhetik ausgehen, die das Leben zu gestalten und zu verwandeln vermag. »Die Liturgie ist Kunst gewordenes Leben.« Dieses bereits zitierte Wort Guardinis (Vom Geist der Liturgie 109) heißt hier: Die Liturgie hat die Kraft und den Auftrag, das Leben der Mitfeiernden zu verwandeln, bis es zum Vollalter Christi herangereift ist (vgl. Eph 4,13). Die Entdeckung jeweiliger sozialer Probleme in den Gemeinden und ihren Lebenswelten und deren Bewältigung bis hin zum Eintreten für strukturellen politischen und sozialen Wandel sowie die Achtung vor der Einzigartigkeit jedes Menschen, auch des Geringsten und Verachtetsten, gehörten von Anfang an zum Christentum.

In der Mitte der Eucharistiefeier erhalten die *Einsetzungstexte* wie sonst nicht im Laufe des Jahres eine unüberhörbare Aktualisierung, wenn es heißt: »Denn in der Nacht, da er verraten wurde – *das ist heute* – ...« (Drittes Eucharistiegebet, ähnlich in den anderen). Damit wird verdeutlicht, was von jeder eucharistischen Feier gilt: sie geschieht im Stundenschlag der Zeit, der das Kontinuum der Zeit durch das *Heute* des Heilsangebotes unterbricht. Hier wird nicht mehr nur historisch informiert oder Vergangenes erzählt, um es mental in Erinnerung zu halten. Es wird vielmehr in die Stunde hereinzitiert und in einer Erzählhandlung ästhetisch aktualisiert, was die versammelte Gemeinde mit den Sinnen wahr-nehmen, mit den Händen empfangen und im Glauben an-nehmen soll. Indem sie – als feierndes Subjekt – der Selbstübergabe (traditio) Jesu ästhetische Gestalt verleiht, wird sie zugleich in einen Wandlungsprozeß hineingezogen, dem sie sich nur schuldhaft entziehen könnte. So kann das *Heute* zur Stunde der Gnade *oder* des Gerichts werden. Gerade letzterer Aspekt ist ein Indiz dafür, daß die Gemeinde, wenngleich ohne sie die Eucharistie keine Gestalt erhielte, in ihrer Feier nicht Selbstdarstellung betreiben darf, sondern die Sache eines Anderen darzustellen hat. Hinzu kommt, daß die Verwandlung noch nicht die Gestalt der Vollendung erreicht hat. Der Kommende wird ja auch zur Gnade *und* zum Gericht kommen.[27]

---

[27] Der Gerichtsgedanke, der schon von Paulus mit der Feier des Herrenmahls in Verbindung gebracht wird, hat durchaus nicht die Funktion, Angst zu verbreiten oder einzuschüchtern. Er ist vielmehr Ausdruck für den Ernst, mit dem Jesus als Bittender der Gemeinde gegenübersteht, und für die ethische Verantwortung, vor die sich die Glaubenden gestellt sehen. Dennoch darf aus der Eucharistie

Die ästhetische Gestalt der Eucharistie, deren »rechte Zeit« nach synoptischer Sicht die Stunde des Abschieds, nach paulinischer Version die der »Überlieferung« oder des »Verrats« Jesu ist, stellt die feiernde Gemeinde je neu in diese Stunde. Dies kann in der Abendstunde des Gründonnerstags besonders bewußt werden. Im Zentrum der eucharistischen Feier wird »erzählt«, was Jesus in der Nacht des Verrats und der Hingabe tat und sagte, und zugleich wird, indem erzählt wird, gestisch gehandelt, so daß Jesu Leib und Blut *jetzt* der versammelten Gemeinde zugesagt und gegeben werden. Nach dem, was ihr *in dieser Stunde* anvertraut wird, streckt die Gemeinde die Hände aus. Angesichts einer solchen Gabe wird die geschwisterliche Umarmung im Friedensgruß ein Ausdruck neu beginnenden Lebens aus der Kraft und der Bereitschaft des Gebens. Vielleicht wird am Gründonnerstag der Gemeinde auch emotional bewußter als sonst im Jahreskreis, daß da einer ist, über den die Macht der Vernichtung schon hereinzubrechen droht, der sich *angesichts des Todes* den Seinen überläßt und dies in den Ausdrucksformen der überkommenen jüdischen Mahlgestik tut.[28] Zu welchem Glauben und zu welcher Menschlichkeit muß der, der so handelt, fähig sein! Wird hier nicht die entscheidende Frage beantwortet, *wer* er ist? Der nämlich, der sich den einbrechenden Todesfluten stellt und sagt: Ich weiß, daß ich nun gemeint bin, daß ich nun zu stehen habe. Aber nicht, um mit meiner Verkündigung Recht

---

keine Ästhetik der ständigen Selbstbezichtigung und der Sündenangst werden, und – Gott sei Dank! – sie ist es über weite Strecken der Geschichte auch nicht geworden. Dies hängt m. E. mit der Tatsache zusammen, daß die Lebenshingabe Jesu nicht als verbitterte Resignation oder als Unterwerfung unter einen unendlich beleidigten Gott gedeutet werden darf, sondern als geschöpfliche Passion, die sich in ihrer letzten Gebebereitschaft von göttlichem Wohlwollen getragen weiß, die aber so das Ich Jesu bis in die Tiefe seines göttlichen »Mich« betrifft. Von hier aus müßte die klassische Zwei-Naturen-Lehre erneut aufgegriffen werden. Die Kritik aller – auch in der Theologie weitgehend verwendeten – ontologischen Kategorien als Formen solipsistischer Identitätsphilosophie durch E. Levinas stellt vor neue Aufgaben, aber auch Chancen. Dies hier auszuführen, würde den Rahmen dieses Buches sprengen.

[28] Ich lasse es hier bewußt offen, ob Jesu Stiftung in den Kontext des jüdischen Paschamahles weist oder ob es genügt, von der Mahlgestik auszugehen, die zu jedem festlicheren Mahl gehörte. Die synoptische Verknüpfung des Abschiedsmahls Jesu mit der Paschatradition bedeutet jedenfalls *theologisch*, daß die neue Deutung der überkommenen jüdischen Mahltradition mit Jesu Todesgeschick und -deutung zusammenhängt. Über die Fragen der Historizität der synoptischen Darstellung sind m. E. die Akten noch nicht geschlossen.

zu bekommen oder Recht zu behalten, auch nicht, um ein eschatologisches Gericht über meine Mörder herbeizuzwingen, gehe
ich meinen Weg, sondern einzig und allein deshalb, um JHWH,
dem Gott Israels, die allein ihm eigene Möglichkeit einzuräu-
men, den Bund zu erneuern und die »basileia« aufzurichten.[29]
Im Blick auf das Ganze der Gründonnerstagsliturgie muß ich
das Verständnis des liturgischen *Heute* noch etwas vertiefen. Es
spielt nicht nur am Gründonnerstag, sondern auch sonst in der
Liturgie der großen Feste eine bedeutsame Rolle. So heißt es
etwa in der großartigen Antiphon zur Zweiten Weihnachtsvesper »*Heute* ist Christus geboren ...« *(Hodie* Christus natus
est ...); entsprechend heißt es im Exsultet der Osternacht »*Dies* ist
die Nacht (*Haec* nox est) und im Responsorium der Zweiten
Ostervesper »*Dies* ist der *Tag,* den der Herr gemacht hat« (*Haec
dies,* quam fecit Dominus) oder eben jetzt am Gründonnerstag:
»In der Nacht, da er verraten wurde, das ist *heute* ...«.
Es wäre sicher zu wenig, wenn man sagte, das Heute komme dadurch zustande, daß sich die Gemeinde ein historisch-vergange-
nes Ereignis – sich an es erinnernd – gegenwärtig setzt, wenn die
Art der Vergegenwärtigung und die Weise der Präsenz des Vergangenen nicht anderweitig bereits geklärt wäre. Ist die Erinnerung allein mächtig genug, Vergangenes zu vergegenwärtigen?
Kann denn die Erinnerung Tote wieder zum Leben erwecken?
Bereits H. Peukert hat auf eine der dramatischen Auseinander-
setzungen in den dreißiger Jahren zwischen M. Horkheimer

---

[29] Mit dieser Interpretation könnte der Anschein erweckt werden, daß ich alle anstehenden historisch-kritischen Fragen um das Todeswissen und die Todesinter-
pretation Jesu umgehe. Es würde schon zu weit führen, hier nur den Stand der
Fragestellung auszubreiten. Mein Interpretationsversuch geht von der Literarität
der Einsetzungstexte aus und nicht von der Historizität im Sinne einer »ipsissima
vox« Jesu. Ohne es im einzelnen nachzuweisen, versuche ich das semitische Ko-
lorit der Einsetzungstexte und der Mahlgestik in eine Sprache zu übersetzen, die
sich dem nähert, was die ästhetische Gestalt der Eucharistie für das gläubige Ohr
und Auge und für die sehnsüchtigen Hände, die sich danach ausstrecken, in
sprachlich fast uneinholbarer Weise umfaßt. – Zum exegetischen Diskussions-
stand vgl. R. Pesch, Das Abendmahl und Jesu Todesverständnis. Freiburg u.a.
1974; F. Hahn, Das Abendmahl und Jesu Todesverständnis. Kritische Anfragen
an Rudolf Pesch. In: Gesammelte Aufsätze I 253–61 (Lit.). Nach Merklein, Jesu
Botschaft 133–46 (Die Gottesherrschaft und der Tod Jesu), deutet Jesus seinen
Tod nach Jes 53 als Sühne für Israel, wobei das dadurch vermittelte Heil ein »integraler Bestandteil« der Gottesherrschaft ist (144).

und W. Benjamin hingewiesen.[30] Benjamin war der Überzeugung und ist es auch in seinen Thesen »Über den Begriff der Geschichte« geblieben, daß Vergangenes nicht einfach vergangen sein darf.[31] Nach Benjamin ist es vor allem das *Uneingelöste* des Vergangenen, das eine neue Präsenz erhalten muß, soll es so etwas wie eine Gerechtigkeit überhaupt geben. Benjamin denkt den verwegenen Gedanken, daß zwischen dem Einst und Jetzt eine heimliche Korrespondenz entstehen kann. Bisweilen muß das Uneingelöst-Vergangene wie durch einen »Tigersprung in die Vergangenheit« in die Gegenwart hereinzitiert werden (vgl. These XIV). Oder es muß eine Zündschnur angelegt werden, um das Kontinuum der Herrschaftszeit gewaltsam-revolutionär aufzusprengen. Aber Benjamin weiß ebenso um die oben bereits erwähnte »kleine Pforte«, durch die der Messias eintreten kann. So verwendet Benjamin den Begriff der *»Jetztzeit«*, »die als Modell der messianischen in einer ungeheueren Abbreviatur die Geschichte der ganzen Menschheit zusammenfaßt«, und er identifiziert sie mit der »Figur«, »die die Geschichte der Menschheit im Universum macht« (These XVIII). Nach Benjamin führt die Vergangenheit aber auch »einen heimlichen Index« mit, »durch den sie auf die Erlösung verwiesen wird«.

Das Eingedenken, von dem Benjamin sagt, das Gebet und die Thora unterweise die Juden darin, durchbricht die kontinuierliche Zeit nach rückwärts und nach vorwärts. Rückwärts gewandt zeigt das Eingedenken, daß nicht alles gleich homogen und leer war; in die Zukunft gewandt sieht es ebenfalls nicht die homogene Zeit, sondern sie zählt die Sekunden, die zur kleinen Pforte der Messiasankunft werden können. So wird im Eingedenken die Zeit qualifiziert gesehen. Nur so könne eine »Tradition der Unterdrückten« durchbrochen werden. Aber »erst der erlösten

---

[30] Vgl. H. Peukert, Wissenschaftstheorie – Handlungstheorie – Fundamentale Theologie. Düsseldorf 1976, 278–80. Benjamin vertritt die Meinung, daß für einen materialistischen Geschichtsschreiber das »Werk der Vergangenheit« nicht als abgeschlossen gelten kann. Horkheimer gibt zu bedenken, daß die These von der Unabgeschlossenheit der Vergangenheit letztlich den Gottesgedanken provoziert, weil sonst die Menschen, die bereits untergegangen sind, »keine Zukunft mehr (heilt)«.

[31] Vgl. Gesammelte Schriften II 693–703 (mit Anhang A und B 704). Hier wirkte m.E. frühjüdisches Gedankengut nach, das uns in der atl. Literatur begegnet. Vgl. H.-J. Fabry, »Gedenken« im Alten Testament. In: J. Schreiner, Hg., Freude am Gottesdienst. Stuttgart 1983, 177–87 (Lit.).

Menschheit ist ihre Vergangenheit in jedem ihrer Momente zitierbar geworden« (These III).

Ich will nun versuchen, dieses Zeitmodell zur Deutung des liturgischen Heute zu verwenden. Christlich verstanden tritt die Gegenwart in der liturgischen Feier in eine Korrespondenz zur Jesus-Zeit. Das liturgische Eingedenken ist zwar kein revolutionärer Eingriff in die Geschichte, aber es ist auch nicht einfach eine neutrale Geschichtsbetrachtung, nach der alles gleich wert oder gleich wertlos wäre. Der Eingriff der Liturgie in die Zeit stört deren normalen Ablauf. Daraus folgen aber auch für Christen Konsequenzen für politische Verantwortung, die den Impulsen Benjamins, die er seinem offenen Messianismus entnimmt, theoretisch in keiner Weise nachstehen. Angesichts geschehenen Unrechts müssen auch Christen bisweilen die Notbremse ziehen.

Ist dies aber nicht auch noch in einem radikaler christologisch-soteriologischen Sinn zu verstehen? Etwa so, daß das Leiden Jesu selbst in einer heimlichen Korrespondenz steht zu allem anderen Leiden und also auch zu unserem Leiden? Ist das Unabgegoltene seines Leidens schon in seiner Auferstehung eingeholt, oder bedarf es noch der Einholung alles Unabgegoltenen in einer neuen Schöpfung, in der dann erst alle Vergangenheit in jedem ihrer Momente und jedem ihrer Schicksale und in all ihrem Leiden zitiert ist? Würde dann die Hoffnung auf den noch offenbar werdenden Gekreuzigten verdeutlichen, warum auch nach christlicher Auffassung der Antichrist noch überwunden werden muß?

Auch eine nachösterliche Christologie, die vom »Christus Sieger« singt, darf also nicht vergessen, daß Jesus von Nazareth zu den »Geschlagenen« und »Ermordeten« der Geschichte gehört. Jesu Hinrichtung ist auch deshalb des »Eingedenkens« wert, weil sein schuldloser Tod noch mehr als unabgegoltenes Unrecht nach einer eschatologischen Rechtfertigung verlangt. Aber ohne Auferstehungschristologie könnte eine Leidenschristologie zur ideologischen Rechtfertigung allen Unrechts mißraten; der Tod hätte das letzte Wort. Dann gäbe es höchstens noch die schreckliche (und leider bisweilen realisierte) Möglichkeit, daß das Leiden und Sterben vor dem Tod zur Hölle gemacht wird. Das christliche Eingedenken gibt sich angesichts des unschuldigen Todes Jesu nicht damit zufrieden, daß die Stärkeren und

Brutaleren in jedem Fall den Sieg davontragen. Die Siegergeschichte verwischt die Spuren der Opfer, das Eingedenken gräbt sie aus und erhebt sie zu eschatologischer Bedeutung.

Das *Heute* der Gründonnerstagsliturgie ruft in der Epiklese vor dem Einsetzungstext die Geisteskraft des Auferstandenen herab. Damit wird deutlich, daß nicht unser Gedenken – sei es revolutionär oder in ästhetischer Imagination – das Heute schafft, sondern der Geist Gottes. Wir hingegen treten glaubend in dieses Heute ein. Es weist uns unseren Platz an in der Nähe Jesu und zugleich in der Nähe der Leidenden aller Zeiten. Es ist also die Geisteskraft Jesu, die die heimliche Korrespondenz der Leidenszeit von einst und heute offenlegt und der Gemeinde bewußt macht. Die Erfahrung der Nähe zu Jesus und zu denen, die hungern und dürsten nach der Gerechtigkeit, bestimmt gewiß zuerst das solidarische Handeln der einzelnen. Es kann aber auch einmal den Eingriff in den Lauf der Dinge und das Ziehen der Notbremse bedeuten, wenn das erlittene Unrecht anderer zum Himmel schreit.[32]

Die ästhetische Gestik der Eucharistiefeier stellt der Gemeinde gerade »am Abend vor seinem Leiden« den vor Augen, der bis zum Äußersten ging. Das Eingedenken erhält – über alles mentale Denken oder über alles praktische Handeln hinaus – angesichts *dieses* Todes seine ästhetische Prägnanz. Die Gemeinde wird als Darstellende in das ästhetische Gebilde einbezogen. Sie wird in der Gestik des Brotbrechens, zu der das Agnus Dei ge-

---

[32] In der Zeit, als W. Benjamin verzweifelt seinem Ende zugetrieben wurde, wäre ein solches Ziehen der Notbremse nötig gewesen. Die Christenheit hat aber damals kaum eine Korrespondenz erkannt zwischen dem einen Gekreuzigten und den Millionen von Hingemordeten im damaligen Heute. Das Eingedenken hat sein Heute verpaßt. – Für jüdisches Denken ist bis heute das »Eingedenken« von zentraler Bedeutung. Es ist nicht zuletzt die »Schoa«, die dem Eingedenken eine ganz neue Qualität gibt. W. Benjamin hat den Schrecken im Voraus geahnt, E. Levinas hat eine ganze Philosophie des Eingedenkens entfaltet. Das zweite Hauptwerk von ihm (Autrement qu'être) hat folgende Sätze der Widmung: »Dem Gedenken der nächsten Angehörigen unter den sechs Millionen der von den Nationalsozialisten Ermordeten, neben den Millionen und Abermillionen von Menschen aller Konfessionen und aller Nationen, Opfer desselben Hasses auf den anderen Menschen, desselben Antisemitismus.« Vgl. Wiemer, Die Passion des Sagens, 144 f. sowie seine interessante Benjamininterpretation 145–54. Eine neue Studie über Levinas hat sich diesem Aspekt seines Werkes in eindrucksvoller Weise gewidmet: E. Weber, Verfolgung und Trauma. Zu Emmanuel Lévinas' Autrement qu'être ou au-delà de l'essence. Wien 1990.

sungen wird, gerade an diesem Abend ahnen, was es bedeutet, Jesu Gedächtnis zu *tun*. Eine heile Welt kann sie gerade nicht »mimen«. Aber sie wird an dieser Welt auch nicht verzweifeln. Die Eucharistie ist alles andere als ein religiöses Symbol im Sinne Adornos, durch das eine abstrakte Transzendenz in dieser Welt aufleuchtet. Die Gemeinde ruft das geopferte Lamm um Erbarmen an. Sie bleibt sich bewußt, daß im Brotbrechen Jesu sein Todesschrei zusammen mit dem Schrei aller zu Unrecht Ermordeten vernehmbar ist.[33] In der Bitte um das Erbarmen bringt sie zugleich die Hoffnung zum Ausdruck, daß allen Opfern der Geschichte Recht gesprochen werde. Deshalb weiß sich die Gemeinde, die am Neuen Bund Anteil erhält, auch gefordert, heute für die Opfer der Ungerechtigkeit einzutreten.

Dennoch erschöpft sich die Eucharistie nicht im ethischen Appell. Vielmehr gilt, daß die Gemeinde die ethischen Konsequenzen des Eingedenkens um so entschiedener realisiert, je mehr sie in das unbegreifliche Geheimnis, von dem das Tagesgebet spricht, hineinwächst. Sie wächst aber hinein, indem sie das »Heute, wenn ihr seine Stimme hört« des Psalms 95 mit dem Heute jener Stimmen zusammen vernimmt, die nach Gerechtigkeit schreien. Dann wird die Gemeinde nämlich im Heute zum wirksamen Heilssakrament (vgl. Lumen gentium Nr. 1). Solche Feier könnte eine Weltordnung stiften, die die Gesetze der Herrschaft und des Krieges überwindet. Eucharistie *schon* feiern zu können, ist eine hohe Berufung der Gemeinde; sie *noch* feiern zu müssen, verweist auf die noch ausstehende Vollendung. Die gläubige Herabrufung der Geisteskraft Jesu auf die eucharistischen Gaben und die Gemeinde muß allen Triumphalismus im Keim ersticken lassen. Die Gemeinde bleibt in dieser Weltzeit eine um das Heil bittende, so daß der Ruf »Komm, Herr Jesus« (Maranatha) nicht verstummen darf.

In einer entfalteten Ästhetik der Eucharistie müßte vor dem Hintergrund des eben Gesagten auch danach gefragt werden, warum

---

[33] Ich spiele hier auf die liturgische Entwicklung an, in der das Brotbrechen durch den Gesang des Agnus Dei eine über die Gestik des Teilens hinausgehende weitere Bedeutung erfährt: das Zerbrochenwerden im Leiden und die dadurch erst mögliche Überwindung der Sündenmacht in der Welt, so daß die Gemeinde das Erbarmen und den (eschatologischen) Frieden auf sich und die ganze Welt herabrufen kann.

zur ästhetischen Gestalt gerade die Gestik des Essens und Trinkens gehört. Wird hier nicht banalster Alltag sakralisiert? Werden Essen und Trinken so ästhetisiert, daß sie ihren handgreiflichen Sinn völlig verlieren? In einer kleinen und zugleich meisterhaften Studie hat G. Bachl auf Zusammenhänge aufmerksam gemacht, die ich für hochbedeutsam halte.[34] Es geht um die Frage, ob die Eucharistie eine Gestik des Einverleibens, eine Symbolik des Verzehrs oder gar des großen Fressens sei, in der religionsgeschichtlich bisweilen der Inbegriff des Göttlichen, aber auch des Teuflischen gesehen wurde. Aus dem bisher Gesagten ergibt sich bereits, daß die Eucharistie als Gedächtnis des Leidens von der feiernden Gemeinde ernstzunehmen ist. Als solches ist sie nicht einfach ein Fest der Gutheißung der Welt oder auch ein Fest der Freude. Bachl bemängelt an der Charakterisierung des Festes, wie sie J. Pieper gegeben hat, sie überspiele die schlichte Tatsache, daß da, wo ein Mahl gefeiert wird, »die Tötung als Voraussetzung der Mahlfreude« zu gelten hat (55 f.). Deshalb sei an S. Freuds These zu erinnern, daß das Mahl schon von Urzeit her – dem sogenannten Totemmahl – mit einer Konfliktsituation zusammenhängt, die mit einer Urrivalität der Menschen untereinander zu tun hat. Auch wenn man Freuds These, die Eucharistie stehe in der Nachfolgetradition des Totemmahls, ablehnt und somit auch Freuds berühmten Satz »Die Sohnesreligion löst die Vaterreligion ab«[35], wird man doch gegen Freud von Freud lernen, daß die Eucharistie zutiefst in »die Konfliktstruktur der Lebenswelt« hineingehört (62). Bachl schreibt:

»Das Fest lebt von der vorscheinenden Utopie einer Existenz, in der die verschlingende Begierde aufgehoben ist in freie Kraft der Gewährung« (68).

---

[34] Vgl. G. Bachl, Eucharistie – Essen als Symbol? Zürich-Einsiedeln-Köln 1983.

[35] S. Freud, Totem und Tabu. In: Sigmund Freud. Studienausgabe Bd IX (Frankfurt/M. 1974), 287–444. Zit. 437. Vgl. Bachl 59. Mit Bachl bin ich der Meinung, daß die von Freud vorgelegte Urhordentheorie historisch nicht haltbar ist, damit aber der Ernst der Frage als solcher noch nicht aufgehoben ist. – Vgl. P. Ricoeur, Die Interpretation. Ein Versuch über Freud. Frankfurt/M. 1974, bes. Kap. IV. Ricoeur legt großen Wert darauf, daß die Symbole der Religion nicht nur die unterdrückten Konflikte, sondern auch die prospektive Überwindung des Bösen ausdrücken (532 f.). So setzt der »Brüderpakt« »der Wiederholung des Vatermords ein Ende«. Deshalb fragt Ricoeur: »Warum sollte das Schicksal des Glaubens nicht eher mit dieser brüderlichen Versöhnung als mit der immerwährenden Erneuerung des Vatermords zusammenhängen?« (547).

In Übertragung auf Jesu Mahl führt der Autor aus, Jesus offenbare im eucharistischen Mahl, daß die göttliche Transzendenz »jenseits der Begierde, an sich zu reißen und zu behalten (Phil 2, 6–7)« anzusiedeln sei. Die göttliche »Konkurrenz- und Neidlosigkeit« ist das Muster, wonach das irdische Leben gestaltet und verwandelt werden soll (69). Unter den Bedingungen einer Welt des Verzehrens kann Jesus die Botschaft seines Gottes nur verkünden, wenn er bereit ist, wehrlos an den Gesetzen dieser Welt zu sterben. »Das Mahl, das zu seinem Gedächtnis gefeiert wird, ist das *Gleichnis seiner realistischen Utopie*« (69). Demgegenüber wäre die Sünde der Abfall »in den Trieb des Raffens und Vernichtens« (70). Wenn man, wie Freud, dies zum Gesetz einer Sinndeutung erhebt, dann kann auch die Eucharistie letztlich nicht anders als »ein Siegesfest der fressenden Überlegenheit« verstanden werden, mit der sich der Sohn gegen den allmächtigen Vater erhebt (70). Die Krise der Eucharistie hängt vielleicht auch damit zusammen, daß eine Wohlstandsgesellschaft, wenn sie schon feiert, doch eher »Konsumfeste« feiert als ein so kärgliches Mahl des Eingedenkens. Im Gegensatz dazu schreibt Bachl abschließend:

> *Das Fest ist für Christen auch die Stunde, in der sie an die Höhe der Kosten denken, die ihr Leben auf der Erde und im Himmel braucht. Die Christen genießen nicht einfach Sinn, sondern erinnern sich der Opfer, bis hin in die stöhnende Natur. Ihr getrostes Ja und Amen ist begleitet von einem Zögern im Einverständnis, von dem Warum?, das Ijob gesprochen und Jesus geschrien hat. Warum die Wege Gottes mit der Schöpfung so gelegt sind, diese Frage ist aufgerichtet mitten in der ehrlichsten Zustimmung, und sie ist noch nicht gestillt* (75)[36].

---

[36] In meiner dogmengeschichtlichen Arbeit am Konzil von Trient bin ich auf ein Originalvotum des Konzilstheologen Marianus Feltrinus gestoßen, der – seinerseits bereits mit Berufung auf Rupert von Deutz – darauf anspielte, daß das Essen vom Baum des Paradieses zum Tod führte, das eucharistische Essen hingegen das Leben bringt (vgl. jetzt Concilium Tridentinum VII/2, 127). Von hier aus ließe sich das Gespräch in heutige Problemstellungen weiterführen. E. Drewermann hat auf die psychoanalytischen Zusammenhänge des Essens vom Baum des Lebens in der Symbolisierung der oralen Phase hingewiesen. Vgl. Strukturen des Bösen. Bd. 2. München-Paderborn-Wien ⁴1983, 104–24. In seinen phänomenologischen Analysen hat E. Levinas (Totalität und Unendlichkeit 150–266) dargestellt, daß »Ich sein« nicht zuerst heißt, sich etwas vorstellen oder sich etwas entgegensetzen, sondern »genießen« (167). »Die Welt, die ich konstituiere, er-

Das johanneische »Beißen« und »Kauen«, das im griechischen Urtext in Joh 6, 52–58 durchklingt, verweist gewiß zunächst antignostisch auf eine Wirklichkeit, die sich weder in Vorstellung noch Schein erschöpft (vgl. bes VV. 6, 52–56). Es kann aber auch an die »Kosten« erinnern, die für das »Leben der Welt« zu bezahlen sind. Dennoch ist die Eucharistie von Anfang an keine Trauerfeier geworden. Vielmehr bricht immer wieder eschatologischer Jubel in der Gemeinde durch (vgl. Apg 2,46f.). Es ist aber nicht der Jubel einer letzten Bedürfnisbefriedigung, sondern der Jubel des Teilens, der aus der Teilhabe an Jesu Selbst-Exposition lebt. Auch wenn in den folgenden Jahrhunderten die Eucharistie sich immer mehr von der Mahlgestalt wegentwikkelte, wurde in der ästhetischen Gestalt doch ein Minimum an Mahlgestik (Essen und Trinken) bewahrt. Man wußte um den Preis des eucharistischen Festes; man unterschied das eucharistische Essen und Trinken von dem Essen und Trinken im Reich Gottes ebenso wie vom sonstigen alltäglichen Essen. Wenn schon die Eucharistie nicht in reiner Präsenz aufgehen konnte, dann auch die Versöhnung nicht im Hochgefühl derer, die sich schon den Schein der Vollendung gaben und zugleich am Tisch der Gemeinde versagten.

Vor diesem Hintergrund müßte in einer entfalteten Ästhetik der Eucharistie schließlich danach gefragt werden, inwiefern sich christliche Eucharistie vom jüdischen Pascha- oder Festmahl unterscheidet, wenngleich sie doch die entscheidenden Elemente (Berakah, Brotbrechen, Bechertrinken) aus der jüdischen Tradi-

---

nährt und umgibt mich« (182). Der »Biß« als Zugriff auf die Sachen, zeigt das Mehr der Wirklichkeit als Nahrung gegenüber der der Vorstellung. Das Ich findet sich vom Nicht-Ich abhängig (181). Zugleich umschreibt Levinas das Menschliche als »Genießen ohne Zweck« (189). Das Nahrungsbedürfnis hat nicht die Existenz zum Ziel, sondern die Nahrung. Im Genuß bin ich aber letztlich egoistisch, »ohne Bezug auf Andere«. Das Ich ist im Genuß taub für Andere, außerhalb jeglicher Kommunikation (190). Ohne Unendliches ist das Endliche nur als Befriedigung möglich. Hunger und Nahrung sind im Paradies gleichzeitig (192.193). Fast im Gegensatz zu Freud kann Levinas schreiben, am Ursprung stehe »ein erfülltes Seiendes, ein Bürger des Paradieses« (206). All diese und ähnliche Analysen führen Levinas dazu, die Welt der Transzendenz von der der Bedürfnisse und ihrer Befriedigung zu unterscheiden und von jener Sehnsucht (désir) des Menschen zu sprechen, die nach dem verlangt, was ihm *nicht* fehlt, die ihn zuletzt gastfreundlich sein läßt, indem er sich »aussetzt«. Die Welt des Genusses ist eine Welt des Kampfes ums Überleben. Aber der Preis der Gastlichkeit ist eine Subjektwerdung, die bedeutet: Ich-für-den-Anderen.

tion übernimmt.[37] Das Hauptelement der Unterscheidung dürfte zweifellos mit der christo*logischen* und christo*soterischen* Interpretation des Todes Jesu zusammenhängen. Die ästhetische Gestalt dieses Mahles leitet sich ganz offensichtlich von jüdischer Tradition her, die zum Ausdrucksmittel Jesu werden konnte. Die Transformationen dieser jüdischen Mahlästhetik – sie war schon in der jüdischen Mahltradition stark formalisiert! – haben sich in der Liturgiegeschichte dann allerdings fortgesetzt. Heute erfolgt eher eine Rückbesinnung auf die frühjüdischen Elemente. Auch die Rückbesinnung auf die Exodus- und Befreiungstradition Israels hat sich bereits auf die Liturgie und auf die Christologie ausgewirkt.[38]

Die Wiederentdeckung der »ästhetischen Sprache« Jesu aus den Quellen seines Volkes hat darüber hinaus dazu beigetragen, daß auch der innerchristliche ökumenische Eucharistiediskurs vorankam. Insofern ist es nicht ganz nebensächlich, wenn am Gründonnerstag in der katholischen Liturgie die Darreichung des Sakramentes unter beiden Gestalten nicht nur erlaubt, sondern gewünscht ist. Was die Reformation wiederholt einklagte, ist heute keine Kontroverse der Theorie mehr, wohl aber noch der Praxis, in der sich immer wieder ästhetische Defizite anzeigen. Zwischen dem ntl. grundgelegten »Testament Jesu« und dessen Realisierung in den Gemeinden klafft noch oft genug bis hinein in die Ökumene eine Lücke. Zu selten wird die Feier der Eucharistie zu einer kritischen »Zeitansage«, obwohl sie doch durch kein kirchliches Handeln oder auch theologisches Argumentieren ersetzt werden kann.[39]

Das *Schlußgebet* der Gründonnerstagsliturgie läßt die Gemeinde auf die Vollendung ausblicken, wobei der Text mit seiner Zeitansage genau differenziert: Das Abendmahl in der Zeit »erquickt«, das Mahl der Vollendung »sättigt« (ut sicut Cena Filii tui reficimur temporali, ita satiari mereamur aeterna). Bereits im

---

[37] Daß schon das jüdische Mahl nicht ohne Dankgebet (berakah) verstanden werden darf, entschärft m. E. die oben angesprochene Diskussion um die ursprüngliche Gestalt der Eucharistie.

[38] Vgl. den eindrucksvollen Beitrag von Jon Sobrino, Die Bedeutung des geschichtlichen Jesus in der lateinamerikanischen Christologie. In: G. Collet, Hg., Der Christus der Armen. Freiburg u. a. 1988, 81–106.

[39] Dennoch möchte ich die Eucharistie – ästhetisch gesprochen – nicht nach dem Modell der engagierten Kunst verstehen, wie ich oben bereits betonte.

Gabengebet klang an, daß »das Werk unserer Erlösung« wirksam ist, sooft das Gedächtnis der Lebenshingabe Jesu gefeiert wird (quoties huius hostiae commemoratio celebratur, opus nostrae redemptionis exercetur).[40] Noch einmal zeigt sich, daß die prägnanten römischen Orationen auch große Theologie beinhalten, die der Meditation wert ist.

Ich schließe mit einer letzten Beobachtung zur Liturgie des Gründonnerstags, die auch für die Christologie nicht belanglos ist. In die Liturgie der Drei Österlichen Tage sind die sogenannten *Hallelpsalmen* eingestreut, wie ich oben schon kurz am Beispiel des Psalms 116 aufgezeigt habe. Wer sich mit diesen Psalmen einmal näher befaßt, wird nicht nur von ihrer Poesie überrascht sein. Ich denke vor allem an Ps 115 »Als Israel aus Ägypten auszog«, der nur mit ganz spärlichen poetischen Mitteln das souveräne Befreiungshandeln Gottes vorstellt. Heutige christliche Lesart dieser Psalmen wird auch entdecken, daß in ihnen eine ganze Christologie inbegriffen ist (vgl. den großen Osterpsalm 118, in dessen Mitte das Wort steht: »Ich werde nicht sterben, ich werde leben«.). Es ist für mich eindrücklich, daß – nach synoptischer Tradition – Jesus mit dieser Poesie auf den Lippen, in die Nacht des Ölbergs ging, an der ja die Gemeinde nach dem Erklingen des letzten Liedes auch in Stille teilnehmen will. Spätestens hier bricht die Liturgie um in einen anderen Ton. Musikinstrumente und Glocken verstummen. Schweigen wird dominant – nach Rosenzweig die eigentlich bedeutsame »Gebärde« der Gemeinde am Hochfest der Versöhnung. Ohne schweigend erahnte oder gar erfahrene Nacht des Todes droht alle Liturgie in der Feier der Österlichen Drei Tage zu mißraten. Das beeinträchtigt auf lange Sicht aber auch das Verständnis Jesu, um das sich die Christologie bemüht.

---

[40] Die Kombination von »Opfer« (hostia) und »Gedächtnis« (commemoratio) geschieht in der Gebetssprache ganz selbstverständlich. Daß die Lebenshingabe selbst einmalig ist, während die Kommemoration wiederholt werden kann, weiß auch das Dogma bis hinein in die Meßopferlehre des Konzils von Trient. Diesbezüglich hat sich ja inzwischen auch ein ökumenischer Konsens angebahnt, daß beide Größen nicht mehr gegeneinander ausgespielt werden dürfen. Die Eucharistie ist wiederholbare Gedächtnisfeier (Memorial) des einmaligen »opus redemptionis«. Dies hat Konsequenzen für das Gesamtverständnis von Liturgie. Vgl. O. Nußbaum, Die Liturgie als Gedächtnisfeier. In: J. Schreiner, Hg., Freude am Gottesdienst 201–14; Haunerland, Eucharistie bes. 164–205.

In das Schweigen hinein könnte bedacht werden, daß Jesus die schwere Prüfung seines Glaubens bestand, weil er darauf verzichtete, »der Zeitgenosse des Triumphes seines Werks zu sein«.[41]

Karfreitag – Gottverlassenheit Jesu und Gottesfinsternis heute

(1) »Mein Gott, mein Gott, warum hast du mich verlassen?«
Der Karfreitag ist in den spanisch-südamerikanischen Ländern zum großen Prozessionstag geworden, wo Protest, Leidensmystik und Totentanz zu einer eigenartigen Synthese zusammenwachsen.[42] In der strengen römischen Liturgie, die um die Todesstunde Jesu gefeiert werden soll, im Stundengebet jedoch die Zeit von der Ersten bis zur Neunten Stunde (und im Abendgebet bis zur zwölften Stunde) umfaßt, wird das Gedächtnis des Leidens (memoria passionis) mit recht kargen Ausdrucksmitteln gefeiert. Der älteren Generation wird noch eindrücklich in Erinnerung sein, daß die Karfreitagsliturgie mit einem großen Schweigen begann, währenddessen sich der liturgische Dienst vor dem Altar auf den Boden warf. Eine höchst eindrückliche Gestik, die vielleicht an Eindringlichkeit dem nahekam, was für Rosenzweig am Versöhnungsfest das schweigende Niederknien der Gemeinde war. Vielleicht müßte sich in einer Liturgie nach Auschwitz sogar die ganze Gemeinde auf den Boden werfen und im eigenen Atemanhalten das Schweigen dessen, der ist, der war und der kommen wird, »hören«. Nach altem und heute bewußt zu aktualisierendem Brauch nimmt am Karfreitag in der römischen Liturgie alles an dem Schweigen teil. Sofern überhaupt Musikinstrumente verwendet werden, könnten es höchstens solche sein, die Leiden beredt machen.

---

[41] E. Levinas, Humanismus des anderen Menschen. Hamburg 1989, 35. Levinas wendet das Wort auf jeden Menschen an, der vor die Möglichkeit des Opfers gerät. Es geht um »den nicht ungefährlichen Charakter« einer »Extrapolation« bis zum Äußersten, ohne um das eigene Sein besorgt zu sein. »Sein zum Tode, um zu sein für das, was nach mir ist« (35).

[42] Vgl. zu den südamerikanischen Hintergründen den erschütternden Beitrag von Saúl Trinidad, Christologie – Conquista – Kolonisierung. In: G. Collet, Hg., Der Christus der Armen 23–36. Eine im Leiden steckenbleibende Liturgie kennt die römische Liturgietradition nicht. Wenn aber der ästhetische Ausdruck zu konform mit einer Zeit geht, ist eine Ästhetik des Bruches gefährdet, in der sich eine Differenz zur kontinuierlichen Zeit ausdrückt.

Jedenfalls kommt das erste Gebet aus dem Schweigen. Und so, als würden die Verstummten langsam den Mund auftun und reden, formen sich die Worte der Oration. Eine erste Zuversicht kommt auf, indem die Liturgie ahnen läßt, daß am Karfreitag die Gott*verlassenheit* ein Verlassensein von *Gott* ist, die zum Gesamtmysterium dieser drei Tage gehört und durch den Ausblick auf Ostern nicht verharmlost werden darf.

Das erste Wort, mit dem das Schweigen gebrochen wird, heißt »gedenken« (hebr. zakar). Es erscheint fast widersprüchlich, daß am Gedenktag des Leidens nicht zuerst die Gemeinde zum Gedenken aufgerufen wird, sondern Gott selbst von der Gemeinde gebeten wird, doch seines mütterlichen Erbarmens (rächäm) eingedenk zu sein (vgl. Ps 25,6).[43] Erst daran schließt sich die Bitte der Gemeinde[44] an, daß Gott sich auch ihrer annehme und sie durch beständigen göttlichen Schutz geheiligt werde. Sie beruft sich dabei auf die Einsetzung des österlichen Geheimnisses (paschale mysterium), die im »pro nobis« des grausamen Kreuzestodes (cruorem) geschehen ist. Damit ist angesichts dessen, der lebt und das Angebot seiner Basileia durch die Zeiten der Zeiten aufrechterhält (qui vivit et regnat), das ganze Mysterium in den Blick genommen.[45]

Das alternative zweite Gebet spannt den Bogen fast noch weiter und wirkt zugleich christologischer und soteriologischer, wenn an die Sünde Adams erinnert wird, die der Menschheit das zweifelhafte Erbgut des Todes (hereditariam mortem) eingebracht hat. Von Gott, an den sich das Gebet richtet, wird gesagt, er habe uns durch das Leiden Jesu von dieser Erbschaft »absol-

---

[43] Vgl. Richter, Höre unser Gebet 32 f. Die deutsche Version, »Gedenke der großen Taten, die dein Erbarmen gewirkt hat«, ist wohl zu männlich empfunden, als ginge es hier nicht zuerst um die liebende Zuwendung, die aus dem Innersten Gottes kommt.

[44] »Famulos tuos« darf heute sicher nicht mehr nur mit »deine Diener« übersetzt werden, wenn es die Frauen nicht ausschließen soll. Das Neuverständnis des Subjektes der Liturgie muß diesbezüglich auch sprachinnovatorisch wirken.

[45] Wenn das Gebet schon im 8. Jh. bekannt ist, wird sein Alter vermutlich noch weiter zurückreichen. Dies ist zwar als solches kein Qualitätszeichen, könnte aber in diesem Fall noch auf das volle Verständnis von »mysterium« zurückreichen und bedeuten: das große Geheimnis, in das wir durch die Taufe eingeweiht werden, um so teilzunehmen am Offenbarungsgeschehen der eschatologischen Zeit, in der die heiligen Mysterien, die Sakramente, als Mysterien der Hoffnung und des Gedächtnisses, das alle Zeiten umspannt und über die Zeiten hinausreicht, gefeiert werden.

viert«. Die Bitte der Oration ist groß und schlicht zugleich: daß wir – ihm, dem Christus, dem Sohn Gottes, dem Herrn der Gemeinde, ähnlich geworden (im Leiden) – durch die Heiligung das Bild der himmlischen Gnade tragen dürfen (ut ... portemus), wir, die das Bild des irdischen Menschen geradezu zwangsnatürlich getragen haben (naturae necessitate portavimus).[46]

Die Schlichtheit des liturgischen Anfangs gibt noch die liturgische Atmosphäre der Frühzeit in Synagoge und Gemeinde wieder. Als wisse die versammelte Gemeinde ohne große Belehrung, warum sie zusammengekommen ist, hebt das Gebet an, dem sich dann unmittelbar die Lesung aus dem Propheten Jesaia anschließt.[47] Vielleicht haben manche am Lektorenpult schon die Erfahrung gemacht, daß es sich in dieser Lesung um einen der eindrücklichsten Texte des ganzen Kirchenjahres handelt. In der einzigartigen und zugleich erschütternden Gestalt des leidenden Gottesknechtes (ebed JHWH) ahnt die hörende Gemeinde eine heimliche Korrespondenz zwischen den Leiden des Knechtes, den Leiden Israels, der Passion Jesu und den vielen Passionen »post Christum«. Und die Hörenden fragen sich: Warum dies alles?

»Zu unserem Heil lag die Strafe auf ihm,
  durch seine Wunden sind wir geheilt« (Jes 53,5).

Dies ist eine Antwort, die in der christlichen Gemeinde einen christosoterischen Klang erhalten hat. Durch *Jesu* Wunden sind wir geheilt. In der Übertragung auf Jesus taucht in der Gestalt

---

[46] Es gelingt kaum, den kunstvollen Satzbau der Oration so zu übertragen, daß die Zeitstruktur durchsichtig bleibt. Die deutsche Version setzt im zweiten Teil nur noch das Präsens. In Wirklichkeit ist nur die Bitte im Präsens gesprochen. Sie bezieht sich aber von der Gegenwart des Bittenden noch einmal zurück auf den adamitischen Ausgangspunkt, läßt auch auf den Prozeß der Christusverähnlichung zurückblicken (facti) und bittet dann um das Gewand der Heiligkeit im Himmel, das gegenwärtig ist auf die Weise, daß wir darum bitten.

[47] Da ein solch ungewohnter Anfang sofort zerstört wäre, wenn mit erklärenden Einführungen gearbeitet würde, andererseits in den Gemeinden aber um ein vertieftes Nachvollziehen gerungen werden muß, wäre die Hinführung eine wichtige pädagogische Aufgabe, die außerhalb der Liturgie geleistet werden müßte. Da sich immer mehr Gemeinden darauf einlassen, die Tage nicht nur liturgisch zu persolvieren, sondern zu gestalten und mit Leben zu erfüllen, bin ich diesbezüglich zuversichtlich. Ich weiß jedoch, daß eine zeitgemäße Gestaltung der Karfreitagsliturgie aus den großen liturgischen Quellen in Verbindung mit der Leidensgegenwart besonders anspruchsvoll ist. Vgl. unten »Gottesfinsternis heute« zu P. Celan.

des Knechtes vor dem hörenden Auge das Gegenbild des »schönsten Herrn Jesus« auf, der

> *»keine schöne und edle Gestalt (hatte), so daß wir ihn anschauen mochten«* (Jes 52,2).

Paul Gerhards Nachdichtung von Jesaias Poesie »O Haupt voll Blut und Wunden« hat diese Christo-Ästhetik des Karfreitags tief in die Frömmigkeit der deutschsprachigen Christenheit eingepflanzt. J. S. Bach war sich nicht zu gut, eine schlichte Melodie des Volkes in seine Matthäus-Passion aufzunehmen.

In dieser großen deuterojesaianischen Prophetie wurde aber ursprünglich eine Antwort von unübertroffener theologischer Wucht auf die Erfahrung des Exils in Babylon gegeben. Der Text verliert auch für die christliche Gemeinde nichts an Eindrücklichkeit, wenn sie ihn einmal ganz jüdisch auf die Widerfahrnisse des Gottesvolkes hin liest, die mit dem Exil des 6. Jh. v. Chr. durchaus nicht zu Ende waren. Wenn die prophetische Theologie jener Zeit es wagte, mit der Gestalt des Knechtes das Schicksal des Volkes soteriologisch zu deuten, wird es vielen Angehörigen des jüdischen Volkes im schlimmsten Widerfahrnis, für das der Name Auschwitz steht, die Stimme verschlagen. Ist da noch etwas zum Heil für irgend jemand geschehen? Würde nicht eine soteriologische Deutung alles Leiden verharmlosen und am Schluß auch noch die Täter aus ihrer Schuld entlassen? Würde sich dieses Volk auch ein weiteres Mal wie ein Schaf zur Schlachtbank führen lassen, ohne den Mund aufzutun?

Aber auch in christlicher Lesart stellt der Text mehr Fragen, als er Antworten gibt, wenn der Blick auf das Christentum nicht durch eine Siegerperspektive verblendet ist. Wie steht es um das Schicksal der Armen und Unterdrückten in den Völkern der Welt, die unter einer Ungerechtigkeit leiden, die zum Himmel schreit? Werden sie als Opfer des Wohlstands der reichen Völker einfach in Kauf genommen? Schreit nicht ihr Leiden nach Überwindung? Ich glaube, daß die von der Liturgie zweifellos intendierte christologische Lesart des Textes erst aus der Mehrperspektivität seine theologische Tiefendimension entfaltet. Dabei darf m.E. nicht der Versuch gemacht werden, Jesu Leiden in das Leiden anderer »einzuordnen«. Leiden darf überhaupt nicht eingeordnet, verglichen oder gar begrifflich gefaßt werden. Jesu

Leiden und seine soteriologische Deutung dienen nicht der Verharmlosung irgendeines Leidens. Die Frage, ob Jesu Kreuzestod physisch das schlimmste Leiden aller Zeiten darstellt, ist eine falsch gestellte Frage. Selbst wenn physisches Leiden noch vergleichbar wäre, so läßt jedes Leiden in seiner menschlichen Abgründigkeit, in der es die Frage nach dem Tangiertsein des Schöpfers provoziert, jedes Vergleichen scheitern.

Auf wen immer man die Figur des Knechtes bei Jesaia bezieht, sie gibt sich nicht preis, sie gibt sich hin. Der Knecht beugt sich und verstummt, aber es geschieht aus einer Gelassenheit und Hoheit, die ihresgleichen suchen. Können wir überhaupt einschätzen, was vorgeht?

»Wir aber hielten ihn für gezeichnet, von Gott geschlagen und gebeugt.«

Aber unsere Einschätzung ist nicht die einzig zutreffende. Der Text endet mit dem Hinweis, wie er von Gott eingeschätzt wird. Dies wird manchen zeitgenössischen Hörerinnen und Hörern der Lesung als zu patent erscheinen. Nimmt sich die Exilserfahrung gegenüber den Leidenserfahrungen unseres Jahrhunderts so harmlos aus, daß man damals eine Heilsdeutung noch wagen konnte, die sich heute eher verbietet? Oder vergleichen wir bezüglich des Widerfahrnisses von Leiden doch wieder Unvergleichbares? Die jüdische Lesart des Textes wird hier nach Auschwitz radikaler auf der Unbeantwortbarkeit vieler Fragen beharren als die christliche Lesart, die sich an der Passion Jesu orientiert.[48] Der Schrei gegen das Unrecht und das Ziehen der Notbremse ist insofern etwas anderes, als damit nicht Leiden erklärt, sondern rechtzeitig eine Stimme gegen neues Unrecht erhoben wird, damit die Täter ablassen von ihrem Tun.[49]

---

[48] Vgl. H. Jonas, Der Gottesbegriff nach Auschwitz. Eine jüdische Stimme. Frankfurt/M. 1987. Jonas vertritt – auf dem Hintergrund des Theologumenons von der Selbstbeschränkung Gottes im Akt der Schöpfung –, daß Gott in Auschwitz schwieg. Nicht weil er nicht wollte, griff er nicht ein, sondern weil er nicht *konnte* (vgl. 41). Gott nimmt sich so sehr zurück, daß er alles Geschaffene sich selbst überläßt und somit sich seinen Geschöpfen mit aller Konsequenz überantwortet. Dies führt zu einer radikalen Ethik der Verantwortung, die letztlich auf Selbtbehauptung verzichtet. Dies ist eine der denkerischen Schlußfolgerungen, die sicherlich christlicherseits nicht einfach bestritten werden dürfen.

[49] Es ist nicht zu übersehen, daß aus der Erfahrung von Auschwitz auch die andere Konsequenz naheliegt, sich nicht ein zweites Mal wehrlos auf die Schlachtbank führen zu lassen. Auch dieser Standpunkt ist sehr verständlich und liegt u.a. auch

Die Lesung aus dem Propheten Jesaia im Rahmen des Gedächtnisses der Todesstunde Jesu will die christliche Gemeinde wahrnehmen lassen, daß sich Jesus für seine Person auf einen konsequenten Weg der Gewaltlosigkeit eingelassen hat. Ob er bereits selbst davon überzeugt war, daß dieser in den Augen der Menschen eher unverständliche, ja fast lächerliche Weg in den Augen Gottes eine ganz andere Dimension hat oder ob diese Überzeugung erst der nachösterlichen Gemeinde zugewachsen ist, mag als historisch-kritische Forschungsfrage offenbleiben. Die Gemeinde, die in dieser Stunde den Tod Jesu vor Augen hat, wird jedenfalls die Heilsbedeutung dieses Todes für Israel und die Völkerwelt nicht ausschließen dürfen. Aber es ist gar keine Frage, daß die Heilsbedeutung nicht einfach theoretisch mit Ja oder Nein beantwortet werden kann, ohne daß ein Bejahender oder Verneinender jeweils davon auch selbst betroffen wird. Wer darauf vertraut, daß Jesus nicht umsonst gestorben ist, wird immer noch angesichts des fremden und eigenen Leidens vor dem Warum stehen, und er wird eine Antwort nicht geben können, ohne daß er in seinem eigenen Leben früher oder später beim Wort genommen wird. Ich glaube deshalb, daß es zur ästhetischen Qualität dieses Lesungstextes gehört, Leiden nicht einfach zu erklären, zu verharmlosen oder gar theologisch zu verklären, indem Jesu Leiden durch eine soteriologische Deutung von anderem Leiden isoliert wird.

E. Levinas ist zu dem philosophischen Gedanken durchgebrochen, daß die Einmaligkeit eines Menschen erst dann offenbar wird, wenn das Ich gegenüber dem Antlitz des Anderen unvertretbar herausgefordert ist, für dieses einzustehen und dessen Tod mehr zu fürchten als den eigenen. Auf diese Weise wird die Zeit der Selbtbehauptung und der Herrschaft aus der Sorge um das eigene Überleben durchbrochen. Die Zeit der Gastlichkeit (»hospitalité«) beginnt, in der ein begrenztes Seiendes trotz seiner Endlichkeit zu geben bereit ist und so den Raum des Unend-

---

in der Konsequenz eines messianisch-politischen Denkens, wie es etwa Benjamin vorschwebt. Ich denke, daß wir auch als Christen zwischen diesen beiden Reaktionsmöglichkeiten auf das Widerfahrnis von Leiden hin- und herpendeln, wobei immer noch abgewogen werden muß, ob jemand nur für sich selbst zu entscheiden hat, oder ob eine Entscheidung auch das Schicksal anderer berührt, d.h. eine politische Dimension hat.

lichen, in dem Glück nicht mehr geneidet wird, eröffnet.[50] Weit über die Theodizeefrage hinaus erhält bei Levinas die These von Gottes Selbstbeschränkung somit eine positive Bedeutung, die nahe an das heranreicht, was christologisch von der Kenose dessen gesagt wird, der nicht an seinem Gottsein festhalten wollte, sondern sich erniedrigte bis zum Tod am Kreuz (vgl. Phil 2,6–8). Der Karfreitag drängt zu einer Christologie, die den Gedanken der Stellvertretung aus dem Gewaltverzicht nicht zu einem Zusatz zur Wesensfrage Jesu macht, oder besser gesagt, zu einer Christologie, die die Wesensfrage aus ihrer ontologischen Verhaftetheit herausreißt, so daß die Soteriologie kein bloßes Anwendungsgebiet der Christologie mehr ist. Sie versucht auszusagen, wie ganz anders jenes Subjekt ist, das sich zur Stellvertretung vor Gott gerufen weiß.

Das Heute der Liturgie setzt die Gemeinde in der Feier der Todesstunde Jesu in der Weise seiner Passion aus, daß das glaubende Subjekt in der Jesusnachfolge in die Stellvertretung Jesu hineingezogen wird. Das glaubende Ich übernimmt seine Verantwortung für das Heil anderer und macht so erst die Erfahrung, was es bedeutet, ein Selbst zu werden. Subjektwerdung und Stellvertretung sind die zwei Seiten einer einzigen Medaille. Zuerst bei Jesus, dann bei den auf seine Weise Glaubenden.[51]

Wenn die Antwort auf diese Lesung eigentlich eher ein Verstummen sein müßte, dann sollte in einem Antwortgesang wenigstens die Neigung zum Verstummen vernehmbar bleiben. Die offizielle Liturgie schlägt Verse aus Psalm 31 vor, die durchaus als Gebet zwischen Vertrauen und Klage das Leiden Jesu und das Leiden aller Gequälten und Verfolgten beredt machen können. Im Tenor reicht dieser Psalm nahe an Psalm 22 heran, der zur Liturgie der Laudes gehört. Er wäre – falls eine Laudes in der Gemeinde nicht stattfindet – auch als Antwortgesang auf die Lesung sehr geeignet. Würde Psalm 22 in der Liturgie des Karfreitags überhaupt nicht gesungen, wäre sie in ihrer Leidenspoesie

---

[50] Vgl. Totalität und Unendlichkeit 19–34, bes. 28 f.

[51] Die Durchführung dieses Ansatzes würde die Überwindung einer logozentrischen Christo*logie* bedeuten. Christo-Ästhetik und Christo-Soterik wären die notwendigen Prämissen einer Christo-Logik, die das Unaussprechliche gerade noch in stammelnde Worte zu kleiden vermöchte. Dies wäre vielleicht auch eine Christologie, die durch ein heutiges jüdisches Denken (wie etwa bei Levinas) nicht von vornherein als unerträglich abgelehnt werden müßte.

unverantwortlich beschnitten. In diesem Psalm wird noch eindringlicher als in Psalm 31 das Schicksal eines einzelnen (in dem sich freilich das des Volkes widerspiegelt) besungen, der trotz des radikalen Vertrauens und trotz des »Geworfenseins zu Gott hin schon im Mutterschoß« (alächa hoschlachti merachem, V 11) tiefste Gottverlassenheit erfährt. Psalm 31 ringt in ähnlicher Dramatik um die Rückgewinnung des Vertrauens, da sich der Betende bereits vergessen wähnt wie ein Toter und sich vorkommt wie ein zerbrochenes Gefäß (V 13). Wenn der Psalm 22 nach der Schilderung höchster Bedrohung plötzlich umbricht in den Lobpreis und von dem einst Verlassenen singt, daß er Gottes Treue in großer Gemeinde rühme, ja daß ein Mahl der Armen gefeiert werde und der ganze Erdkreis zur Bekehrung aufgerufen wird, dann wird die Zeit poetisch kontrahiert und in eine Zukunft geschaut, die schon begonnen hat. In der Wahl des Kehrverses könnte die Gemeinde zusätzlich einen Akzent setzen, ob sie nämlich den Schwerpunkt eher auf das Vertrauen setzt und die letzten Worte Jesu in lukanischer Version (»Vater, in deine Hände gebe ich meinen Geist«, Lk 23,46), die Psalm 31,6 nachgebildet sind, singt, oder ob sie die Gott-Verlassenheit zum Thema macht und mit Psalm 22 singt: »Mein Gott, mein Gott, warum hast du mich verlassen?«[52] Psalm 22 könnte nicht nur als »Drehbuch« der Passionserzählungen verstanden werden, man könnte aus ihm auch eine ganze Karfreitagsliturgie gestalten.[53]

---

[52] Schon an der liturgischen Feinfühligkeit, mit der ein bestimmter Psalm mit Kehrvers ausgesucht wird (oder in diesem Fall nur ausnahmsweise durch ein entsprechendes Lied ersetzt werden sollte), zeigt sich, ob die Sensibilität, mit der die Glaubenserfahrung der Gemeinde ertastet wird, die Liturgie tiefgründig prägt. Ohne Zweifel wäre hier auch eine Stelle, an der moderne musikalische Ausdrucksformen der Klage einen Platz finden könnten.

[53] Vgl. J. Ratzinger, Schauen auf den Durchbohrten. Einsiedeln 1984, 20–23. Die These »Jesus starb betend« wird in eindrucksvoller Weise auch von Psalm 22 her ausgelegt. Damit tritt aber der Schluß des Psalms deutlicher in den Vordergrund als in meinem Versuch. Jesus ist ganz gewiß »der wahre Beter dieses Psalms« – sei es in historischer Todesstunde oder nicht –, der aber somit gerade auch Ausdruck seiner Verlassenheit ist, »weil er Gottes Sohn war ...«, wie es in der zweiten Lesung heißen wird. Das bei den Evangelisten Mk und Mt zum Ausdruck kommende Unverständnis der Herumstehenden macht nach Ratzinger aber deutlich, daß erst die spätere Gemeinde Jesu Todesschrei von diesem Psalm her zu verstehen lernte. Umso wahrscheinlicher könnte es sein, daß der Todesschrei selbst – gerade in seiner Unverständlichkeit – ein Schrei der Gottverlassenheit war. Die spätere Interpretation mit Hilfe des Psalms würde dann nur sicherstellen, daß dieser Schrei der Gottverlassenheit nicht gegen Jesu Sohnschaft ausge-

In der zweiten Lesung, die aus dem ntl. Briefkorpus genommen ist, kommt das ganze Schwergewicht der Christologie des Hebräerbriefes zur Sprache. Sie gipfelt in dem Satz: *»Obwohl er der Sohn war, hat er durch Leiden den Gehorsam gelernt«* (Hebr 5,7).

Im Hebräerbrief sind die Anklänge an die Liturgie des Versöhnungstages unüberhörbar. Ich gehe so weit anzunehmen, daß der Hebräerbrief in seiner Christologie eine messianisch-christologische Interpretation der Versöhnungsliturgie versucht. Jesus, der Christus, tritt durch seinen Tod in das Allerheiligste des Himmels ein (wie einst der Hohepriester in das Allerheiligste des Tempels), nachdem er die Probe des Vertrauens bis zum letzten Atemzug bestanden hat. Wiederum steht Jesus als der Betende und Bittende vor Augen, der als der Sohn das radikale Hören (griech. »hypakoē«) bis hinein in die dunkle Nacht des Leidens lernen mußte. Nur so hat die Gemeinde Grund, ihr Vertrauen auf sein Vertrauen zu setzen und ihn so als »Urheber des ewigen Heiles« zu verehren.[54]

So eindrücklich in der Karfreitagsliturgie die bisher vorgetragenen Stücke der atl. Leidens-Ästhetik sind, so unverzichtbar ist auch ein ntl. Stück christologischer Poesie, das in Phil 2,6–9 vorliegt. Die Liturgie schlägt den Hymnus mit ausgewählten Versen[55] als Antwortgesang auf die Lesung aus dem Hebräerbrief

---

legt werden darf. – Vgl. weiterführend und vertiefend: O. Fuchs, Die Klage als Gebet. Eine theologische Besinnung am Beispiel des Psalms 22. München 1982 (Lit.). Vgl. bes. 354–59 (»Plädoyer für das jüdisch-christliche Gebet der Klage«). Ich kann Fuchs nur zustimmen, wenn er abschließend schreibt: »Eine Gottesbeziehung, in der keine Konfliktgespräche möglich sind, ist seicht und lebensfern: Klageabstinenz bedeutet Beziehungs- und Lebensverlust!« (359). Die christologische Relevanz dieser mehr anthropologischen These liegt auf der Hand.

[54] Der Gedanke, daß der Karfreitag am ehesten dem jüdischen Versöhnungsfest gleichen könnte, wird von Rosenzweig nicht aufgegriffen. Ein Vergleich mit dem Versöhnungsfest legt sich ihm eher bezüglich des Vorabends des Weihnachtsfestes nahe (vgl. Stern 406–10). So schön er über die Feier der Kartage schreibt (406), so lapidar heißt es dann: »*Das Fest des Anfangs der Offenbarung [= Weihnachten] ist also das einzige, das im Christentum unserm Fest der Erlösung in gewisser Weise die Waage hält. Ein eigenes Fest der Erlösung fehlt*« (409).

[55] Dies hängt damit zusammen, daß in der Dramatik der Liturgie dieser Tage der Anfang dieses Gesangs im Stundengebet der drei Tage so vorgetragen wird, daß er von Tag zu Tag ergänzt wird, bis er dann in der Karsamstagsvesper in der vollen Länge erklingt. Im Anschluß an dieses Stilmittel wäre es ratsam, den Philipperhymnus hier nur in seinem ersten Teil zu singen und ihn in seiner ganzen Länge in die Liturgie der Osternacht einzubeziehen. Es wäre aber auch denkbar,

vor. Jede Exegese dieses Hymnus wird hinter dem Stellenwert zurückbleiben, der ihm in diesen Österlichen Drei Tagen liturgisch, christologisch und musikästhetisch zukommt.[56]

Seit der erneuerten Liturgie wird das Leiden und der Tod Jesu am Karfreitag in der Version des Johannesevangeliums vorgetragen. Gerade bei Johannes zeigt sich, daß die Christologie der Passion, die hier natürlich nicht entfaltet werden kann, in der Dramatik der Hinrichtung Jesu zu einem »Wahrheitsprozeß« wird, in dem die johanneische Gemeinde im Rückblick Kreuz und Auferstehung als Erhöhung engstens zusammenschaut. Zugleich offenbart der ohnmächtig Ausgelieferte gerade so die schwergewichtige Hoheit (kabod) des Göttlichen in Jesus. Jesus stirbt in dem Bewußtsein, daß nun die »Stunde« gekommen sei, in der alles »vollbracht« wird. Es ist nach Johannes zugleich die »Stunde«, in der im Tempel die Osterlämmer geschlachtet werden. Auch hier vollzieht sich in der Sicht des Johannesevangeliums noch einmal eine eigenartige Kontraktion der Zeit. Mit dem Gespür für den Stundenschlag verlegt deshalb die erneuerte Liturgie die Feier des Todes Jesu auf die »neunte Stunde« (= 15 Uhr), ohne zu vergessen, daß sich schon in dieser Stunde das österliche Ereignis vollzieht.[57]

---

im Sinne eines ganzheitlichen Verständnisses der drei Tage den Hymnus hier schon ganz erklingen zu lassen. Musikalisch sollte ein Kontrast zur Gestaltung von Psalm 22 oder 31 durchaus hörbar sein. – Die Version »Christus factus est« in gregorianischem Choral bedient sich in eindrucksvoller Weise des Stilmittels der Steigerung in Melodieumfang und Tonhöhe. Von wenigen Stücken gilt so sehr wie hier, daß der liturgische Ort in diesen Tagen dazu beiträgt, was Rosenzweig von der Kirchenmusik allgemein sagt, daß solche Musik heraussteigt aus der idealen Zeit, der die Musik sonst angehört. *»Wer einen Choral mitsingt, wer Messe, Weihnachtsoratorium oder Passion hört, der weiß ganz genau, in welcher Zeit er ist; er vergißt sich nicht und will sich nicht vergessen; er will sich nicht aus der Zeit flüchten, sondern im Gegenteil: er will seine Seele mit beiden Beinen in die Zeit, in die allerwirklichste Zeit, in die eine Zeit des einen Welttags, dessen alle einzelnen Welttage nur Teile sind, hineinstellen«* (Stern 401).

[56] Das Erklingen dieses hymnischen Textes kann natürlich die historisch-kritische Bemühung um ihn nicht ersetzen. Die exegetische Arbeit könnte sogar ihrerseits dazu beitragen, daß der Hymnus sein liturgisches Gewicht zurückerhält, wo er bereits problematisch wurde.

[57] Die johanneische Passionsgeschichte neigt dazu, im Wahrheitsprozeß der Passion, in der »Stunde« der Offenbarung, die Kontrahenten des Prozesses sehr pointiert gegenüberzustellen. Zuletzt stehen sich Gott und Welt als feindliche Mächte gegenüber, denen sich die verschiedenen Gruppierungen anschließen. Wenn dabei wiederholt von »den Juden« die Rede ist, darf nicht vergessen werden, daß diese Redeweise nicht einfach »alle Juden« bedeutet, sondern vor allem

In den großen *Karfreitagsfürbitten* stellt sich die Gemeinde unter Jesu Kreuz und wird so mit dem Gekreuzigten zur stellvertretenden Fürsprecherin für andere. Die Gemeinde bittet in den wirklich fundamentalen Anliegen der ganzen Menschheit, und es steht sicher nichts im Wege, die großen Bitten in der Stunde der Liturgie auch noch erweiternd zu aktualisieren.

In der Formulierung der Fürbitten hat die Reform der Liturgie eine Textveränderung vorgenommen, auf die ich besonders aufmerksam machten möchte, weil sie eine neue Sensibilität für die größere Ökumene von Juden und Christen signalisiert. Über lange Jahrhunderte hinweg wurde für die »treulosen Juden« gebetet. In der erneuerten Liturgie betet die Gemeinde »für die Juden, zu denen Gott, unser Herr, zuerst gesprochen hat«. Sie mögen in Treue zu Gottes Bund stehen und den Namen ihres Gottes lieben und so das Ziel ihrer Berufung erlangen. Endlich tritt hier die betende Kirche in die Mentalität Jesu selbst ein, der noch am Kreuz betete, die Blindheit derer, die ihn ans Kreuz brachten, möge nicht angerechnet werden (Vgl. Lk 23, 34)[58]. So verhängnisvoll sich hier das Gesetz des Betens auf die »lex credendi« in der alten Liturgie auswirkte, so sehr möchte ich wünschen, daß die neue Fassung des Gebetes auch eine neue Möglichkeit des glaubenden Miteinanders von Juden und Christen ermöglicht. Dadurch würde Jesus seinem Volk wieder zurückgegeben. Im einen ungekündigten und eschatologisch erneuerten Bund könnte ein ökumenischer Wettstreit im Ringen um die Treue zum Bund entstehen. Eine Christologie aus dem Geist der

---

die verantwortlichen Führungskräfte, und daß damit – wie oben bereits angedeutet – kein Grund besteht, das gesamte Judentum, und noch dazu aller Zeiten, von den Mächten der Finsternis verführt zu sehen. Sehr bald und ebenso kritisch wird das junge Christentum auch gegen zerstörerische Tendenzen in den eigenen Reihen (z.B. die Knechte, die nicht wachen, wenn der Herr kommt) sprechen. Historisch gesehen wäre es denkbar, daß die antijüdischen Tendenzen in eine Zeit führen, in der sich leider Synagoge und Jesusgemeinde immer mehr feindlich gegenübertraten. Daß der zahlenmäßige und politische Sieg des Christentums dazu verführte, die ntl. Texte antijüdischer zu lesen, als sie vielleicht von Anfang gedacht waren, muß leider unumwunden zugegeben werden.

[58] Natürlich legt sich der Verdacht nahe, daß Jesu Gebet für die Feinde selbst schon antijüdische Züge hat. Sollte er aber nicht gespürt haben, daß ihm einige seiner Volksgenossen übel mitspielten? Entscheidend ist, daß er nicht mit Haß reagierte. Späterer, bereits in Haß umschlagender Antijudaismus, der das ganze Volk, ja alle Generationen zu Gottesmördern stempeln wollte, kann sich deshalb auf keinen Fall auf Jesu Fürbitte für seine übelwollenden Volksgenossen berufen.

Karfreitagsliturgie dürfte heute nicht einmal mehr in ihren leisesten Ansätzen antijüdisch sein.[59]

»Daß vor Gott sich beuge jegliches Knie, bleibt die wahre Form, unter der die Erlösung gefeiert wird.«

So schreibt Rosenzweig einmal im Stern der Erlösung (411f.). Er bemängelt, daß die Christenheit den liturgischen Ort des gemeinsamen Kniens und Verharrens im Schweigen nicht kenne, so daß ihre Feste »nur in Festen der Zeit« gefeiert würden. Vielleicht legt sich aber gerade in der Karfreitagsliturgie bei der gemeinsamen Verehrung des Kreuzes doch am ehesten noch einmal ein Vergleich mit dem gemeinsamen Knien und Schweigen am jüdischen Versöhnungstag (Yom Kippur) nahe. Hier hatte sich in der römischen Liturgie sogar der uralte orientalische Brauch bis zum Konzil erhalten, die Schuhe auszuziehen. In dreimaligem Niederknien wurde die Verehrung des Kreuzes vollzogen. »Auf daß jedes Knie sich beuge im Himmel und auf Erden«, heißt es im Philipperhymnus. Die eindringlichen Fragen an das Volk in den Gesängen der Improperien (»Popule meus«) unterbrechen das Schweigen des verehrenden Niederkniens und fragen nun das Bundesvolk aus den Heidenvölkern, wie einst das Bundesvolk Israel durch die Propheten befragt wurde. »Was habe ich dir getan? Was hätte ich dir noch tun sollen? Warum verläßt du mich?« Es ist fast so, als würde hier nicht mehr der Mensch in der Gottverlassenheit aufschreien, sondern der von den Menschen verlassene Gott selbst den Schrei der Verlassenheit erheben. Noch einmal wird der Gemeinde bewußt, daß angesichts ihres Versagens nur noch das göttliche je größere Erbarmen obsiegen kann. »Heiliger, starker Gott, erbarme dich unser.«[60] Nur wenn Juden und Christen es wagen, sich nicht nur in der Berufung, sondern auch im Versagen nahe zu sein, wird

---

[59] Wenn die christliche Theologie eventuelle antijüdische Tendenzen nicht selbst wahrnimmt, müßte sie es sich von jüdischer Seite sagen lassen. Andererseits dürfte das Judentum nicht argwöhnen, jegliche messianische und soteriologische Interpretation Jesu sei ihrem Wesen nach bereits antijüdisch.

[60] »Der gemeinsame atl. Wurzelgrund und die engen Beziehungen der jüdischen und christlichen Improperientradition zueinander sollte[n] vor dem Fehlurteil bewahren, die Improperien hätten in der Liturgie keine Berechtigung. Sie bringen im Gegenteil auf besonders eindrückliche Weise das stete Versagen der (jüdischen wie christlichen) Gemeinden gegenüber dem heilschaffenden Gott zum Ausdruck.« Auf der Maur, Feiern im Rhythmus der Zeit I 111. Vgl. Richter, Ostern als Fest der Versöhnung 78 f.

das jüdische Niederknien am Versöhnungstag und christliches Niederknien vor dem Kreuz nicht zu einem gegenseitigen Vorwurf mißraten: des Unglaubens von christlicher Seite gegen die Juden und der Blasphemie von jüdischer Seite gegen die Christen. Das Bindeglied ist das gläubige Vertrauen auf die eine absolute Transzendenz, in dem Jesus als der Glaubende die Mitte der »zwei Glaubensweisen« bildet, die sich nicht nur unterscheiden, sondern auch innerlich verwandt sind.

Die Liturgie geht sehr weit, wenn sie dem Schrei der Gottverlassenheit Jesu (vgl. Ps 22,1) den Schrei der Menschenverlassenheit Gottes hinzufügt und somit eine christologische Gesamtinterpretation von höchster Kühnheit wagt:

> *Ich habe dir ein Königszepter in die Hand gegeben, du aber hast mich gekrönt mit einer Krone von Dornen.«*

Im Schrei der Gottverlassenheit schreit ein sterbender Mensch nach Gott und legt so offen, wie weit der Gott Jesu gehen kann, wenn er seinen Geliebten in die äußerste Verlassenheit stürzt; im gequälten Menschen Jesus wird Gott selbst gequält und so wird offenbar, wie weit Gott durch das Leiden Jesu mitbetroffen wird.[61] Wenn hier nicht eine Ontologisierung des Leidens geschehen soll, dann muß eine Jesusinterpretation an diesem Punkt vor den letzten Mysterien der innergöttlichen Vorgänge eher schweigen als reden. Dann ist vielleicht die »Gebärde« des Niederkniens der angemessenere Ausdruck als das Wort. Erst aus der geöffneten Seite des im Tod Verstummten, so interpretiert das Johannesevangelium (Joh 19,34), fließen Blut und Wasser, entströmt die heilige Lebenskraft (Pneuma), aus der die Kirche lebt. »Sie werden auf den schauen, den sie durchbohrt haben«. Die Kirche Jesu ist nicht zuerst die Gemeinschaft derer, die sich sehen, wie Rosenzweig meinte, sondern die Gemeinschaft derer, die ihren Blick von sich selbst abwenden und gemeinsam auf den schauen, der durchbohrt ist. Dieser gemeinsame Blick ist alles andere als ein gaffender Blick, der zerstört,

---

[61] Soll dies nicht patripassianistisch enggeführt werden, als habe in Jesus der Vater gelitten und sei in ihm auch gestorben, dann könnte nur das Chalkedonische »vollkommen in der Gottheit«, »vollkommen in der Menschheit«, das von dem »einen und selben«, Jesus, ausgesagt wird, weiterhelfen, jedenfalls so, daß es einen Patripassianismus ausschließen würde. Über die Möglichkeit einer mehr als ontologischen Auslegung der hypostatischen Union ist damit noch nicht positiv entschieden.

der selbst den andern »durchbohrt«; es ist vielmehr der liebende Blick, der sich im Hinschauen selbst »durchbohren« läßt, indem er das Sakrament des Wassers und des Blutes (= Taufe und Eucharistie) von »dem Durchbohrten« empfängt. Solches Schauen mündet in die schweigende Geste der aufgehaltenen Hände, die bereit sind, das Brot des Lebens zu empfangen.

Seit der Liturgiereform ist die Kommunionfeier (als missa praesanctificatorum) wieder eingeführt worden. Der Zuspruch des Todes Jesu an die Gemeinde klingt gleichsam vom Gründonnerstag noch nach und wird erneut als Gabe empfangen. So sehr tritt die »memoria passionis« an diesem Tag als eine einmalig vergangene Größe in den Mittelpunkt, daß auf die ganze Eucharistie verzichtet wird. Liturgiegeschichtlich haben wir freilich nur ein Relikt jener Gewohnheit vor uns, in Tagen der Fastenzeit die Eucharistie nicht jeden Tag zu feiern.[62]

Schließlich sei noch vermerkt, daß der Karfreitag auch mit der Körpersprache an der »memoria passionis« teilnimmt, indem er durch strenges Fasten alle Ablenkung auf die Welt der Bedürfnisse vermeidet. Wenn viele Christen dies heute neu verstehen und zugleich als Zeichen der Solidarität mit denen, die während des ganzen Jahres hungern, bewußt setzen, rückt ihnen die Christo*soterik* gewissermaßen auf den Leib und bezieht sie in die Proexistenz Jesu gerade an diesem Tag ein.

(2) Gottesfinsternis heute –
Eine Meditation zu P. Celans Gedicht »Tenebrae«

In erstaunlicher Weise ist das Thema Karfreitag auch in der neueren Lyrik präsent.[63] Eine Poesie, die zur »Gebärde« wird, ist nach Rosenzweig die Dichtkunst, die schweigen gelernt hat. (Vgl. Stern der Erlösung 413). Zu den Texten, die – über das

---

[62] Vgl. Näheres bei Auf der Maur 111 f. Rom kannte die Kommunionfeier ursprünglich nicht. Später wurde sie immer mehr in Richtung einer Eucharistie ohne Dankgebet ausgestaltet. Die Herkunft von der byzantinischen »missa praesanctificatorum« ist unsicher. Ob die Einführung der Karfreitagskommunion die Bewährungsprobe besteht, muß die weitere Erfahrung zeigen.

[63] Vgl. K.-J. Kuschel, Der andere Jesus. Ein Lesebuch moderner literarischer Texte. Einsiedeln-Gütersloh 1983, 299–326. In der Textsammlung finden sich u.a. Gedichte von Erich Fried (307), Eva Zeller (319) und Reiner Kunze (326). Die Tendenz, mit dem Tod des einen, Jesus von Nazareth, das Leiden der Vielen in Verbindung zu bringen, erscheint mir in den Gedichten auffällig. Die Heilsbedeutung dieses einen Todes wird jedoch eher in Frage gestellt.

Schweigen hinaus – den Abgründen der Karfreitagsliturgie und ihrem Hang zum Verstummen am nächsten kommen, gehört ohne Zweifel Paul Celans Gedicht mit dem Titel »Tenebrae«. Der Text[64] lautet:

TENEBRAE

Nah sind wir, Herr,
nahe und greifbar.

Gegriffen schon, Herr,
ineinander verkrallt, als wär
der Leib eines jeden von uns
dein Leib, Herr.

Bete, Herr,
bete zu uns,
wir sind nah.

Windschief gingen wir hin,
gingen wir hin, uns zu bücken
nach Mulde und Maar.

Zur Tränke gingen wir, Herr.

Es war Blut, es war,
was du vergossen, Herr.

Es glänzte.

Es warf uns dein Bild in die Augen, Herr.
Augen und Mund stehn so offen und leer, Herr.
Wir haben getrunken, Herr.
Das Blut und das Bild, das im Blut war, Herr.

Bete, Herr.
Wir sind nah.

L. Koelle hat in einer Interpretation des Gedichts die Überschrift geprägt: *»Augenblick zwischen Glanz und Vernichtung«.*[65] Der

---

[64] Paul Celan, in: Ges. Werke Bd 1. Frankfurt/M. 1986, 163.
[65] Diese Interpretation wurde im Rahmen meiner Christologievorlesung in Bonn vorgetragen und als Manuskript zugänglich gemacht. Der volle Titel lautet: SO-

Titel des Gedichts läßt bereits die ganze »Stimmung« des Karfreitags anklingen. »Tenebrae factae sunt«, so umschreiben die Synoptiker das Todesgeschehen Jesu von der sechsten bis zur neunten Stunde (vgl. Mk 15,33 parr.). In diese Finsternis hinein läßt nun Paul Celan die ersten Stimmen lautwerden, die eine Art von Gebet sprechen: »Nah sind wir, Herr, nahe und greifbar.« Die Anrufung »Herr« erinnert ebenso an das hebräische »adonai« wie an das christlich-griechische »kyrie«. Während aber sonst in der Gebetsliteratur Israels oft von der Nähe JHWHs gesprochen wird, ist hier nicht der »Herr« nahe, sondern das Wir der betenden Stimmen. Die Sprache wird drastischer, die Assoziationen zum »ineinander verkrallten« Volk der »Gegriffenen« deutlicher. Der Zugriff wird bedrohlich. Zugleich wird an den Tod desjenigen erinnert, mit dessen Leib am Kreuz die vielen Leiber der Gequälten ein Leib, ja sein Leib, sind. »Als wär...« *Ist* dies nicht die Wirklichkeit? Das Gedicht beantwortet diese Frage nicht. Eher tendiert es dahin, im leidenden Judentum ein »corpus mysticum« dessen zu erkennen, von dem her sich bislang die Christen selbst als »corpus Christi« verstehen wollten. Gibt es aber in der harten Realität der äußersten Verlassenheit im Vernichtungslager der »Gegriffenen« noch eine Mystik? In der Stunde der äußersten Finsternis dieser Menschen verkehrt sich die Gebetsrichtung: »Bete, Herr, bete zu uns, wir sind nah.« Heinz Michael Krämer meint, hier werde gesagt, daß das Leiden des einen (Jesus) nicht das Unmaß des Leidens dieser Menschen übertroffen habe.[66] Das Gedicht sagt nicht, wer denn dieses Übermaß von Leiden zufügt. Es dürfte aber zu vermuten sein, daß es der Mensch dem Menschen antut und daß diese Tatsache zum Himmel schreit.
An dieser Stelle wechselt das Gedicht in die Vergangenheit und scheint einen Vorgang zu schildern, der zuletzt zur »Tränke« führt. Das Wir derer, die »hingingen« (um zu sterben?), »windet« sich vor Schmerz wie ein Baum. Die Gebückten gehen bis zur Tränke und begegnen seltsamerweise auch hier dem »Herrn«, dessen vergossenes Blut sie nun zu trinken bekommen,

---

HAR – SHOAH. Augenblick zwischen Glanz und Vernichtung: P. Celan, Tenebrae (1988). Dieser Interpretation verdanke ich wichtige Hinweise.
[66] Vgl. H. M. Krämer, Eine Sprache des Leidens. Zur Lyrik von Paul Celan. München-Mainz 1979, 79–87.

ohne daß ihnen freilich die Bitternis dieses Trankes erspart bliebe. Die sechste Strophe mit »Es war Blut, es war, was du vergossen, Herr«, die die Mitte des Gedichts bildet, hat ohne Zweifel Anklänge an die Eucharistie. Eigenartigerweise sagt nun das Gedicht von diesem Blut, daß es »glänzte«. Damit spielt Celan möglicherweise an jene »kabod«-Herrlichkeitstradition an, nach der sich JHWH von sich aus als der erweist, der er sein will. So glänzt in dem Blut »sein Bild« auf, strahlt es in die Augen. Aber jäh in dem Augenblick, da dieser Glanz auf das »Wir« fällt, bleiben ihnen Augen und Mund offen und leer. Es nützt ihnen nichts, daß der eine gelitten hat. Das verhindert nicht die schreckliche Reihenfolge, in der sie nun zur Tränke geführt werden. Obwohl der Mund in der Todesstarre wie leer bleibt, heißt es im Gedicht dennoch: »Wir haben getrunken, Herr.« Was aber war der Inhalt dieses »leeren« Trankes? Die Antwort lautet: »Blut« und sein »Bild im Blut«. Hier vermischen sich nun die Schicksale der Vielen mit dem des einen, und der Glanz, der im Blut aufstrahlt, ist ein Todesglanz, der die Tränke zur Schlachtbank macht. So wird die Nähe der vielen Leidenden noch einmal zum Ruf: »Bete, Herr, wir sind nah.«

Nach Ruth Lorbe[67] verwendet dieses Gedicht verschiedene grammatikalische Zeiten. Ohne mich auf die Interpretation Lorbes im einzelnen einzulassen, möchte ich die Anregung, auf die Zeitstruktur des Gedichtes zu achten, aufgreifen. Es fällt mir auf, daß das dreimalige Präsens zweimal das Präsens der Bitte betrifft, in der Gott zum Gebet aufgerufen wird und einmal – damit setzt das Gedicht ein – die Nähe, mit der die Menschen dem »Herrn« greifbar nahe sind. Ein »Perfectum passivum«, beinahe im Sinne dessen, was »vollbracht« ist, betrifft das grausame Geschehen des Gegriffenseins. Alle weiteren Elemente werden geradezu hergangsmäßig geschildert. In der Zeit des Imperfekts wird das einmalig Geschehene vielleicht als das noch nicht Perfekte, d.h. wiederholbar Schreckliche vorgeführt. Vom Blut, das der »Herr« vergossen (hat), und von dem Blut, das »wir« getrunken haben, wird im »perfectum activum« gesprochen, als sei durch den Zusammenschluß der Zeitstruktur angedeutet, wie

[67] Vgl. zur Auslegung Ruth Lorbe, Paul Celan, »Tenebrae«. In: D. Meinecke, Hg., Über Paul Celan. Frankfurt/M. 1970, 239–60.

sich der abgeschlossene Geschehens- oder gar Verhängnischarakter mit der einmaligen aktiven Beteiligung der Betroffenen verschränkt. Die präsentischen Elemente kreisen das Geschehen gewissermaßen ein. Angesichts des Schicksalhaften scheint ein Eingriff von außen, ein Ziehen der Notbremse, unmöglich. Selbst der »Herr« ist in den Vorgang verstrickt. Würde sein Gebet zu uns – wenn es denn geschähe – erhört werden und das Schicksal wenden? Die Frage scheint unbeantwortet zu bleiben. In »Tenebrae« vollzieht sich etwas Schreckliches, Unabwendbares. In dem Wort »glänzte« sieht Lorbe (falls es nicht ironisch zu verstehen sei) eine Anspielung auf das erlösende Element Blut, das ja auch durch eine deutliche Anspielung auf das Abendmahl als Blut Christi getrunken wird. Aber die Tränke ist kein Brunnen, sondern eine Todestränke. Schließlich, wenn erkannt, erlitten und getrunken ist, bleibt nur noch die Todesstarre.

>*Dieses neue Bild (sc. der Tränke), das die Vorstellung des Abendmahls, des Opfertods, des Opferlamms, aber auch des toten Gottes umfaßt, formt nun seinerseits die thematische Grundlage für ein Spannungsverhältnis, das, obwohl mit den anderen im Gedicht vorhandenen Wechselbeziehungen verwoben, doch weit stärker als diese alle das Gefüge des Gedichts erschüttert«* (Lorbe 249).

Der fordernde Ton des »Bete, Herr«, die Wiederholung des »Herr« sind ohne Zweifel Indizien für ein verzweifeltes Ringen. Eine Nähe zu Hölderlins »Nah ist/Und schwer zu fassen der Gott./ Wo aber Gefahr ist, wächst/Das Rettende auch« ist wiederholt herausgestellt worden.[68] Gibt es in dem hier beschriebenen Vorgang des Grauens überhaupt noch eine Rettung? Verzweifelt das Gedicht an dem »Herrn« um des grausamen Schicksals der betroffenen Menschen willen? Hilft ein einmal vergossenes Blut, wenn es weiteres Blutvergießen nicht verhindert? Was nützt es denen, die »zur Tränke« geführt wurden, wenn sie an der Ohnmacht eines anderen teilnehmen, dessen Blut und Bild zwar noch nicht verblaßt ist, aber bestenfalls nur grausame Schicksalsgenossenschaft mit seinem Tod bedeutet? Es gehört wohl zur Größe dieser Lyrik, daß sie mehr Fragen aufwirft als sie beantwortet.

---

[68] Vgl. bes. G. Wienold, Paul Celans Hölderlin-Widerruf. In: Poetica 2 (1968) 219–29.

Für meine Begriffe ist diese Lyrik Celans die intensivste und zugleich provozierendste, weil rätselhafteste Auseinandersetzung mit dem Thema gewaltsamer Tod und Karfreitag. Ist das Verkralltsein der Leidenden (von Auschwitz) überhaupt deutungsfähig, die Todestränke überhaupt noch sinnvoll besprechbar? Weil in dem Blut des einen etwas »glänzt«, stellt sich die Frage nach der Schlachtbank der Vielen umso unerbittlicher. Vielleicht ist dies nicht nur der jüdische Einspruch gegen eine angeblich geschehene Erlösung, sondern auch der eigentliche Stachel der Aporetik christlicher Soteriologie, die sich auf Jesu Tod bezieht. Es müßte erwiesen sein, daß das Gebet Gottes zu den Leidenden erhört wird. Dieses Gebet Gottes, falls es denn stattfand, hat Auschwitz nicht verhindert. Die Zeit der Herrschaft von Menschen über Menschen, die so grausames Leiden verursacht hat, ist noch nicht gebrochen...

consepulti concrucifixi
sind wir
juden und christen,
heiden und atheisten.

Karsamstag – »Gestorben und begraben« (mortuus et sepultus)

Der Karsamstag ist außer dem Stundengebet ein liturgieloser Tag geblieben. Theologisches Gewicht hat er vor allem durch H. U. v. Balthasars Theologie des Triduum mortis erhalten.[69] Ich möchte jedoch davon nicht ausgehen, sondern einige Aspekte aus der Liturgie des Stundengebetes vorstellen. Über dem Eröffnungsgesang der Wort-Lese-Hore steht der Kehrvers:
»*Christus den Herrn, der für uns gelitten hat und begraben wurde, kommt laßt uns anbeten.*«
Der damit verbundene Ps 95, der bis heute zu den Eröffnungsgesängen der jüdischen Sabbatliturgie und zum täglichen Invitatorium des Stundengebets gehört, besingt die großen Taten des Schöpfers, der sich zugleich sein Volk erwählt und führt. An diesem Tag liegt der Ton vielleicht eher auf dem zweiten Teil des

---

[69] Vgl. Mysterium Paschale. In: MySal III/2, 133–319, bes. 227–55.

Psalms, wo vom halsstarrigen Volk gehandelt wird. Dieses Volk überhört die Stimme, die im Heute ergeht (»Heute, wenn ihr seine Stimme hört«), und muß deshalb zu neuer Treue aufgerufen werden. Dabei fällt das fast bittere Wort, dieses Volk sei dem Schöpfer durch die 40 Jahre der Wüste zuwider gewesen. In der Stunde des Karsamstagsgebetes wird dieser Psalm auch zur Anklage des hinzugerufenen Bundesvolkes aus der Völkerwelt, das ebenfalls in der Gefahr steht, das »Heute, wenn ihr seine Stimme hört« zu überhören. Im Huldigungsruf des Kehrverses klingt aber auch das Vertrauen an, daß dieses Volk kraft des Leidens Jesu nicht völlig aus dem Bund herausgefallen ist und deshalb der Anbetung fähig bleibt.

Der Karsamstag lenkt also, wie der Kehrvers zeigt, den Blick auf den verherrlichten Christus. Daneben tritt aber als deutlicher Kontrast der Blick auf die Grabesruhe Jesu. Es ist fast so, als leihe die Liturgie nun dem toten Jesus ihre Stimme im Gebet:

»Ich lege mich nieder und ruhe in Frieden« (mit Ps 4).

»Mein Leib ruht in sicherer Hoffnung: Du gibst mich der Unterwelt nicht preis« (Ps 16).

Die beiden Psalmen strahlen Zuversicht aus, daß der Tod, dem Schlaf vergleichbar, ein Erwachen kennt und daß das Grab und die Welt des Todes (hebräisch = Scheol) nicht ein Ort der Verzweiflung seien. Der dritte Psalm enthält bereits den Einzug des Königs in den Tempel der Herrlichkeit, der mit Ps 24 besungen wird (sonst ein Adventspsalm!).

In der Laudes pendelt das betende Herz zwischen Klage, Verzweiflung und Hoffnung hin und her.

»Sie klagen um ihn, wie man klagt um den einzigen Sohn; denn er wurde getötet – und war doch ohne Schuld« (mit Ps 64, ein Gebet in der Verfolgung).

»Vor den Pforten der Unterwelt rette mein Leben, o Herr« (mit Jes 38,10–20).

»Ich war tot, doch ich lebe in Ewigkeit. Ich habe die Schlüssel des Todes und der Unterwelt« (mit Ps 150).

Der erschütterndste poetische Ausdruck eines Menschen, der schon in die gefährlichste Nähe der »Scheol« geraten ist, dann aber gerettet wird, liegt m. E. in Jes 38 vor. Die »Hütte« des Lebens wird abgebrochen wie das »Zelt eines Hirten«. *»Die Toten loben dich nicht.«* Nur die Lebenden können danken.

Die kurze Lesung aus Hos 6,1–3 spricht den Gedanken aus, daß JHWH sein Volk nach zwei Tagen neu beleben und es am dritten Tag erwecken wird. Das anschließende «Christus factus est» (Christus ist gehorsam geworden bis zum Tod, ja bis zum Tod am Kreuz) wird am Karsamstag schon ergänzt: »Darum hat ihn Gott auch erhöht und ihm einen Namen gegeben, der größer ist als alle Namen.« Schließlich gibt sich die betende Gemeinde dem »Erlöser« (sotēr) anheim, wenn sie zum Benedictus, in dem das Licht gepriesen wird, das alle Todesschatten überwinden soll, singt:

>*Retter der Welt, errette uns! Du hast uns erlöst durch dein Kreuz und dein Blut. Hilf uns, Herr, unser Gott.«*

Dem Heilswerk, das in der Sprache der Vergangenheit vor Augen gestellt wird, öffnet sich die Gemeinde in der Stunde des Gebetes und erfleht das Heil in diese ihre Zeit hinein. Das Tagesgebet der Laudes umschließt in poetischer Prägnanz eine ganze Theologie des Triduum paschale. Es lohnt sich, ihm eine besondere Aufmerksamkeit zu schenken:

>*Allmächtiger ewiger Gott,*
>*dessen Eingeborener in die untersten Gefilde der Erde hinabsteigt, von wo er auch glorreich hinaufsteigt,*
>*gewähre gnädig,*
>*daß deine Gläubigen, die mit ihm durch die Taufe mitbegraben wurden, mit ihm auch auferstehen und zum ewigen Leben voranschreiten.«* (Eigene Übersetzung)[70]

Das Gebet ist nicht nur von großer Einfachheit und Schönheit, sondern in seiner stilistischen Prägnanz auch von überraschender theologischer Tiefe. Der Geliebte ist es, der Sohn des allmächtigen Schöpfergottes, der in solche »Niederungen« hinabsteigt. Es ist aber auch der Sohn, der in die Höhe hinaufsteigt. Zugleich werden die Glaubenden in die Bitte eingeschlossen. Sie sind in der Taufe Mitbegrabene (consepulti) geworden und sollen so auch mit ihm auferstehen und das ewige Leben erlangen.

---

[70] *»Omnipotens sempiterne Deus, cuius Unigenitus ad inferiora terrae descendit, unde et gloriosus ascendit, concede propitius, ut fideles tui, cum eo consepulti in baptismate, ipso resurgente, ad vitam proficiant sempiternam.«* Aus der grammatikalischen Form von »descendit-ascendit« geht nicht hervor, ob präsentisch oder perfektisch gesprochen wird. Vielleicht kann die lateinische Syntax dies bewußt offenlassen.

Heißt dies nicht, daß die »consepulti« auch in die Tiefen der Erde hineingesenkt sind und so in die Stummheit des Todes? Heißt dies nicht auch, daß Begrabensein und Auferstehen das Leben der Glaubenden zutiefst bestimmen, daß Angst und Hoffnung mit den Abgründen zusammenhängen, in die die Getauften »hineingetaucht« sind? Die Tendenz der Liturgie zum Verstummen: hängt sie nicht auch mit jenen Erfahrungen zusammen, die gerade in unserem Jahrhundert gemacht worden sind?[71]

Ich möchte die Gelegenheit ergreifen, hier auch noch ein kurzes Wort zur christologischen Bedeutung der Gesänge aus den »Lamenationes Jeremiae Prophetae«, den Klageliedern des Propheten Jeremia zu sagen. Im Stundengebet der drei Tage sind sie nicht wegzudenken. Auch in der neuen deutschen Singweise bleibt die Eindringlichkeit dieser Texte und Melodien unüberhörbar erhalten.[72] Im Gedenken an die zerstörte heilige Stadt Jerusalem will die Klage nicht enden. Kann sie aber angesichts eines Gottes, der »stumm blieb«, überhaupt etwas erreichen? Wie, wenn Jerusalem all ihren Glanz und ihre Schönheit verliert und zuletzt auch noch ihr Vertrauen auf JHWH (vgl. Klgl 3,1–33, Karfreitag)? Nun sind Hunger und Ruhelosigkeit und Sklaverei das Schicksal des Volkes von Jerusalem geworden. Der Zionsberg liegt verwüstet. Gibt es noch einmal ein Erstehen? Die Texte münden in der Karsamstagslesung einerseits in die Bitte um die Erneuerung der Tage und um die Bekehrung, enden schließlich aber mit einer unerbittlichen Frage: »Oder hast du

---

[71] Vielleicht müßte der Karsamstag noch viel mehr zum Tag des liturgischen Verstummens werden, nachdem der Karfreitag eher ein Tag der Klage ist. Vgl. Raúl Vidales, Wie heute von Christus sprechen? In: Collet, Der Christus der Armen 57–80. Nach Vidales beginnt die Christologie nicht beim Wort, sondern im Schweigen. Beten heiße, »vor Christus und seinem Wort und gegenüber den Menschen und ihrer Geschichte gleichzeitig verstummen und schreien« (65).

[72] Nicht weniger eindrücklich sind die Lesungen aus dem Propheten Jeremia, die im Stundenbuch der zweiten Jahresreihe aufgenommen sind. Aus ihnen könnte man eine ganze Prophetologie Jesu entwickeln. Wäre es etwa am Ölberg im Munde Jesu denkbar, daß er mit dem ersten Wort der Gründonnerstagslesung aus Jer 15,10 betete: »Weh mir, Mutter, daß du mich geboren hast...«? Könnte man sich denken, daß Jesu Frage am Kreuz die des Propheten Jeremia ist, daß Gott seinem Volk das Heil entzogen hat (Vgl. Jer 16,1–15, die Lesung am Karfreitag)? Oder ist die »Scheol« nicht schon mitten im Leben des Propheten anwesend, wenn ihn der Zweifel plagt, ob sein Leben überhaupt einen Sinn hat (vgl. Jer 20,7–18, die Lesung am Karsamstag)?

uns denn ganz verworfen, zürnst du uns über alle Maßen?« (Klgl 5,22)

Wenn man diese Texte auf sich wirken läßt, erscheint der Glaube nicht mehr einfach als die Antwort auf alle Fragen. Die Liturgie wagt es, der Gemeinde diese Fragen zuzumuten. Sie weiß, daß das Fragen angesichts des Endes Jesu in Jerusalem, falls man es in diese Tradition der prophetischen Klage und des prophetischen Schicksals hineinstellt, nicht einfach verharmlost werden darf. Die Nähe des lebendigen Gottes beim Propheten, der inmitten der real existierenden Welt lebt, ist wie ein verzehrendes Feuer, dem er sich am liebsten entzöge. Durch solches Widerfahrnis kann der Prophet erst glauben lernen, bisweilen verzweifelt bis in den Abgrund seiner Seele. Getsemani. Die Herausforderung Jesu von Nazareth, des Propheten. Im Kreis derer, die um den verstummten Gott ringen und sich nicht trösten können mit purer Gottlosigkeit.

H. U. v. Balthasars Deutung des Karsamstags stellt ohne Zweifel die kühnste zeitgenössische Interpretation des Glaubensartikels »Hinabgestiegen in das Reich des Todes« dar.[73] Für Balthasar ist dieser Hinabstieg die äußerste Solidarität mit Sünde und Tod, so daß von da aus überhaupt die Hoffnung geschöpft werden kann, daß die eschatologische Hölle letztlich leer sein wird, weil sie von der Liebe des Sohnes, der alles «propter nostram salutem» aufs Spiel setzte, durchschritten wurde. Aber Balthasar kennt natürlich auch die lange Tradition des Hadesabstiegs, die vor allem in der östlichen Christenheit bis hinein in die Gestaltung der Osterikonen eine wichtige Rolle spielte: Jesus steigt hinab, um in Adam und Eva die ganze Menschheit zu befreien, also auch die vergangenen Generationen.[74]

Oben habe ich bereits angedeutet, was gleich in der Darstellung der Osternachtliturgie zu vertiefen sein wird, daß nämlich der Überschritt von der Feier des Sabbat zu der des Ersten Tages der Woche bei Augustinus mit dem Transitus von der Grabesruhe zur Auferstehung zu tun hat. Hier erst geschieht der entscheidende Eingriff in den Lauf der Zeit, der für Tote und Lebende

---

[73] Vgl. MySal III/2, 237–55.

[74] So etwa in der Auslegung des Epiphanius († 535), die das Lektionar des deutschen Breviers (I/2 Erste Jahresreihe) zur Lektüre vorschlägt.

von Bedeutung ist. Hier erst wird die Perspektive dessen eröffnet, was das Gebet des Karsamstags »immerwährendes Leben« (vita sempiterna) nennt.

Schöpfung – Befreiung – Auferstehung – Taufe: Liturgie und Christologie des Osterfestes

(1) Osternacht – Nacht aller liturgischen Nächte
Von keiner Liturgie des Jahreskreises gilt so sehr wie von der Osternacht, daß sie eine liturgische Ganzheit voll innerer Differenzierung darstellt. Es hängt viel davon ab, ob die Gemeinde sich wirklich an eine jeweilige »Neuinszenierung« der österlichen »Partitur« wagt und ob genügend Interpreten da sind, die sich um eine solche Neuinszenierung bemühen. Die Gemeinde muß selbst zu einem »Raum« werden, in dem sich Gestik, Literatur und Symbolik zu einer großen »ergreifenden« Feier gestalten lassen. Die Unterbrechung der gewöhnlichen Zeit, damit die Stunden des Übergangs von der Nacht in den neuen Tag gefeiert werden können, ist eine der großen Vorbedingungen. Wie schwer es in heutiger Zeit fällt, die Hetze des Jahres nicht durch eine ebensolche Urlaubshetze zu unterbrechen, hat Ingeborg Drewitz in einem Gedicht sehr eindrücklich vor Augen gestellt:

Vier freie Tage. Was reden sie
von Karfreitag und Kreuzigung
und daß einer auferstanden ist.
Auf den Autobahnen staut der Verkehr.

Übliche Unfälle, was reden sie
von Karfreitag und Kreuzigung?
Für die Ostertoten steht die Versicherung ein.
Was soll's, normale Opfer.

Und da sagt einer, wir verstehen ihn nicht,
er ist für die Menschen gestorben,
wie ein Verbrecher ans Kreuz geschlagen.
Richtig, sagen alle, wir verstehen das nicht.

Es geht uns nichts an, sagen sie, sagst du,
wahrscheinlich ein Spinner, aber wir
haben vier freie Tage vor uns.

Die Radio- und Fernsehprogramme spielen noch Ostern.[75]

Die Liturgie der Osternacht ist weder eine Abend- noch eine Tagesliturgie, fast schon keine Nachtliturgie, sondern eine Liturgie im Durchbruch von der Nacht zum Tag, also jener Zeit, da es hell genug wäre, im Gesicht irgendeines Menschen den Bruder oder die Schwester zu erkennen: Übergang – nun in signifikanter Zeitverschiebung – vom Sabbatabend in den Sonnenaufgang des Ersten Wochentages. Dieses große Schauspiel der aufgehenden Sonne, die die Nacht beendet, wird gleichsam aus der kosmischen Großbühne in den Aufführungsraum der Gemeinde versetzt, wo durch Feuer und Kerze der Kontrast von Dunkelheit und Licht als Symbolik des Durchbruchs eine so bedeutende liturgische Ausdrucksform erhält. Hinzu kommt – neben der Luft, die wir atmen – ein weiteres Element des Lebens: das Wasser, für dessen Lebendigkeit, d.h. Klarheit, wir vielleicht erst durch die ökologische Krise sensibler geworden sind. Der Umgang der Gemeinde mit den naturalen Symbolen wäre eigentlich dazu angetan, mit den Mitteln naturaler Meditation den Bogen zu spannen vom ersten Tag der Schöpfung bis zum Übergang des Sabbat in den ewigen Achten Tag.

Um diesen weitgespannten Bogen der liturgischen Meditation auf sich wirken lassen zu können, bedurfte es zu aller Zeit der Mystagogik. Man darf und kann in diese Liturgie nicht unvorbereitet hineinstolpern, wenn sie ihre mystagogisch-ästhetische Kraft entfalten soll. Wie kaum eine andere Liturgie verlangt sie die vorausgehende und nachfolgende persönliche Meditation. Aus ihr ist jener lange Atem zu holen, der die Psyche und die Sinne öffnet, um in voller Wachheit »dabei« sein zu können. Insbesondere verlangt die Osternacht zum Verständnis ihrer ganzen inneren Dynamik die Mitfeier der vorausgehenden Tage. Ohne daß die Abgründe des Karfreitags durchgestanden sind, ist die Feier des österlichen Durchbruchs nur schwer vorstellbar.

---

[75] Kuschel, Der andere Jesus 347 f. Zit. aus I. Drewitz, Samtvorhänge. Erzählungen – Szenen – Berichte. Gütersloh 1978, 124.

Wieder gehe ich von der Partitur aus, in der uns diese Liturgie
heute vorliegt. Es geht um eine Partitur, an der viele Generationen gearbeitet haben. Wer sie »lesen« will, muß nicht nur die
verschiedenen »Themen« erkennen, die sich wie zu einer großen
Fuge zusammenfügen. Er muß auch lernen, die verschiedenen
Schichten der Überarbeitung zu entdecken und so Ursprüngli-
ches und Hinzugewachsenes in seinem jeweiligen Eigenwert zu
beurteilen. Ja, er wird auch fragen, wo die vorgegebenen »Materialien« nicht nur neu inszeniert, sondern u. U. auch neu kompo-
niert werden müssen. Dabei wird leicht zu erkennen sein, daß
die jüngste Liturgiereform ein Versuch war, sich möglichst in die
ursprünglichen Schichten der Überlieferung zurückzutasten.
Mag dieses hermeneutische Prinzip »ad fontes« davon geleitet
gewesen sein, das Frühere für das Qualifiziertere zu halten, so
wird man sich heute hüten müssen, das Alter einer Überlieferung
ohne weitere Kriterien für das Bessere zu halten. Das Ältere ist
aber auch nicht einfach das Schlechtere. Die Qualität einer liturgischen Vorlage hängt zuletzt doch am meisten damit zusammen, daß sie zu Quellen lebendigen Wassers führt, aus denen
neue »Inspirationen« des Glaubens hervorfließen. Wo alte Texte
oder Gestaltungselemente zu völliger Neugestaltung Anlaß geben, muß sich das Neue immer noch kraft eigener Qualität gegen das Überkommene durchsetzen. Ostern, das Fest der großen Verwandlung, darf liturgisch nicht in die größte Erstarrung
umschlagen, gerade auch dann nicht, wenn uns die neu ent-
deckte ursprünglichere Gestalt der Liturgie in vieler Hinsicht
fasziniert.

Für eine liturgisch inspirierte christologische Ästhetik ist nicht
nur das Wort der Liturgie von Bedeutung. Gerade in der Osternacht gehen viele liturgische Ausdrucksformen in die Richtung
dessen, was Rosenzweig »Gebärde« nannte. Sie allein »ist jenseits von Tat und Rede« (Stern der Erlösung 413) und bedeutet
mehr als das Gesprochene oder nachträglich Besprochene. Ich
habe schon die naturalen Symbole erwähnt, von denen zunächst
Feuer und Kerze hineinrücken in die christoästhetische Dimension des »Christus gestern und heute... sein ist die Zeit und die
Ewigkeit«, wie es bei der Segnung der Osterkerze heißt. Wenn
die Gemeinde aus dem Dunkel der Nacht in den leeren Raum
der dunklen Kirche einzieht, dann klingt das »Lumen Christi«

wie ein Siegesgesang und wie eine Beschwörungsformel zugleich. Der Einzug gleicht einer kosmischen Prozession, in der erneut das Chaos der Finsternis beschworen wird, damit Licht werde: Licht, das den ersten Schöpfungstag noch übertrifft, indem der »Christus«, der Auferstandene, das Licht ist, das die Dunkelheit vertreibt (vgl. Segnung der Osterkerze).

Nachdem das kosmische Tor im Einzug durchschritten ist, folgt gleich ein einzigartiger Höhepunkt der Osternachtliturgie: der Gesang des »Exsultet«. Aus der theologischen Umgebung des heiligen Ambrosius stammend[76], trägt es der Gemeinde in archaischen ästhetischen Ausdrucksmitteln (gehobene Prosa, archaisch-festliche Melodie) auch eine Christo*logie* und Christo*soterik* vor, die von erstaunlicher Kühnheit sind.

Aufgerufen werden zunächst Himmel und Erde zum großen Lobpreis, damit dem verborgenen Gott und seinem eingeborenen Sohn Jesus Christus das Danklied in allen »Räumen« des Himmels und der Erde gesungen werde. Es ist ja eine der liturgischen Grundüberzeugungen, daß die Gemeinde, mag sie noch so armselig und klein sein, niemals allein vor Gott steht, wenn sie betet. Als Grund des Dankes wird schon zu Beginn des Gesangs angegeben, daß der uralte Schuldbrief Adams durch Jesu Tod aus Liebe zerrissen sei. Dies wirkt wie eine große Überschrift und wird gleichsam zur Grundthematik, die dann vielfach variiert wird. In einer einzigartigen poetischen Kontraktion der Zeit werden die vielen Einbrüche der Transzendenz zur Rettung des Menschen in »diese Nacht« zusammengedrängt. Sie wird zum Durchbruch aller Durchbrüche:

»Dies ist die Nacht, die unsere Väter (und Mütter), die Söhne (und Töchter) Israels aus Ägypten befreit und durch die Fluten des Roten Meeres geführt hat...

Dies ist die selige Nacht, in der Christus die Ketten des Todes zerbrach und aus der Tiefe als Sieger emporstieg.«

Darauf folgt eine der kühnsten christosoterischen Aussagen, die

---

[76] Vgl. Auf der Maur, Feiern im Rhythmus der Zeit I 90. Die frühesten Quellen stammen etwa aus den Jahren um 700 n. Chr. Literarisch ist das Exsultet nach dem Modell der »Berakah« gestaltet, hier als Lobpreis der Kerze und des Lichtes (benedictio cerei). Der Gesang ist in der römischen Liturgie erst im 12./13. Jh. nachgewiesen. So eindrücklich die Melodie in ihrer festlichen Monotonie ist, so sehr könnte ich mir auch eine Neuvertonung vorstellen, die die Gemeinde in Kehrversen stärker miteinbezöge.

wohl nur noch in theologischer Poesie überhaupt ins »Wort kommen« kann: das Wort von der »glücklichen Schuld« (felix culpa):

>*O wahrhaft heilbringende Sünde des Adam, du wurdest uns zum Segen, da Christi Tod dich vernichtet hat. O glückliche Schuld, welch großen Erlöser hast du gefunden!*«

Nicht als ob der Text über spätere Kontroversen entscheiden wollte, ob nämlich die Sünde Adams der (einzige) Grund der Inkarnation sei. Nicht als ob darüber räsoniert würde, ob Gott selbst ein solches Opfer wie den Tod Jesu verlangte. Nein, der Text staunt nur, daß die faktische Schuld durch einen solchen Erlöser überwunden werden sollte. So bricht immer wieder neu der Jubel durch. Die große Versöhnung kann in dieser Nacht gefeiert werden:

>*O wahrhaft selige Nacht, die Himmel und Erde versöhnt, die Gott und Menschen verbindet.*«

Gerade an dieser Stelle werden auch die beiden großen jüdischen Feste, Pesach und Versöhnungstag (Yom Kippur), miteinander verbunden. Die Versöhnung ist allumfassend. Daß die Nacht die Kraft hätte, zu versöhnen, kann natürlich nur in poetischer Sprache gesagt werden. Die Ausdrucksweise ist höchst metaphorisch, was aber alles andere als Beliebigkeit der Sprache signalisiert. Sie bringt im Gegenteil mehr zum Ausdruck, als wenn einfach gesagt würde, Christus habe Erde und Himmel versöhnt. Denn die Nacht steht hier – die Zeiten kontrahierend – für all die Durchbrüche, die das Volk Israel schon zuvor erfahren hat, so daß die Versöhnung eine Frage der Zeit und der Stunde wird, in der sich alles bisherige versöhnende Handeln Gottes der Gemeinde zuwendet, die ihrerseits im Schnittpunkt von Himmel und Erde steht. In nochmaliger poetischer Verdichtung kann deshalb gesungen werden, daß der Glanz dieser Nacht die Frevel hinwegnimmt, von Schuld reinigt, den Sündern die Unschuld gibt, den Trauernden Freude bringt, den Haß überwindet, die Herzen einigt und sogar die Gewalten beugt. Wenn dies alles dem »Glanz dieser heiligen Nacht« zugeschrieben werden darf, dann tendiert die Liturgie hin zu dem Widerfahrnis in der angebrochenen Stunde des Heiles, in der die Völkerkirche zu Israel hinzugenommen ist kraft dessen, der »die Ketten des Todes zerbrach und aus der Tiefe als Sieger emporstieg«. Wenn Himmel und Erde versöhnt sind, darf dies nicht heißen, daß die Feier dieser Versöhnung auf Erden letzte Unversöhnlichkeit zwischen Juden und Christen besiegelt. So ist es auch theologisch bedeutsam, daß die Nacht versöhnt; denn in ihr fließen ja die großen Heilstaten zusammen, von denen Jesu Hinübergang nicht isoliert werden darf.

Der hymnische Dankgesang endet mit der Darbringung der Kerze »aus dem köstlichen Wachs der Biene«. Noch einmal wird der Zusammenhang hergestellt zwischen dem Licht der Kerze und dem Licht des Morgensterns, der zur Metapher des Auferstandenen wird, als des Sterns,

»*der in Ewigkeit nicht untergeht: dein Sohn, unser Herr Jesus Christus, der von den Toten erstand, der den Menschen erstrahlt im österlichen Licht: der mit Dir lebt und herrscht in Ewigkeit*«.

Der lateinische Text sagt vom Stern, der wirklich gemeint ist, Jesus Christus: »qui nescit occasum«. Dieser Stern weiß nicht, kennt nicht den Untergang. Es ist Christus, der geliebte Sohn, der aus der Unterwelt zurückgekehrt ist (regressus ab inferis) und deshalb nun als heller Stern (serenus) dem Menschengeschlecht leuchtet. Es ist der, der lebt und herrscht in die Äonen der Äonen.

In gewisser Weise wird hier gesagt, der Durchbruch Jesu zum Leben sei von endgültiger Dauer. Dadurch entsteht freilich der Eindruck, nicht der Durchbruch Jesu selbst, sondern dessen Ergebnis sei nun die Wirklichkeit, der die Gemeinde in der Feier der Liturgie »gleichzeitig« werden könne. Vielleicht muß man diese Vorstellung einer ewigen Dauer erst überwinden, um den Glanz dieser Nacht des Durchbruchs recht zu sehen. Nach E. Levinas ist die Zeit »immer wieder beginnende Andersheit des Vollendeten«, »Tod und Auferstehung«, »Neuanfang«, bis die messianische Zeit kommt und schließlich »das Fortwährende sich in Ewiges verwandelt«.[77] Hätte F. Rosenzweig die Liturgie der Osternacht gekannt, hätte er vermutlich nicht schreiben können, im Christentum sei alles auf Gleichzeitigkeit angelegt, so als fange alles mit Christi Geburt an.

Ich kenne keine Christoästhetik, die auf so poetische Weise Vergangenheit, Gegenwart und eschatologische Vollendung zu-

---

[77] Vgl. Totalität und Unendlichkeit 414.415.416.

sammenschaut und zugleich die Christo*soterik* mit der Schönheit der Sprache und den Aussagen einer Christo*logie* verbindet. Diese Poesie, die immerhin nach vielen christologischen Streitigkeiten noch möglich war, verrät Format. Solche Poesie erscheint nicht zu Unrecht als »Werk des Geistes«, der Jesus literarisch in seiner Gemeinde so präsent hält, daß sie im dankenden Lobpreis ihr noch ausstehendes vollendetes Heil jetzt schon feiern kann. Ja, diese Poesie hat in Kombination mit der eindrücklich musikalischen Ausdrucksgestalt etwas Ekstatisches an sich. Sie atmet jene »nüchterne Trunkenheit« (sobria ebrietas), in der der Enthusiasmus des Glaubens immer noch sein Maß behält, nicht zuletzt auch das Maß der liturgischen Stunde, die aus entfremdender Zeit der Arbeit und der idealen Zeit der Kunst zurückholt in die Ursprünge eines Durchbruches, der andersartig ist als Arbeit und Kunst: der Durchbruch zu neuem Leben. Durch eine Poesie, wie sie im Exsultet vorliegt, kann Gemeinde im Mysterium, das in der Realpräsenz nicht aufgeht, sondern sich archäologisch und eschatologisch öffnet, versammelt werden. Wo so kühne Christologie in der Gemeinde verstummt (und durch nichts Adäquates ersetzt wird), verliert sie sich in der Banalität der kontinuierlichen leeren Zeit.

Läßt man nach dieser liturgischen Ouvertüre den ausgedehnten Wort- und Meditationsgottesdienst der Osternacht auf sich wirken, so entfaltet sich in ihm wiederum ein großer Bogen, der von der Schöpfung über die Befreiung Israels und die Auferweckung des Gekreuzigten bis zum Mitbegrabenwerden und Mitauferstehen der Getauften gespannt wird. Warum entfaltet die Liturgie diesen großen Bogen überhaupt? Würde es nicht reichen, das »Kerygma« von der Auferstehung Jesu einfach zu verkünden? Offensichtlich lebt die Liturgie hier im Atem der Generationen der Frühzeit, die noch sehr viel genauer wußten, daß man die Erscheinung des Wortes am Ende der Tage nicht »verstehen« kann, wenn man nicht dessen Spuren in den Schriften und Propheten nachgegangen ist. Im Zentrum der christlichen Liturgie wird deutlich, daß sich das Neue Testament ohne das Alte gar nicht verstehen läßt. Aber auch umgekehrt werden die Schrift und die Propheten von Jesus her neu beleuchtet. So vertritt die Liturgie eine der Grundthesen der Väterhermeneutik, von der oben schon kurz gesprochen wurde: *Jesus allein ohne die Ge-*

schichte seines Volkes im Heute des Heiles verstehen zu wollen
würde ihn halbieren; die alttestamentlichen Schriften nicht von Je-
sus her zu deuten, würde an ihrer innersten Geistesdynamik zehren.
Die Liturgie widersteht – zumal in der Frühzeit ihrer Entstehung
– allen markionitischen Versuchen, das Alte Testament als das
bloß Jüdische abzuschneiden. Statt dessen geht die Liturgie von
einer »Phänomenologie der Offenbarung« aus, die das Frühere
im Späteren und umgekehrt das Spätere im Früheren »wahrnimmt«. Dies ist ein höchst ästhetischer Akt der Glaubenser-
kenntnis, die in der Abfolge der Lesungen in der Osternacht vor
allem das hellhörige Ohr verlangt.[78]
In der strengen (archaischen) Ordnung von Lesung, Antwortge-
sang/Meditation und Gebet schreitet der Wortgottesdienst der
Osternacht stufenweise voran.[79] Der Glaube erfährt sich in dieser Liturgie selbst als Weg, wobei er die großen Themen des einen Bundesvolkes von der Schöpfung über die Berufung Abra-
hams (und seiner Glaubenserprobung) und die Befreiung aus
Ägypten bis zur prophetischen Verkündigung nicht hinter sich
läßt (als sei er darauf nicht mehr angewiesen). Solcher Glaube
aus der Erfahrung des einen Bundes erkennt das große Thema
der Auferstehung nicht ohne Schöpfungs- und Befreiungstheologie des frühen Israel, wie sie in der ersten Lesung aus dem ersten Genesiskapitel und der Exodusperikope von der Befreiung
aus Ägypten plastisch vor Augen gestellt wird. In den Antwort-
gesängen auf die Lesungen tritt die Gemeinde stufenweise ein in
den Dank für die Heilstaten, die in der Taufe ihre aktualisie-

---

[78] Die patristische Hermeneutik wurde – trotz vieler historisierender Tendenzen –
auch in der Liturgiereform des Zweiten Vatikanums nicht aufgegeben. Sie wurde
durch den umfangreicheren Einbezug atl. Literatur in die Liturgie (so problematisch die Auswahl der Perikopen im einzelnen sein mag) eher noch verstärkt.
Diese Hermeneutik der Liturgie sollte nicht gegen sonstige Methoden der Exegese ausgespielt werden, solange eine bestimmte Methode auf ihre Weise die
ästhetische und theologische Qualität von Texten respektiert.

[79] Es würde den Rahmen dieser Arbeit sprengen, wenn ich alle Texte und die Struktur der Osternachtliturgie im einzelnen behandeln wollte. Eindrucksvoll ist etwa
schon der Antwortgesang der Gemeinde auf die Lesung des Schöpfungstextes mit
Ps 104, der die Schöpfungsthematik in einer anderen, vielleicht noch poetische-
ren Form erneut aufgreift. Das abschließende Gebet bindet in klassischer Prägnanz jene Elemente zusammen, von denen eben die Rede war: Die wunderbaren
Taten des Schöpfers reichen von der Schöpfung bis zur Auferstehung des Oster-
lammes. Größer aber als das Werk der (ersten) Schöpfung sei das der Erlösung,
denn hier erst komme die Zeit in ihre Fülle.

rende Konkretisierung erhalten. Nun gilt auch für die Völkerkirche: »Ihr werdet mein Volk sein, und ich werde euer Gott
sein« (Ez 36,28). Als Wort der Zusage ist es zugleich ein Wort
der Verheißung. Es steht deshalb der christlichen Gemeinde
auch gut an, wenn sie in der Oration nach dem Gloria betet,
Gott möge in der Kirche den Geist der Kindschaft erwecken und
die Getauften an Leib und Seele erneuern. Ostern, recht gefeiert, ist so etwas wie eine geistliche Erneuerung der Christenheit.
Gerade dann, wenn die Liturgie – bis hinein in den langen Le-
sungsgottesdienst – daraufhin nicht funktionalisiert wird, kann
sie diese erneuernde Kraft entfalten.[80]

Man muß die biblischen Texte m. E. heute nicht notwendigerweise oder ausschließlich nach dem Schema »Verheißung-Erfül-
lung« lesen. Die Liturgie gibt die hermeneutische Regel: Lies
den Schöpfungshymnus von Gen 1 als Auferstehungstext; lies
die Auferstehungsperikopen als Schöpfungstexte, die Befreiungsgeschichte Israels als Auferstehungstext und umgekehrt den
Auferstehungstext als Befreiungsgeschichte; verstehe als ntl. Gemeinde die atl. Prophetien als messianische Texte, die durch
Jesu Auferweckung gerade in ihrem Verheißungscharakter erhalten bleiben. Die liturgische Kontraktion der Zeit läßt solche
Hermeneutik zu und eröffnet ohne Zweifel Aspekte, die in einer
Christo*logie* im engeren Sinn normalerweise nicht zur Sprache
kommen. Somit ist der ästhetische Horizont der Liturgie weiter
als das logisch Artikulierbare. Das »Ich« der liturgischen Gemeinde umschließt die Generationen, ja ist als »communio
sanctorum« das Subjekt, das in der Liturgie die Zeit durchbricht
bzw. in das die himmlische Welt schon hereinsteht (vgl. das
»Sanctus« als »Theo-logia«, als Lobpreis, in dem sich Himmel
und Erde verbinden). Die liturgische Wahrnehmung ermöglicht

---

[80] An diesem Punkt verbleibe ich bei der ästhetischen Grundoption Adornos. Dies
heißt aber gerade nicht, daß die bloße Persolvierung der Liturgie auch die größte
Wirkung hätte. Ohne geduldigen Versuch, die anspruchsvolle Partitur der Oster-
nachtsliturgie wenigstens in ihren wesentlichen Teilen zu aktualisieren, wird vermutlich eine echte Rückkehr zur liturgischen Nacht aller Nächte in den Gemeinden nicht gelingen. Leider ist die Kürzung der Liturgie – zumal im Lesungsteil –
zum fast ausschließlichen Stilprinzip geworden. Aber ab einer bestimmten Kürze,
kann der Glaubens*weg* in seinem dramatischen Spannungsbogen nicht mehr mit-
gegangen werden. Die liturgische Wahrnehmung verkümmert und mit ihr der
Glaube.

eine Bewußtseinserweiterung, läßt teilnehmen am Atem der Jahrhunderte und entläßt aus sich immer wieder neue Inspiration. Hier wird Ewigkeit zu einem Heute, das sich bewußt bleibt, mehr zu sein als Gegenwart (vgl. Rosenzweig, Stern der Erlösung 250). Solches Heute wird zugleich zur Intensivform von Gegenwart, weil in ihr das Widerfahrnis gegeben ist, daß das Bewußtsein in seiner »Geistesgegenwart« der Zeit nicht mächtig ist. Die Gemeinde, die sich Zeit *nimmt* zu solch weitgespannter Wahrnehmung, *empfängt* in der Stunde der Liturgie die qualifizierte Zeit *zurück*, in der das neue Leben beginnt. Immer wieder wird verdeutlicht, daß Jesus Christus Israel und die christliche Gemeinde zusammenhält. So etwa, wenn vor dem Evangelium das feierliche, dreimalige Halleluia als der beiden Gemeinden gemeinsam gebliebene Jubelruf laut wird und mit Versen aus dem Psalm 118 vertieft wird:

»Ich werde nicht sterben, sondern leben, um die Taten des Herrn zu verkünden.«

Wieder schließt nämlich das poetische »Ich« des Psalms Israel mit dem Auferstandenen und diesen mit der singenden Gemeinde zusammen. Die Verse machen auch noch einmal bewußt, daß das Triduum Paschale von den Hallelpsalmen durchzogen ist.

Wenn in der Verkündigung des Evangeliums gesagt wird, Jesus sei nicht *hier*, so wird im wörtlichsten Sinn das Grab »u-topisch«, d. h. es hat keinen Ort mehr in der Zeit. Jesus, der Gekreuzigte, ist in dieser Raum-Zeit-Welt nicht mehr auffindbar. Er ist der Vorübergegangene.[81] Die Liturgie geht dem Osterkerygma wieder nicht historisch-kritisch nach, sondern aktualisiert es hin auf das Taufgeschehen, dem auch die vorausgehende ntl. Lesung aus dem 6. Römerbriefkapitel dient.[82]

---

[81] Die Evangelienperikope stellt im dreijährigen Lesezyklus die synoptischen Versionen der Grabesgeschichte vor. Besonders eindrücklich in ihrem apokalyptischen Sprachduktus und in ihrem plötzlichen Abbruch ist die markinische Version (Mk 16,1–7 [Mk 16,1–8 = Ursprünglicher Markusschluß?]). Diese Perikopen werden heute auch insofern mit neuer Aufmerksamkeit gelesen, als nach ihnen Frauen als die ersten Zeuginnen der Auferweckung Jesu zu gelten haben. Kein Amt in der späteren Gemeinde wird verächtlich auf diesen ersten Dienst in der Glaubensverkündigung herabblicken dürfen. Warum V 8 ausgeblendet wird, ist nicht recht begreiflich.

[82] In Röm 6 fließen Tauf- und Auferstehungstheologie zusammen. Jesus, so im Text, wurde »durch die Herrlichkeit des Vaters von den Toten auferweckt«. Sein

Die Osternacht wird in unseren Gemeinden inzwischen – wie in frühkirchlicher Zeit – wieder mehr zur Taufnacht. Die Taufe bzw. ihre Erneuerung bildet einen wesentlichen Teil der Osternachtliturgie. Das Element Wasser gehört entscheidend dazu. Auch wenn keine Taufe gespendet wird, ist der Umgang mit diesem Element, dessen Segnung wiederum in die verschiedenen Bedeutungszusammenhänge der Heilsgeschichte (von der Schöpfung und der Urflut bis zur Taufe Jesu und der Taufe der Christen) gebracht wird und die unter besonderer Anrufung der Heiligen geschieht, von großer liturgisch-ästhetischer Bedeutung. Das Taufversprechen der Osternacht wird zu einem Element der Regeneration der Gemeinde in Erinnerung an die bereits empfangene Taufe. Die Gemeinde hat mindestens seit den Zeiten Hippolyts von Rom (Anfang 3. Jh.) großen Wert darauf gelegt, vom Täufling ein Christusbekenntnis zu verlangen, das von trinitarischer Struktur ist. Noch in der heutigen Taufliturgie wirken die drei Fragen an den Täufling nach, die seit Hippolyt überliefert werden.[83] In ihrem christologischen Teil sind sie später in das Altrömische Glaubensbekenntnis eingegangen.[84]

Für die österliche Eucharistie gilt natürlich vieles, was ich oben bereits zur Eucharistie des Gründonnerstags ausgeführt habe.

Tod gehört der Vergangenheit an. Dies bedeutet aber nicht ein nihilistisches Ende für ihn. Denn jetzt lebt er sein Leben für Gott. Dies hat für die Getauften die einschneidende Konsequenz, daß sie den Todesmächten schon entrissen sind und in der neuen Wirklichkeit leben, die mit Jesu Auferweckung begonnen hat. Eine neue Lebensgestaltung der Getauften muß der Erweis sein, daß hier nicht nur unverbindlich geredet oder gar sträflich vertröstet wird. Es geht nun für die Getauften um eine Auferstehung *vor* dem Tod. Christo*logie* verbindet sich erneut engstens mit Christo*soterik*, die eine Lebensverwandlung zur Folge hat. – Frei nach Brecht könnte man sagen: Wenn ich mich frage, ob ich an die Auferstehung Jesu glaube, dann muß die Antwort lauten: Wenn sich durch das Bekenntnis »Ich glaube an die Auferstehung Jesu« in meinem Leben überhaupt nichts ändert, dann muß ich auch um die Ernsthaftigkeit meines Glaubens fürchten. Umgekehrt gilt aber auch: Wenn ich das Bekenntnis kaum über die Lippen bringe, in meinem Leben aber schon ein Wandlungsprozeß im Gange ist, dann glaube ich mehr an Jesu Auferweckung, als ich mir bewußt bin.

[83] Die Altehrwürdigkeit dieser Sprache darf nicht darüber hinwegtäuschen, daß sich Formeln auch abnützen können. Vielleicht müßte eine Gemeinde bisweilen die ganze österliche Bußzeit dazu verwenden, diese Sprache einzuholen und mit Leben zu erfüllen. Dies kann u. U. auch einmal bedeuten, es hier mit anderen Ausdrucksmitteln und einer erfahrungsnäheren Sprache zu versuchen.

[84] Vgl. J. N. D. Kelly, Altchristliche Glaubensbekenntnisse. Geschichte und Theologie. Göttingen ³1972; J. Wohlmuth, Kommunikativer Glaube. Als Manuskript gedruckt. Köln-Bonn 1984.

Mit den Gaben der Schöpfung (Brot und Wein) geschieht eine »wunderbare Verwandlung«, die in der Konsequenz dessen liegt, was Jesus in seinem »transitus« vom Tod zum Leben widerfahren ist.[85] Die feiernde Gemeinde kommt nun auf ihrem langen Weg, auf dem ihr die Schriften ausgelegt wurden, dort an, wo sich der Auferstandene im Brotbrechen zu erkennen gibt. Ich will nur folgendes ergänzen: Der ästhetische Ausdruck der österlichen »Berakah« (= Lobpreis = Dank = Eucharistie), die in die große Doxologie am Schluß des Hochgebetes mündet, ist ein Akt der Anbetung und Verehrung und als solcher ein zutiefst menschlicher und befreiender Akt. Die Gemeinde kann von Ostern her den Vater im »Geist und in der Wahrheit anbeten« (vgl. Joh 4,23). In der trinitarischen Schlußdoxologie (»Durch ihn und mit ihm...«) drückt sich nun zugleich jene Weltordnung aus, die in der Nacht der Nächte, indem sie gefeiert, auch neu gestiftet wird. Hier hat der Glaube eine der genuinsten trinitarischen Gebetsformen geprägt und liturgisch bewahrt, die auch für die Christologie von höchster Bedeutung ist. Ich habe schon auf die Gebetsstruktur der römischen Liturgie, »per Christum – ad Deum Patrem – in unitate Spiritus sancti«, hingewiesen. Wenn die oben versuchte Auslegung zutrifft, dann ist die im Heiligen Geist versammelte Gemeinde das Sakrament des Auferstandenen in dieser Welt. Durch den messianischen Bruder des Bundes (per Christum), der in seiner lebendigen Geistesdynamik (in unitate Spiritus Sancti) der Gemeinde nahe ist, geht diese Gemeinde ihren Weg zur absoluten Transzendenz, der allein Anbetung und Verehrung gebührt.[86] Jesus ist nach dem Verständnis dieser Doxologie nicht »Zwischenstation«, auf der die Glaubenden verweilen; er ist vielmehr der Weg der Völkerwelt, in der sich »der Heilige Israels« in seiner Nähe erweisen möchte. In einer entfalteten Christo*logie* müßte im Dialog mit der jüdischen und islamischen Jesusinterpretation zu zeigen versucht werden,

---

[85] Vgl. DS 1652, wo von einer »wunderbaren und einzigartigen Verwandlung« (mirabilem illam et singularem conversionem) gesprochen wird, und DS 1741, wo die Paschatradition ausdrücklich erwähnt und Jesu Tod als »transitus« bezeichnet wird (Konzil von Trient). Vgl. auch die Osterpräfation, in der es heißt: »Durch seinen Tod hat er unseren Tod vernichtet und durch seine Auferstehung das Leben neu geschaffen.«

[86] H. U. v. Balthasar hat sein Kapitel über die österliche Christologie überschrieben mit »Der Gang zum Vater«. Vgl. MySal III/2, 256–319.

inwiefern dieser »Mittler« nicht die Unmittelbarkeit zu Gott verstellt, sondern erst ermöglicht. Die österliche Gebetspraxis hat hier von Anfang an einen Weg beschritten, der theoretisch nur schwer zu bewältigen ist.

Nur wenn die Gemeinde ihre Existenz als gestaltwerdende Bitte um eschatologische Verwandlung ernsthaft annimmt, wird sie zugleich erfahren, daß sie nicht wirkungslos in dieser Welt steht. Die Geisteskraft des Auferstandenen, die in der Epiklese erfleht wird, schreit in den Glaubenden auch über die liturgische Feier hinaus, ja in den gesamten Kosmos hinein nach der endgültigen Verwandlung und Erneuerung der Schöpfung. Die Grundgestalt der österlichen Gemeinde bleibt deshalb in all ihren Lebensäußerungen die Bitte um das Kommen der Basileia, solange deren Endgestalt nicht offenbar geworden ist. Das Schlußgebet der Liturgie betet deshalb um den »Geist der Liebe«, der die Gemeinde zu einem Herzen und zu einer Seele macht. Die Auferstehung Jesu will sich in der gelebten Jesusnachfolge bei den Getauften durchsetzen. So drängt also auch die Liturgie der Osternacht, die so reich ist an ästhetischen Ausdrucksmitteln, in die Praxis der Nachfolge, dem Leben in der »neuen Wirklichkeit« (Röm 6,4). Liturgie will in Leben übersetzte »Kunst« werden. Solche Kunst ist durchaus nicht harmlos, sondern hat – aus der Inspiration der österlichen Befreiungsthematik – u. U. auch politische Konsequenzen.[87]

---

[87] Fast überscharf pointiert kommt dies in einem Gedicht von Kurt Marti (Aus: Leichenreden) zum Ausdruck:

das könnte manchen herren so passen
wenn mit dem tode alles beglichen
die herrschaft der herren
die knechtschaft der knechte
bestätigt wäre für immer

das könnte manchen herren so passen
wenn sie in ewigkeit
herren blieben im teuren privatgrab
und ihre knechte
knechte in billigen reihengräbern

aber es kommt eine auferstehung
die anders ganz anders wird als wir dachten
es kommt eine auferstehung die ist
der aufstand gottes gegen die herren
und gegen den herrn aller herren: den tod

(Kuschel 344 f. Aus: K. Marti, Leichenreden. Darmstadt-Neuwied 1969).

(2) »Auferstanden bin ich und immer bei dir« – Ostertag

Die *Liturgie des Ostertages*[88] beginnt im Introitus mit einem ganz frei interpretierten Psalmtext, nach dem der Auferstandene die Gemeinde und zugleich jeden einzelnen Glaubenden unmittelbar anspricht:

> *»Auferstanden bin ich und immer bei dir (Resurrexi et adhuc tecum sum). Du hast deine Hand auf mich gelegt. Wie wunderbar ist für mich dieses Wissen«* (vgl. Ps 139, 18.5–6).

Nur einer ästhetischen Präsentation ist es möglich, dieses Ich-Wort als Wort des Auferstandenen durch die singende Gemeinde hörbar werden zu lassen. Die Gemeinde »leiht« gewissermaßen dem Auferstandenen in ihrer Mitte ihre Stimme. Die weiteren liturgischen Gebetstexte pendeln zwischen Todesüberwindung und noch ausstehender Vollendung, so z.B. im Tagesgebet. Die Auferstehung hat den Zugang zur Ewigkeit eröffnet, und dennoch hat die Gemeinde noch darum zu beten, daß sie durch die Geisteskraft des Auferstandenen neu geschaffen wird und selbst zur Auferstehung gelangt. Die eigentlich »innovatorische Kraft« ist hier der Geist des Auferstandenen (per innovationem tui Spiritus), der zugleich die eschatologische Erfüllung erst noch herbeiführen wird.

Ich möchte hier besonders auf die *Ostersequenz*[89] (Victimae paschali) hinweisen, in der das Ostergeheimnis auf sehr eigenwillige Weise poetisch gefaßt und so christologisch interpretiert wird. Die Versöhnung der Sünder mit Gott durch das geopferte Lamm erscheint – »theodramatisch« – als Kampf auf Leben und Tod, aus dem Jesus als Anführer des Lebens hervorgeht:

> *»Tod und Leben, die kämpften unbegreiflichen Zweikampf; des Lebens Fürst, der starb, herrscht nun lebend«* (mors et vita duello conflixere mirando; dux vitae mortuus regnat vivus).

Darauf schildert der Text in der Perspektive Marias das Geschehen am Grab. Und er endet mit dem Bekenntnis:

---

[88] Zur Entstehung vgl. Auf der Maur 113–17. Die heutige Textgestalt geht auf römische und fränkische Tradition zurück. »Die in den Antiphonarien des 9./10. Jh. bezeugten Gesänge dürften sehr alt sein« (115). – Ob die Ersetzung von Mk 16,1–7 durch die johanneische Perikope angesichts ihrer schwierigen Symbolik für heutige Hörer gut ist, wage ich zu bezweifeln.

[89] Die Liturgie vor 1570 war viel reicher an Sequenzen. Die einzige noch verbliebene stammt von Wipo († 1046).

»Ja, der Herr ist auferstanden, ist wahrhaft auferstanden.«
Ist ein christo*dramatisches* Verständnis von Tod und Auferstehung Jesu ein Rückfall in mythologische Kategorien? Mag sein, denn der Kampf mit den Mächten des Chaos und der Finsternis ist ein uraltes mythologisches Motiv. Heißt aber mythologisch in diesem Fall so viel wie bedeutungslos? Die hermeneutische Diskussion um die Bedeutung mythologischer Elemente in der Sprache des Glaubens dürfte soweit vorangekommen sein, daß ein nur rationalistisches Entmythologisierungsprogramm nicht hinreichend erscheint. Aber auch die postmoderne Beliebigkeit, in der der Mythos als bloße Metaphorik abgetan werden könnte, kommt nicht an die »Realität« des Mythischen heran. Ich kann mich hier nicht in einen Diskurs mit der tiefenpsychologischen Auslegung des Mythos einlassen. Aber das Motiv des Chaoskampfes hat gewiß etwas zu tun mit den verborgenen Schichten unserer Seele, aus denen die Ängste um das Überleben in einer Welt, deren sich das Ich nicht bemächtigen kann, aufsteigen. Darüber hinaus dürfte das Chaoskampfmotiv auch mit jener Rivalität zu tun haben, in der Menschen und ganze Völker aus der Sorge ums Überleben einander nach dem Leben trachten. Tod und Leben werden zu den beiden Konfliktpartnern, deren Konfliktstoff der Platz an der Sonne ist, den niemals zwei an gleicher Stelle und zur gleichen Zeit einnehmen können.
Jesus darf nun von seiner Art zu leben und zu sterben als der verstanden werden, der nicht um sein, sondern um der anderen Überleben »gestritten« hat. Er hat den Teufelskreis, in den die Sorge ums Überleben notwendigerweise führt, durchbrochen, indem er sein Vertrauen auf einen Gott-Schöpfer gesetzt hat, dem es nicht um die Behauptung eines Platzes ging, sondern um das »Einräumen«: Schöpfung als Akt der göttlichen Selbstbeschränkung, Ausdruck verströmender Liebe.[90] Alle Christo*logie* will nichts anderes, als das Unsagbare zu *sagen*, daß nämlich in Jesu Leben und Sterben Gott als der Raumgebende, der Liebende offenbar wird. Der Kampf ums Überleben, wo er denn betrieben wird bis hinein in den Krieg, kann gar nicht erreichen, was er erreichen will. In diesem Kampf gibt es nur Opfer in der

---

[90] Vgl. Levinas, Totalität und Unendlichkeit 145–49. Vgl. Wiemer, Passion des Sagens 79–91 (Die Idee der Schöpfung).

Vielzahl und Sieger in der Minderzahl. Aber nun nennt doch unsere Sequenz Jesus gerade einen »dux«, d. h. einen, der aus dem Zweikampf sieghaft hervorgegangen ist und so seine Herrschaft antreten kann. Wird damit dem Mythos nicht doch zu weit gefolgt? In der Tat wäre eine Auferstehungschristologie als Siegerchristologie höchst problematisch, und damit steht noch einmal die Christologie der Drei Österlichen Tage insgesamt zur Debatte.

Würde nämlich Jesus verstanden als einer, der den Konflikt erkannte und der sich ihm stellte, dabei aber zermalmt wurde und an sein Ende kam, ohne daß er im Vertrauen auf seinen liebenden »abba-Gott« Bestätigung gefunden hätte, dann gehörte er zu den tragischen Gestalten der Menschheitsgeschichte, die schließlich das Chaos wie eine Lawine überrollt hätte. Hätte Jesus aber die Macht des Todes bezwungen, müßte er dann nicht als strahlender Sieger vor aller Welt stehen und seine die Chaosmächte beseitigende Herrschaft antreten? Da Letzteres offensichtlich nicht geschehen ist, erhebt sich der Zweifel, ob Jesus in seinem Vertrauen von Gott wirklich bestätigt wurde.

Die Ostersequenz feiert Jesus als Anführer, der sich dem Tod als Opfer (victima) siegreich entgegengestellt hat und von dem gilt: er übt seine Herrschaft aus (vivus regnat). Wird hier das Wort »herrschen« vertretbar, weil der Sieger selbst das Opfer ist und bleibt, und niemand anderen mehr zum Opfer machen wird?

Ich will wieder versuchen, die Liturgie auf diese Fragen antworten zu lassen. Die Lesungen der österlichen Tagesmesse kreisen um das Osterkerygma, das in der Version der Apostelgeschichte (Erste Lesung) lautet: »Gott hat ihn am dritten Tage auferweckt und hat ihn erscheinen lassen« (Apg 10,40). In dieser Bekenntnissprache wird das göttliche Handeln an Jesus betont, wobei das Erscheinen ebenfalls auf das göttliche Handeln zurückgeführt wird.[91] Die beiden anderen Lesungen (Kol 3,1–4 und 1

---

[91] Es würde zu weit führen, die gesamte exegetische und systematische Diskussion über die ntl. Ostertexte hier vorzustellen. Vgl. H. Kessler, Sucht den Lebenden nicht bei den Toten. Die Auferstehung Jesu Christi. Düsseldorf 1985. Kessler behandelt nicht nur die verschiedenen exegetischen und systematischen Deutungsversuche, sondern konzentriert die Fragestellung in hervorragender Weise auf die *theo*logische Dimension: Die Auferweckung Jesu ist – wie es die zitierte Bekenntnisformel aus der Apg nahelegt – »das alles entscheidende (erlösende) Handeln Gottes« »am toten Jesus« (vgl. 14 bzw. 298–303). Dort wird auch gezeigt,

Kor 5,6b–8) haben mehr paränetischen Charakter. Die Glaubenden sollen streben »nach dem, was im Himmel ist, wo Christus zur Rechten Gottes sitzt« (Kol 3,1). Dort ist das neue Leben in Gott verborgen. Die endgültige Offenbarung geschieht zusammen mit der Offenbarung Jesu. Paulus ruft die Gemeinde auf, das neue Paschafest »mit ungesäuerten Broten der Reinheit und Wahrheit« zu feiern, und spielt dabei auf den jüdischen Brauch an, vor dem Pesach alles Gesäuerte peinlich genau aus dem Haus zu schaffen. Die Gemeinde selbst, so Paulus, soll »ein neuer Teig sein«. Ja, noch mehr:

>*Ihr seid doch schon ungesäuertes Brot; denn unser Paschalamm, Christus, ist geschlachtet worden«* (1 Kor 5,7).

Das Begründungs-Folgeverhältnis ist eindeutig. Wenn Christus das neue Paschalamm ist, dann ist die Gemeinde das Paschabrot. Dies aber hat nicht nur metaphorische Bedeutung, sondern ethische Konsequenzen. Aus dem Indikativ dessen, was mit Jesus geschehen ist, folgt der Imperativ, der die Praxis des Glaubens betrifft.

Ich habe schon wiederholt davon gesprochen, daß dieser Glaube Wegcharakter hat. Wird als Evangelienperikope die Emmauserzählung gewählt, so liegt der Wegcharakter des Glaubens auf der Hand (vgl. oben S. 169 f.). In der literarischen Metaphorik des Weges, in den Lesende und Hörende der Perikope immer wieder einbezogen werden, kann von dem eigenartigen Wegbegleiter mehr erahnt werden, als eine rationale Annäherung je erreichen kann. Es gehört zur Qualität dieser lukanischen Literatur, daß jeder einzelne an jener Stelle in den Weg und das sich entfaltende Gespräch einbezogen wird, wo er sich jeweils biographisch gerade befindet. Das brennende Herz, aus dem der Glaube lebt, und das Öffnen der Sinne, so daß sie zur Erkenntnis kommen, gehören engstens zusammen. Die Erzählung legt so einen vorsichtigen Grund für alle nachfolgende mystische Erfahrung, zu deren Wesen es gehört, daß die tiefsten Abgründe

---

daß über eine Logik der Auferstehung nicht mehr allgemein gesprochen werden kann, als ließe sich ein Beobachterstatus einnehmen, der ins Bekenntnis nicht selbst einbezogen würde. Nach H. Kessler ist der Akt der Auferweckung Jesu nicht nur ein deklarativer Akt, durch den Vergangenes bestätigt wird, sondern ein kreativer Akt, in dem Jesu Existenz zur Vollendung kommt und durch die Geistsendung seine universale Bedeutung erlangt (317; 367–90).

der Seele ebenso einbezogen werden wie die Sinne und die Vernunft.

Aber auch die johanneische Perikope bringt die Entstehung des Osterglaubens mit einem Weg zusammen, auf den sich die beiden Jünger begeben müssen. Es heißt sogar, sie »eilten zum Grab«. Obwohl außer den Rückständen des Todes nichts zu sehen ist, heißt es von dem »anderen Jünger«, der Petrus voran ist, weil er der Jünger ist, »den Jesus liebte«: »er sah und glaubte«. Dieses Sehen und Glauben hängt auch nach Joh 20,9 offensichtlich damit zusammen, daß sich die Schrift auftut. Sie tut kund, daß Jesus »von den Toten auferstehen mußte«. Beinahe ist man an die lukanische Sehweise erinnert. Nach Johannes ist der, der sieht und glaubt, der Liebende, dem sich die Augen des Herzens öffnen. Wenn das Schlußgebet der Messe um die liebende Zuneigung Gottes zu seiner Gemeinde bittet, damit sie kraft der Erneuerung durch die Feier der Mysterien zur vollendeten Herrlichkeit der Auferstehung gelange, dann kommt mit wenigen Worten noch einmal Tiefgründiges zur Sprache. Die Gemeinde ist auf ihrem Weg gefährdet, sie braucht die göttliche Wegbegleitung. Sie braucht die beständige Erneuerung. Sie kann aber auch voller Überzeugung sagen, sie sei durch die Feier der österlichen Geheimnisse neu geworden. Aber um die Vollendung kann sie nur bitten, diese steht noch aus und muß ihr schließlich geschenkt werden.

Vielleicht gibt die Liturgie in ihrer Zurückhaltung doch eine Antwort auf die Fragen, die ich oben stellte. Es wird deutlich, daß das Bekenntnis der Auferstehung Jesu engstens zusammenhängt mit dem Bekenntnis zum Handeln Gottes an Jesus und mit der Lebensform der Christen. Fast müßte man sagen: Entscheidendes, letztlich Bahnbrechendes ist durch Jesu Bestätigung durch Gott geschehen, damit Entscheidendes durch die Glaubenden geschehen könne. Wenn Gottes Handeln an Jesus nicht nur seinen Vorübergang, in dem er zum Begleiter der Menschheit in der Zeit wurde, bestätigt, sondern wenn Gott an ihm schöpferisch handelt, dann ist seine »Einsetzung« zur rechten Hand Gottes nicht eine Machtergreifung im gewöhnlichen, politischen Sinn des Wortes, sondern noch einmal ein schöpferischer Akt liebender Zurücknahme, damit die Menschheit auf ihrem Weg durch die Zeit aus den fast verwischten Spuren seines Vorübergangs, die sie kraft der in die Herzen ausgegossenen schöpferischen Geistesdynamik mit innerer Ergriffenheit entziffert, in aller Freiheit und Gewaltlosigkeit den Weg des »Meisters und Herrn« der Fußwaschung nachgeht und so einen lebenswerten Raum des Zusammenlebens schafft. Fast könnte man sagen, die Auferstehungsethik sei eine Ethik des raumgebenden, gastfreundlichen Miteinanders.[92]

Schließlich möchte ich noch einen kurzen Blick auf die *Ostervesper* werfen, in der die Drei Österlichen Tage ihren liturgischen Abschluß finden.[93] Bereits im Eingangshymnus erhält die österliche Feier ihre eschatologische Dimension. Der Hymnus stammt aus dem 5.–6.Jh. (Breviervermerk). Zum Mahl des Lammes schreitend, singt die Gemeinde das Siegeslied dem Christus-Sieger,

> »der uns durchs Rote Meer geführt.«

In wiederum großartiger Zusammenschau der Zeiten heißt es dann:

> »Wir sind befreit aus harter Fron und von der Knechtschaft Pharaos.«

Man erinnert sich an die jüdische Pesachliturgie, in der ebenfalls das Wir der Feiernden mit der Generation des Exodus zusammengesehen wird. Noch einmal geht es um die Dialektik von Herrschaft und Knechtschaft. Wäre die österliche Herrschaft Jesu von der Art Pharaos, hätte sie in der Welt vielleicht mehr Ansehen, aber sie widerspräche der Eigenart seines Sieges, in dem das schöpferische Handeln Gottes in seiner unverwechselbaren Eigenheit am Werk ist.[94] Die Macht der Hölle sei nun ge-

---

[92] Ich habe mich in dieser Schlußüberlegung noch einmal eng an E. Levinas angelehnt, weil ich glaube, daß sich seine Grundlegung der Ethik aus jüdischer Glaubenstradition heraus bezüglich der Konsequenzen von einer Praxis der Nachfolge Jesu, wie sie gerade auch im österlichen Kontext nahegelegt wird, kaum unterscheidet.

[93] Die Zweite Vesper (von der Komplet einmal abgesehen) beschließt als Abendgebet der Kirche den Tag, wie er – am Vorabend – mit der Ersten Vesper begonnen hatte. Der in der Vesper u. U. verwendete Weihrauch erinnert sogar noch an den Abendgottesdienst im Tempel zu Jerusalem. Ich spreche hier vom Abschluß der Drei Österlichen Tage. Das Fest selbst dauert ja noch fort bis zum Weißen Sonntag, ja man könnte sagen, das ganze Kirchenjahr sei eine einzige Entfaltung des Osterfestes.

[94] Vgl. dazu weiterführend und vertiefend Kessler 390–400. Kessler legt großen Wert darauf, den andauernden dramatischen Kampf des neuen Lebens mit den Mächten des Todes und der Zerstörung politisch zu konkretisieren und den

brochen, so wird weitergesungen, die Befreiung zum neuen Leben sei geschehen, der Fürst der Welt gefesselt, das Paradies stehe offen.

So kann gerade an Ostern mit Ps 110 die Aufrichtung der Sohnesherrschaft besungen und in Ps 114 (»Als Israel aus Ägypten auszog«) noch einmal der Gründonnerstag lebendig werden: Poesie des Auszugs aus Ägypten, Poesie der Befreiung. Und schließlich besingt die Gemeinde im Canticum aus Offb 19 den eschatologischen Sieg der ewigen Hochzeit zwischen dem Lamm und der Kirche. Nach der Lesung nimmt das »Haec dies« das liturgisch so bedeutsame *Heute* erneut auf (aus Ps 118). Schließlich folgt der Lobgesang Mariens als der österliche Gesang der Kritik aller Herrschaft und als Danklied der Rettung Israels. Mit dem Tagesgebet der Messe wiederholt die Gemeinde die Bitte, daß sie durch Jesu Geist neu geschaffen werde, nachdem Gott durch den Sohn den Tod schon besiegt und das ewige Leben schon erschlossen hat. Auch hier werden Indikativ und Imperativ ineinander verschränkt, wenn gebetet wird, daß sich an uns realisiere, was schon wirklich geworden ist. Das Realisierte kann und soll durch die Glaubenden realisiert werden. Ja, die Realisierung geschieht schon im Gebet: »Wer bittet, der empfängt (schon)« (Ho aitoon lambanei, Mt 7,8). Hätte die Gemeinde vom Durchbruch Jesu nichts vernommen, könnte sie nicht bitten, sondern bliebe stumm. Hätte sie schon alles empfangen, bräuchte sie nicht mehr zu bitten. So stiftet gerade das Gebet als Bitte, das unter der Prämisse, schon empfangen zu haben, auch Dankgebet ist, die Ordnung einer durch Ostern eröffneten Zeit, in die das Licht der eschatologischen Vollendung schon hereinscheint.

Die Liturgie des österlichen Triduums ermöglicht eine Christologie, die das Dogma eher überbietet, als daß sie dahinter zurückbleibt. In der Feier der Liturgie wird die Gemeinde betend und singend zur Wahrnehmung dessen hingeführt, der als der vorübergegangene Wegbegleiter die neue Ordnung der Zeit aufrichtet. Durch die Feier der österlichen Mysterien sollen die

---

»Herrschaftswechsel« (E. Käsemann) des Christen nicht im Willen zur Selbstbehauptung und Machtsteigerung zu sehen, sondern in der solidarischen Liebe (vgl. schon 388 f. die Auslegung von Mt 25,31–45 mit Berufung auf den schönen Ausdruck H. U. v. Balthasars »Sakrament des Bruders [und der Schwester]«).

Getauften mit all ihren Kräften der Sinne, des Herzens und der Vernunft erneuert und so in die Lage versetzt werden, die Welt neu zu gestalten und auf die Errichtung der eschatologischen Weltordnung mit allen Menschen guten Willens zu hoffen.

Pfingsten – Fest der Innovation von Kirche und Welt

Pfingsten war das Lieblingsfest Johannes' XXIII. Er verband damit die Hoffnung auf die Erneuerung der Kirche. Ursprünglich einfach der Abschluß der Osterfeier am 50. Tag, entwickelte es sich mehr und mehr zu einem eigenen Fest mit immer deutlicherem Bezug zum Heiligen Geist. Das Pfingstfest scheint heute von den kirchlichen Hochfesten am wenigsten Beachtung zu finden. Ist dies von der Pfingstliturgie her berechtigt? Welche christologische Bedeutung kommt dem Pfingstfest zu? Wird ein vertieftes Interesse für die Pneumatologie dieses Fest aufwerten? Pfingsten könnte eigentlich das »Reformationsfest« der Kirchen sein, an dem der Geist wie ein Sturm durch die Gemeinden fegt und erwärmt, was erkaltet ist, gesunden läßt, was krank geworden ist, reinigt, was befleckt, bewässert, was vertrocknet ist (vgl. Pfingstsequenz).[95]

Von seiner Entstehung her bezieht sich der Ausdruck »Pentekoste« auf die gesamte Zeit der 50 Tage, an denen das Pascha gefeiert wurde. Allmählich bildet sich sodann der 50. Tag selbst als Gedächtnis der Himmelfahrt in der ostsyrischen und palästinensischen Kirche heraus. Nach dem Pilgerbericht der Egeria (um 400) feiert man in Jerusalem am Morgen des 50. Tages zur dritten Stunde in Zion die Herabkunft des Geistes. Seit Ende des 4. Jahrhunderts wird die Geistsendung und damit die Perikope aus Apg 2 immer mehr zum einzigen Festinhalt.[96]

Was den jüdischen Hintergrund betrifft, so war das Fest ursprünglich ein agrarisches Ernte- oder Wochenfest und wurde erst um das 1. Jh. v. Chr. bei den Essenern zum Fest der Bundeserneuerung und in der rabbinischen Tradition um die Mitte des

---

[95] Die Pfingstsequenz wird Stephan Langton von Canterbury zugeschrieben († 1228) und wurde erst 1570 in die Meßliturgie aufgenommen. – Vgl. H. Auf der Maur, Feiern im Rhythmus der Zeit I 123.

[96] Vgl. Auf der Maur 80 f.

2. Jh. n. Chr. zum Gedächtnis des Sinai-Geschehens. Auf der Maur hält es für möglich, daß das christliche Pfingstfest im palästinensischen und ostsyrischen Raum von der Liturgie der Synagoge und von frühen Kommentaren zu Ps 68 (vor allem zu V 19, der in Eph 4, 8–11 christologisch, jüdisch aber auf Mose, der auf den Berg steigt und das Gesetz empfängt) gedeutet wird (81).

F. Rosenzweig sieht im Sinaiwunder und in der »Gabe der Thora« die Offenbarung, »die uns immerfort als gegenwärtig begleitet«, so daß man sich ihrer nicht erinnern muß wie des Auszugs aus Ägypten. Ostern ist die Festzeit der Offenbarung, während der dritte Festkreis, Pfingsten, der Erlösung gewidmet sei (Stern der Erlösung 406). Mit gewissem Recht bezeichnet F. Rosenzweig das Pfingstfest als den Punkt,

> »wo der Weg der Christenheit aus dem schmalen Pfad des Herrn und seiner Jünger zur breiten Heerstraße der Kirche wird«

(Stern der Erlösung 406 f.).

Mit offensichtlichem Bezug auf den klassischen Pfingsttext aus der Apostelgeschichte (Apg 2, 1–11) meint Rosenzweig sodann, Pfingsten könne noch nicht das Fest der Erlösung sein, an dem die Gemeinde schweigend anbetet, sondern es bedürfe noch des interpretierenden Wortes und

> »des Mittels der Rede, die erst durch das Sprachwunder über den Widerstand des sprachgetrennten Heute von damals, das auch heute noch von heute ist, hinwegspringt. Es ist das die erste Wirkung des Geistes, daß er übersetzt, daß er die Brücke schlägt von Mensch zu Mensch, von Zunge zu Zunge... Grade als Geist der Überlieferung und Übersetzung ist er des Menschen eigner Geist...« (Stern 407).

Rosenzweig schließt seine Überlegung mit dem Hinweis, die Jünger müßten nun lernen zu handeln, »als ob sie gar keinen Herrn hätten«. Dies könnten sie auch wirklich, weil sie nun eben den Geist haben (407). Gleichwohl ist nach Rosenzweig auch Pfingsten kein Fest der Erlösung; »es bleibt immer nur ein Vorblick auf die Erlösung« (407). »Ein eigenes Fest der Erlösung [sc. das dem jüdischen Versöhnungsfest entsprechen würde] fehlt« (409). Dennoch gesteht Rosenzweig der Kirche zu, daß sie sich auf dem Weg der Erlösung befindet, die nach ihm »nichts andres ist als Einsäen der Ewigkeit ins Lebendige« (410).

Die echte Feier der Erlösung bestünde im schweigenden Niederknien vor der Präsenz Gottes und im Eingeständnis der eigenen
Schuld, mit der der Mensch in seiner unvertretbaren Individualität inmitten des Wir – angetan mit dem Sterbekleid – am Versöhnungstag nackt und bloß vor Gott steht (vgl. 359–64; 411–14).
Deswegen fügen die Jahre keine Wachstumsringe aneinander,
sondern bedeuten nur ein Warten.

>*Denn Ewigkeit ist grade dies, daß zwischen dem gegenwärti-*
gen Augenblick und der Vollendung keine Zeit mehr Platz be-
anspruchen darf, sondern im Heute schon alle Zukunft erfaßbar
ist« (365).

Mit den zwei ersten Worten des alten Introitus nach Weis 1,7:
»spiritus domini« denkt die christliche Gemeinde natürlich nicht
mehr zuerst an die atl. »ruah JHWH«, die Geisteskraft JHWHs,
sondern an die des »Herrn Jesus«, des Auferstandenen. Bindeglied ist der Ausdruck »pneuma kyriou« im bereits griechisch
verfaßten Buch der Weisheit. Die Liebe Gottes ist nach Röm 5,5
durch den Heiligen Geist in unsere Herzen ausgegossen (wie es
im alternativ vorgeschlagenen Introitus heißt).

Ein deutlicher christologischer Bezug des Festes – sieht man einmal vom »per Christum« der Gebete ab – ist in der zweiten Lesung (1 Kor 12, 3b–7. 12–13) festgehalten. Der eine »Herr« (kyrios) belebt seinen Leib (soma) durch seine »Geisteskraft«
(pneuma)[97], so daß die Vielen vor dem einen Gott stehen, der
»alles in allen wirkt«. Die ekklesiologischen Konsequenzen liegen auf der Hand:

>*In dem einen Geist wurden wir alle zu einem einzigen Leib*
getauft, Juden und Griechen, Sklaven und Freie; und wir wur-
den alle mit der einen Geisteskraft getränkt.« (Eigene Übers.)

Die große Überraschung der ntl. Gemeinden besteht in der Tatsache, daß die Geisteskraft des Auferstandenen, Jesus von Nazareth, bisher Getrenntes verbinden kann und eine neue Gemeinschaft unter Menschen schafft, die sich bislang als fremd und

---

[97] Schon wiederholt habe ich das griechische Wort »pneuma« mit »Geisteskraft«
übersetzt, um so die Bedeutung des atl. Wortes »ruah« mit der Konnotation einerseits des Weiblich-Hegenden und zugleich Liebend-Mitreißenden (dynamis)
herauszustellen. Die weibliche Bedeutung des hebräischen Wortes »ruah« ist in
der feministischen Theologie wieder bewußt geworden und kann m. E. durchaus
für die gesamte Theologie ernstgenommen werden, ohne bei einer bloßen Theologie der Geschlechtsartikel zu landen.

unversöhnlich gegenüberstanden. Daraus hätte eigentlich niemals ein Antisemitismus oder sonstiger Fremdenhaß oder Konfessionskrieg entspringen dürfen. Wer aber weiß, wie schwer es bis heute sozial und völkisch gemischten Gemeinden fällt, zu einem einzigen »Leib« zu werden, der sich am Ethos des eucharistischen Teilens orientiert, wird ahnen, wie sehr jede Gemeinde und die gesamte Kirche und ihre institutionelle Organisation der belebenden und erneuernden Geisteskraft des Auferstandenen bedarf. Nach dem Evangelium der Messe (Joh 20, 19–23) ist Jesus, der Auferstandene, der den Jüngern seine (verwundeten) Hände und seine (durchbohrte) Seite zeigt, der Spender dieser Geisteskraft, die den Jüngern sogar die Gewalt der Sündenvergebung zuspricht.[98]

Es gehört zur ästhetischen Gebetsstruktur der christlichen Gemeinde, daß die Liturgie um das bereits Empfangene erneut bittet. So betet das Tagesgebet, daß die Geisteskraft des Anfangs auch heute (nunc) wirksam sei. Im Antwortgesang nach der Pfingstlesung aus Apg 2 wird mit Ps 104 (der in der Osternacht schon begegnete) die Bitte gesungen, Gott möge seine »Geisteskraft« aussenden, die das Angesicht der Erde erneuert. In Ps 104, 29–30 heißt es:

»Nimmst du ihnen den Atem, so schwinden sie hin und kehren zurück zum Staub der Erde. Sendest du deinen Geist aus, so werden sie alle erschaffen und du erneuerst das Antlitz der Erde.«

Es gibt keine Erneuerung der Gemeinde als eine Insel im Chaos der Welt, wenn nicht auch die Schöpfung in den Erneuerungsprozeß einbezogen wird. Das Pfingstfest erhält somit auch erhebliches ökologisches Gewicht, wodurch sich eine Tendenz der Osternacht fortsetzt. Aber die betende Gemeinde erfleht auch für sich selbst den Heiligen Geist, indem sie ruft:

---

[98] Vgl. das alternative Lesungsangebot Gal 5, 16–25. Der Text zielt paränetisch auf den Wandel im Geist ab, wobei zu Christus Jesus gehören bedeutet, das Fleisch mitsamt den Leidenschaften und Begierden zu kreuzigen. Dieser Tod des Fleisches ermöglicht erst das Leben aus dem Geist bis hin zur konkreten Lebensgestaltung. Die alternative Perikope des Evangeliums (aus Joh 15 und 16) verheißt den Beistand als den »Geist der Wahrheit«; »er wird sagen, was er hört und euch verkünden, was kommen wird«. Der Geist der Wahrheit erfährt hier deutlich eine Rückbindung an Jesus und den Vater. Man hat fast den Eindruck, daß Johannes gewisse Verselbständigungstendenzen pneumatischer Erfahrung in seiner Gemeinde abwehren will.

»Komm Heiliger Geist, erfülle die Herzen der Gläubigen und entzünde in ihnen das Feuer deiner Liebe.«
Wie nirgends sonst in der Liturgie kniet die Gemeinde an dieser Stelle vor dem Evangelium, wenn auch nicht in Schweigen gehüllt, wie die jüdische Gemeinde am Versöhnungstag. Kann die Gemeinde überhaupt Größeres erbitten als das Feuer der göttlichen Liebe? Jene Liebe, die stärker ist als der Tod! Jene Liebe, die neue Maßstäbe im Zusammenleben der Menschen in den Gemeinden und in deren Lebenswelten sucht und findet. Wenn es die Geisteskraft des Auferstandenen ist, die solche Liebe im Menschen zum Glühen bringt, dann ist solche Liebe nicht mehr das fremde, von außen kommende Gebot, das zerstörerische Über-Ich, sondern die ureigenste Subjektivität, in der die Menschlichkeit ihre zutiefst solidarische Gestalt erhält.

Diese Geisteskraft des Auferstandenen, so das Gabengebet, möge das Geheimnis der Eucharistie tiefer erschließen und in die Wahrheit einführen. Das Schlußgebet äußert die Bitte, der Geist möge ein dauerndes und »eingegossenes« Geschenk bleiben (vigeat semper munus infusum), weil die Gemeinde ja die »geistliche Speise« empfangen hat, die zur ewigen Erlösung führt.

Es bedarf noch der Erwähnung, daß in jeder Eucharistie in der Epiklese die Geisteskraft Jesu auf die Gaben (und die Gemeinde) herabgerufen wird, damit sich so ein Wandlungsprozeß an den Gaben und an der Gemeinde vollziehe. Eine Menschengruppe aus Griechen und Juden, Sklaven und Freien, Großen und Kleinen, Schwarzen und Gelben, Linken und Rechten, Reichen und Armen zu einer wahren Gemeinde umzubilden, die dem Vermächtnis Jesu gerecht wird, bedeutet ein ständiges Wunder, dessen jede Gemeinde und die gesamte Ökumene der Christenheit im Kreislauf des Jahres immer wieder bedarf. Ohne die innovatorischen Kräfte des Geistes könnte sich das Gedächtnis Jesu durch den garstigen Graben der historischen Zeit verflüchtigen, so daß auch die Praxis der Nachfolge, die Früchte des Geistes, ihre verwandelnde Kraft verlören. Dann würde die Gemeinde aufhören, die Handschrift Jesu Christi zu sein, deren Buchstaben mit dem Geist des lebendigen Gottes in die Herzen lebendiger Menschen aus Fleisch und Blut geschrieben sind (vgl. 2 Kor 3,3).

Hineingeboren in die Zeit – Fest der Geburt Jesu Christi

Peter Huchel hat uns ein Weihnachtsgedicht hinterlassen, das den Titel trägt »Dezember 1942«. Ich stelle es diesmal bewußt an den Anfang. Auch die Liturgie des Weihnachtsfestes kennt keine Idylle.

Die Wintergewitter ein rollender Hall.
Zerschossen die Lehmwand von Bethlehems Stall.

Es liegt Maria erschlagen vorm Tor,
Ihr blutig Haar an die Steine fror.

Drei Landser ziehen vermummt vorbei.
Nicht brennt ihr Ohr von des Kindes Schrei.

Im Beutel den letzten Sonnblumenkern,
Sie suchen den Weg und sehn keinen Stern.

Aurum, thus, myrrham offerunt...
Um kahles Gehöft streicht Krähe und Hund.

... quia natus est nobis Dominus.
Auf kahlem Gerippe glänzt Öl und Ruß.

Vor Stalingrad verweht die Chaussee.
Sie führt in die Totenkammer aus Schnee.[99]

E. Levinas schreibt in der Einleitung zu »Totalität und Unendlichkeit«:

»Der Kriegszustand setzt die Moral außer Kraft; er nimmt den Institutionen und ewigen Pflichten ihre Ewigkeit und vernichtet daher mit seiner Vorläufigkeit die unbedingten Imperative« (19).

Hat der schrecklichste aller bisherigen Kriege in den Ländern der Christenheit auch die Ekstase des Mysteriums zerstört, von dem uns die Liturgie kündet? Oder ist die Liturgie jene Stiftung der Weltordnung, dank der die Welt überhaupt noch weiterbestehen kann?

---

[99] Kuschel, Der andere Jesus 280 f. Zit. aus: P. Huchel, Chausseen, Chausseen. Gedichte. Frankfurt/M. 1963, 64.

P. Huchel schiebt das Einst und das Heute des Krieges ineinander und läßt dabei das Heute des Krieges die Dominanz gewinnen. Da sind die Landser, die vor lauter Not und Kälte den Schrei eines Kindes nicht mehr hören, dessen Mutter erschlagen vor dem Tor liegt. Sie suchen den Weg und würden sich so gerne vom Stern leiten lassen. Aber der Stern bleibt aus. Kein Glanz im Stall, sondern Krähe und Hund, die um das kahle Gehöft streichen. Auf den hohen Titel »Dominus« reimt sich nur noch »Öl und Ruß«, die das Toten(?)-Gerippe überfirnen. Der Weg endet schließlich nicht in Bethlehem. Gefunden wird nicht das strahlende Kind, sondern das frostige Totenhaus aus Schnee in Stalingrad.

Ist in dieser Lyrik weihnachtliche Stimmung? Sonderbarerweise taucht auch bei Huchel das Wort »glänzt« auf. Aber dieser Glanz ist der bleiche Glanz des Todes und einer Leichenkammer aus Schnee. Ein Gedicht der Verzweiflung? Vielleicht. Jedenfalls ein notwendiger Kontrast zu einer verbreiteten Tendenz, aus der Feier von Weihnachten immer mehr eine Angelegenheit regressiver Stimmung werden zu lassen. Müssen wir nicht die genuinen Erfahrungen, die sich in solcher Poesie zum Ausdruck bringen, mit jener Erfahrung konfrontieren, aus der die Liturgie des Weihnachtsfestes ursprünglich lebt?

Als das Christentum seine Gedenktage festlegte, ging es immer auch darum, bereits vorgegebene Gedenktage möglichst zu übernehmen und mit neuem Sinn zu erfüllen. Dies gilt in besonderer Weise vom Weihnachtsfest, das die römische und germanische Wintersonnwendfeier überbieten sollte.

»Der früheste Beleg für die Feier des Weihnachtsfestes am 25. Dezember findet sich in Rom. Der Chronograph von 354 enthält u. a. einen staatlich-bürgerlichen Kalender, wonach der 25. Dezember als Natalis Invicti bezeichnet wird (Fest des Sol invictus).«[100]

Das Fest des »Sol Invictus« (Unbesiegte Sonne) am 25. Dezember wurde durch Kaiser Aurelian im Jahre 275 eingeführt. Die christliche Umgestaltung erfolgte wohl bereits unter Konstantin, unter dessen Regierung 321 auch der Sonntag zum staatlichen

---

[100] Auf der Maur, Feiern im Rhythmus der Zeit I 166; vgl. zu einer ähnlichen Entwicklung des Festes Epiphanie im Osten (Ägypten) und in Jerusalem 154–63.

Ruhetag wurde (167). Die Bezeichnung »Natale« ist im 4. Jh. ein geläufiger Ausdruck für das jährliche Gedächtnis der Geburt, erhält aber in der kaiserlichen Hofsprache mehr und mehr die Bedeutung eines Tags der Verherrlichung, der Thronbesteigung und der Apotheose (168) (vgl. manifestatio, apparitio, epiphania; im griechischen Osten: hä [oder ta] theopháneia). In der Zeit zwischen Augustinus († 430) und Leo I. (440–461) erfolgte eine gewaltige theologische Aufwertung dieses Festes als »Nativitatis dominicae sacramentum«. Weihnachten wird zum Erlösungsfest und tritt in engste Beziehung zum Osterfest (169).[101]
Die Liturgie der drei Weihnachtsmessen in der Heiligen Nacht (»Christmette«), am Morgen (»Hirtenmesse«) und am Tag (»Hochamt«), die alles andere als – im vordergründigen Sinn – stimmungsvoll ist, führt bis in das 6. Jh. zurück. Seit dieser Zeit wird in der Mitternachtsmesse bereits aus Jes 9, Tit 2 und Lk 2 gelesen. Die Perikopentradition dürfte aber noch älter sein. Der Mitternachtsgottesdienst geht vielleicht schon auf einen Brauch der Jerusalemer Gemeinde ins 4./5. Jh. zurück, betrifft dort allerdings die ursprünglich vom 6. zum 7. Januar gefeierte Nacht. (170)
Die Lichtmetaphorik gehört ohne Zweifel zum uralten Bestand der »sol invictus«-Feier, während bekanntlich die Baummetaphorik dem Fest erst zu Beginn des 19. Jh. zugewachsen ist und wohl archaische Symbolelemente von Fruchtbarkeit, von Paradieses- und Lebensbaum aufgreift (vgl. Lebensbaum/Kreuzesbaum im Mosaik von S. Clemente in Rom).[102] Eigenartig ist je-

---

[101] Wie oben schon angedeutet, will Rosenzweig nur »eine gewisse Nähe« zu den jüdischen Erlösungsfesten zugestehen (Vgl. Stern der Erlösung 408). Fasziniert ist er, daß die Entwicklung des Festes so verläuft, daß auch die Christenheit »einen langen Tag« mit Gott verlebt ähnlich wie das Judentum am Versöhnungsfest, das ja auch die Liturgie des Vorabends einschließt. Aber Weihnachten bleibt ein Fest des Anfangs. »*Der Christ lebt solch ganzen langen Tag am Tag des Anfangs, wir am Tage des Endes.*« (409) Das Christentum habe in der Anverwandlung heidnischer Feste echte Missionsarbeit geleistet. Ein Erlösungsfest im strengen Sinn des Anbetens und auf die Knie-Fallens sei aber aus keinem Fest des Kirchenjahres geworden (410f.). – Es ist interessant, daß Rosenzweig hier, nicht beim Osterfest, eine Verbindung zum jüdischen Versöhnungsfest konstatiert. Die Osternacht als die Nacht aller Nächte war eben liturgisch verschwunden. Weihnachten war die einzige liturgische Nacht, wobei das Fest am Vorabend begann.
[102] Rosenzweig deutet die jüngere Entwicklung des Weihnachtsfestes eher positiv und stellt es gerade deshalb in die Nähe der jüdischen Erlösungsfeste: »Schon je-

denfalls, daß diese Symbolik auch diejenigen noch fasziniert, die längst keinen christlichen Gehalt mehr mit Weihnachten verbinden.

Finsternis und Licht, Aufschiebung oder Unterbrechung des Schlafes geben der liturgischen Nacht bis heute ihr unverwechselbares Gepräge. Die Feier der Geburt Jesu in der Nacht ist umso auffälliger, als kein Text der Evangelien noch der Liturgie davon spricht, Jesus sei in der Nacht geboren worden. Wohl aber weiß die Liturgie, daß die Nacht die Zeit der Offenbarung und der offenbarenden Deutung eines sonst unbegreiflichen Geschehens ist. Die Unterbrechung des Schlafes und die Erhebung der Nachtzeit zu einer Zeit des Wachens will den Menschen also besonders hellhörig für das Unbegreifliche machen. Es zeugt von Unverständnis für eine qualifizierte liturgische Zeit zur Nacht, wenn die Liturgie auf beliebige Zeiten vorverlegt wird. Damit wird den außerchristlichen Tendenzen dieses Festes noch Vorschub geleistet.[103]

Wer sich in die Texte der Weihnachtsliturgie vertieft, wird bald eine enorme Diskrepanz zu einer heutigen stimmungsvollen (deutschen) Weihnacht entdecken. Insofern kann ich mich dieser Liturgie nur annähern, wenn ich bereit bin, sie in ihrer Fremdheit anzunehmen, mit der sie zunächst auf uns wirkt. Ich muß mich ihr tatsächlich so aussetzen, wie man sich einer neuen Musik oder einem provozierenden Bild aussetzt. Die Liturgie verdoppelt nicht einfach eine säkularisierte Weihnachtsstim-

---

nes Sichauftun des Hauses für den Einbruch der freien Natur, der im winterlich beschneiten Baum Gastrecht im warmen Zimmer gegeben wird, und die Krippe im fremden Stall, in dem der Erlöser zur Welt kommt, haben ihr genaues Gegenstück in dem freien Himmel, dem das Dach der Laubhütte Durchlaß gönnt, zur Erinnerung an das Zelt, das dem ewigen Volk Ruhe gewährt bei seiner Wanderung durch die Wüste« (408).

[103] Es ist einer bürgerlichen Gesellschaft natürlich unbenommen, ihre Feste zu feiern, wie sie es für gut hält. Die Frage ist nur, ob sich die Christenheit den postchristlichen Bedürfnissen einer Gesellschaft durch die Feier der Wintersonnenwende oder durch ein Konsumfest noch mehr ausliefern soll. Eine ganz andere Frage hängt mit dem berechtigten Bedürfnis zusammen, dieses Fest vor allem auch den Kindern nahezubringen. Neue liturgische Formen und Bräuche müßten sich aber an der Ästhetik der großen liturgischen Tradition messen und nicht umgekehrt. Die fast beliebige Vermehrung der »Christmetten« nimmt zwar den pastoralen »Kairos« wahr, orientiert sich aber doch zu wenig an der liturgischen Ästhetik, so daß der Verdacht auf abgezweckte Liturgie – im Sinne einer engagierten Kunst – besonders an Weihnachten genährt wird.

mung, sondern wird ihr zum Kontrapunkt. Es ist nicht zuletzt die Christologie der Weihnachtsliturgie, die dazu beiträgt. Sie bewegt sich auf hohem Niveau. Die betende Gemeinde kann sich in sie gar nicht genug vertiefen.

Schon der Vesperhymnus aus dem 6. Jh. »Christe redemptor omnium« (Christus, All-Erlöser) stellt das Ereignis der Geburt Jesu hinein in die Zeit »vor aller Zeit«. Vor allem Anfang ist er auf unbegreifliche Weise bereits geboren (Solus ante principium natus ineffabiliter). Die Geburt vor allem Anfang nennen wir zwar »Geburt«, aber wir wissen, daß dieses Wort hier nur noch ein Signal von Sprachlosigkeit (in-effabiliter) sein kann. Da sie »ante principium« geschieht, ist sie nicht mehr in die Sprache der Zeiten zu fassen. Und doch ist dies Bestand des Festgeheimnisses, wenngleich die zeitliche Geburt aus der Jungfrau der eigentliche Gegenstand der Feier ist:

»Hic praesens testatur dies,
currens per anni circulum,
quod solus a sede Patris
mundi salus adveneris.«

(»Dieser gegenwärtige Tag bezeugt im Kreislauf des Jahres, daß du [Jesus Christus] in einzigartiger Weise (solus) vom Thron des Vaters als Heil der Welt angekommen bist.«)

Der Hymnus spricht den aus der unaussprechlichen Vorzeit kommenden Heilbringer direkt an (*adveneris*). Der Tag, der – ganz nach jüdischem Empfinden – mit dem hereinbrechenden Abend, der Stunde des kirchlichen Abendgebetes, anbricht, legt selbst im »circulus anni« Zeugnis ab von dem unerhörten Ereignis. Was dieser Tag bezeugen kann, kann nicht jeder Tag, und er kann es zugleich nur im Kreislauf der übrigen Tage. Hier wird Naturmystik, die vom Kreislauf der Gestirne und der Zeiten beeindruckt ist, in die Feier des Mysteriums einbezogen. Sonst aber ist dieser Hymnus in klassischer Inkarnationstheologie aus dem Geist der frühchristlichen Konzilien konzipiert. Was die Christo*logik* vielleicht nicht mehr »sagen« kann, das kann die liturgische Ästhetik immer noch singen, indem sie die Existenz Jesu, wenn er denn Heilbringer sein soll, ganz aus der ewigen Zeugung aus dem Vater versteht, wie es sich auch im Bekenntnis von Nizäa (325) niedergeschlagen hat.

Schon mit diesem das Fest eröffnenden Hymnus wird deutlich,

welche Tiefendimension die Liturgie zu eröffnen gedenkt. Wenn die »Mette« (Hora matutina = Nachtgebet an der Schwelle zum neuen Tag) nach dem Invitatorium »Christus ist uns geboren, kommt wir beten ihn an« mit Ps 95 die Gemeinde wieder dazu aufruft, das »Heute, wenn ihr seine Stimme hört« nicht zu verpassen, und mit dem wuchtigen Ps 2 fortfährt, dann wird die Stunde der Offenbarung auch zur Stunde des Weltgerichts voller Dramatik. Nach diesem Psalm lehnen sich die Völker und ihre Machtpolitik auf gegen Gott und seinen Messias. Von dem aber, der in den Himmeln wohnt, wird gesagt, er lache ihrer und spreche dann mit ihnen eine Sprache, die sie alle verstehen: Auf Sion wird ein König eingesetzt, von dessen Inthronisation gilt:

>*Mein Sohn bist du. Heute habe ich dich gezeugt. Fordere von mir, und ich gebe dir die Völker zum Erbe, die Enden der Erde zum Eigentum.*«

Es ist ein ausgesprochenes »Machtwort«, das hier der Politik der Mächte entgegengeschleudert wird. Ein unerträgliches himmlisches Machtwort? Vielleicht doch nicht. Denn am Ende werden die Könige der Erde zur Einsicht ermahnt. Die Macht überfällt sie also nicht einfach, sondern will so ankommen, daß das letzte Wort heißt: »Selig alle, die auf ihn vertrauen.«

Neben der unmittelbar christologischen Bedeutung dieses Psalms wegen der hier angesprochenen Sohnesmessianologie und wegen der sprachbildenden Kraft bis in das nizänische »gezeugt, nicht geschaffen« wird in diesem Text auch deutlich, in *welche* Welt der Ewig-Gezeugte hineingeboren wird. Es ist eine Welt der Kriege und der Herrschaft. Das Christentum der ersten Jahrhunderte wurde nicht fertig, darüber nachzusinnen, warum die Geburt des Sohnes noch unansehnlicher und machtloser geschehen sollte, als es die kühnsten Erwartungen der Schriften zum Ausdruck brachten. Der Weg zum Heil der Völker in Aufruhr bahnt sich im Durchbruch von der Nacht zum Tag in der Weise an, daß nur die »Vertrauenden« Zeiten des Friedens heraufführen können.

In der Ersten Lesung der Nachtliturgie wird ein nicht weniger poetischer und zugleich hochpolitischer und theologischer Text, Jes 9,1–3.5–6, vorgetragen: »*Das Volk, das im Finstern lebt, schaut ein großes Licht ...*«

Hier zeigt sich, daß die politische Dimension nicht das ganz Andere zum Ästhetischen der Liturgie ist. Nein, hier handelt es sich um politische Poesie von höchster theologischer Bedeutung. Österliche Befreiungstheologie wird laut. Wie in der Osternacht die Befreiung aus Ägypten gefeiert wird, so jetzt die Befreiung aus der Sklaverei durch die Geburt eines Kindes, das als »Friedensfürst« bezeichnet wird.

> *»Denn sein lastendes Joch, den Stock auf seiner Schulter, den Stab des Treibers zerbrichst du wie am Tag von Midian. Denn ein Kind ist uns geboren, ein Sohn uns geschenkt... Man gibt ihm den Namen: Wunderrat, Gottheld, Ewigvater, Friedensfürst.«*

Hier wird auf Gideons Schlacht nach Ri 7 angespielt, in der noch nach Jahrhunderten der »*Tag von Midian*« als Paradigma des wundervollen göttlichen Eingreifens sprichwörtlich wirkt.[104] Beim erneuten Eingriff des Ewigen wird keine Schlacht mehr geschlagen. Jetzt geht es um ein einzigartiges Kind mit einzigartigen Namen weil einzigartiger Herkunft. Aus der Ewigkeit heraus geschieht gleichsam ein »Eingriff« in die Zeit und ihre gewöhnlichen, meist kriegerischen Abläufe.[105]

Kein Wunder, wenn der Antwortgesang mit Ps 96 alle Völker, ja alle Schöpfung zum Lobpreis aufruft und mit dem Stichwort »Herrlichkeit« (kabod), von der die Gemeinde allen Völkern »erzählen« soll, schon anklingt, was Kerninhalt des Evangeliums sein wird. Denn das ist im Evangelium die Botschaft des Verkündigungsengels:

> *»Heute ist euch in der Stadt Davids der Retter geboren, der Messias (Christus), der Herr (Kyrios)«* (Lk 2,11).

Hier wird apokalyptische Poesie laut, in die Himmel und Erde, Dunkelheit und Licht, Stadt und Wüste einbezogen werden, um nur dieses eine zu verkünden: »*Heute*« ist der »*Herr*« (Kyrios) geboren, der »*Retter*« (sotēr). Dies sind natürlich christologische Titel, die aus der Erfahrung von Tod und Auferstehung Jesu kommen. Die Gemeinde singt sie als ergangene göttliche Offenbarung bereits vom Neugeborenen. Dadurch werden diese Titel

---

[104] Vgl. A. Peter, Midian. In: LThK² VII 407 f.
[105] Der liturgischen Nacht würde m. E. ein wichtiges Element fehlen, wenn mit dem Ausfall dieser Lesung auch der befreiungstheologische und somit (im weitesten Sinn des Wortes) politische Aspekt des Festgeheimnisses fehlen würde.

zur Überschrift über das gesamte Leben des Messias-Christus, an das sich der Glaube heranzutasten versucht. So könnte man sagen, mit den ästhetischen Ausdrucksmitteln, die die prophetische und apokalyptische Sprachtradition anboten, werde eine Christo*logie* von Hoheitstiteln formuliert, die ganz christo*soterisch* orientiert ist.

Ein Satz der Zweiten Lesung aus dem Titusbrief faßt dies prägnant zusammen:

>*Die Gnade Gottes ist erschienen, um alle Menschen zu retten*« (Tit 2,11).

Diese Lesung macht aber zugleich aufmerksam, daß Weihnachten nicht ein Fest der Vollendung ist. Wir müssen, so der Text, auf »die selige Erfüllung unserer Hoffnung« noch warten, d.h. *»auf das Erscheinen der Herrlichkeit unseres großen Gottes und Retters Christus Jesus«* (Tit 2,13). Das bedeutet weiter, daß diese Weltzeit eine Zeit der Bewährung ist, in der es gilt, *»gerecht und fromm«* zu leben.

Damit ergibt sich ein umfassender Blick auf die Zeitdimension, in die die Christologie dieser Texte einführt: Unvordenklich ist die Geburt des Sohnes vor aller Zeit; das Aufstrahlen seiner Herrlichkeit in der Zeit der Finsternis dieser Welt wird zum Lichtkegel, der sich im Leben der Gemeindemitglieder auch über die irdische Ankunft Jesu hinaus ausbreitet; das endgültige Erscheinen als Erfüllung aller Hoffnung wird erst die hohe Titulatur Jesu (großer Gott, Retter, Christus), von der Gemeinde bereits *wahr-genommen*, wahr-*machen*. Für die christo*logische* Durchdringung dieser Zusammenhänge ist es wichtig, die Einheit der Offenbarungs*phänomenologie* als »Erscheinung« der absoluten Transzendenz in dieser Welt so zu formulieren, daß das Erscheinen der *Herrlichkeit* (kabod) nicht nur *etwas* von Gott Verschiedenes offenlegt, sondern ihn selbst, ohne ihn als den verborgen bleibenden Gott in die Erscheinung und somit in die Zeit aufzulösen. Chalkedonische Christologie wird somit zunächst zu einer notwendigen Grenzziehung, die sagt, daß es in der Geburt *Jesu* um die Menschwerdung des ewigen *Wortes* (Logos) geht, ohne daß es dabei zu einer Verschmelzung von Gott und Mensch kommen darf. Die unendliche Differenz zwischen Schöpfer und Geschöpf, auf die jüdisches Denken so großen Wert legt, muß auch christlich ernstgenommen werden. Dies als

tiefstes Mysterium zu erahnen und mit der himmlischen Welt des Lukasevangeliums schon zu besingen, ermöglicht eine liturgisch-christologische Ästhetik, die sofort ins Stottern gerät, wenn sie auf ihre Aussagbarkeit hin rationalisiert werden soll. Dennoch gibt es die Christo*logie* dieser Zeilen, die wenigstens versuchen muß, von unserer Hoffnung Rechenschaft abzulegen (Vgl. 1 Petr 3,15). Wenn eine immerhin ästhetisch ausdrückbare Weihnachtstheologie nicht ins Sentimentale abgleiten soll, muß sie sich der Wahrheitsfrage stellen, und sie kann dies offensichtlich mit dem Blick auf die Vollendung und nicht nur mit dem Blick des zurückschauenden Historikers. Zumindest die Ahnung einer eschatologischen Wahrheit muß in der Feier des weihnachtlichen Mysteriums möglich sein.[106]
Wie sich der Glaube an das Mysterium heranzutasten versucht, bringen die liturgischen Gebete zum Ausdruck, die m. E. von hohem sprachlichen und theologischen Rang sind. Mit wenigen Worten wird die Sprache auch hier an ihre äußersten Grenzen des Sagens und Sagbaren geführt. Das Gebet der Nacht lautet:

Deus, qui hanc sacratissimam noctem veri luminis fecisti illustratione clarescere,
da quaesumus, ut,
cuius in terra mysteria lucis agnovimus,
eius quoque gaudiis perfruamur in caelo. Per Dominum...«
(»*Gott, der du diese heiligste Nacht geschaffen hast für das Aufstrahlen des wahren Lichtes, gib, so bitten wir, daß die, die auf Erden die Mysterien dieses Lichtes erkannt haben, auch von dessen Freuden genießen dürfen im Himmel.*«)
Durch eine im Deutschen kaum noch tragbare wörtliche Über-

---

[106] Die Unterscheidung zwischen Sentimentalität und Ahnung von der eschatologischen Wahrheit des Gefeierten ist noch einmal an der Unterscheidung zwischen Kitsch und (gelungenem) Kunstwerk abzulesen. Adornos Warnung vor der Improvisation, die fast immer hinter dem Spielen nach Partitur zurückbleibt, weil die Partitur die geistige Durcharbeitung eines Materials und gerade so auch die mimetische Rückbindung an die natural-emotionale Basis voraussetzt, gilt sicher auch bezüglich des Umgangs mit der liturgischen Partitur des Weihnachtsfestes. Dies darf allerdings nicht heißen, daß für alle Zukunft die Innovation auszuschließen wäre. Es heißt im Gegenteil, daß alle liturgische Innovation ästhetische und theologische Maßstäbe einer jeweiligen Zeit ernstnehmen muß. »Gelungene« Liturgie muß sich der Wahrheitsfrage stellen, ohne sie rationalistisch aufzulösen; sie muß sich mit der Ahnung zufriedengeben, ohne dadurch in resignative Sentimentalität zu versinken.

setzung wird deutlich, daß wir an den Gott unsere Bitte richten, der diese heiligste Nacht in sein schöpferisches Wirken einbezogen hat, so daß sie Konsequenzen für unsere Erdenzeit und für alle Ewigkeit hat. Denn Gott ist es, der »diese Nacht« durch das wahre Licht hell erleuchtet hat, so daß die Gemeinde nun bitten kann, die ihr bereits geschenkte Erkenntnis des Mysteriums dieses Lichtes möge zum ewigen Genuß führen. Hier hat Religion etwas mit »genießen« zu tun, das freilich als eschatologisches Ereignis noch aussteht. Auch die Feier der Liturgie ist noch nicht der »Vollgenuß«, sondern erst die »Gnosis«, die als glaubende Anerkennung verstanden werden muß (agnovimus) und somit erst einen »Vorgeschmack« der Vollendung darstellt.

Das Tagesgebet der dritten Weihnachtsmesse ist ebenfalls ein Beispiel von Gebetskultur, in der sich die Kunst der Sprachprägnanz mit theologischer Tiefe verbindet. Hier wird seit Jahrhunderten und schon vor aller Aufklärung an zentraler Stelle der Liturgie von der »*Würde des Menschen*« gesprochen:

Deus, qui humanae substantiae dignitatem et mirabiliter condidisti, et mirabilius reformasti,
da, quaesumus,
nobis eius divinitatis esse consortes,
qui humanitatis nostrae fieri dignatus est particeps.
Qui tecum vivit...«
(»Gott, der du die Würde des menschlichen Wesens wunderbar erschaffen und noch wunderbarer erneuert hast, gib uns, wir bitten, der Göttlichkeit dessen teilhaftig zu werden, der es nicht unter seiner Würde fand, an unserer Menschlichkeit teilzunehmen.«)

Das Gebet atmet jenen Geist patristischer Theologie, in der von der Menschwerdung nicht gesprochen wurde, ohne die Schöpfung mitzubedenken. Es geschieht hier in der Prägnanz eines einzigen Halbsatzes.[107] Wunderbar erschaffen und noch wunderbarer wiederhergestellt zu sein und teilzunehmen an der

---

[107] Es gehört zur Qualität dieses Gebetes, daß es neugierige Fragen nicht stellt. So etwa die Frage, warum die Schöpfung überhaupt der »Reform« bedurfte, ob der Schöpfer keine bessere Welt von Anfang schaffen konnte oder wollte usw. Das Gebet verbietet aber auch nicht, solche Fragen laut werden zu lassen. Ohne Zweifel atmet das Gebet den Geist des 5. Jh. und entspricht einer der Lieblingsideen Papst Leos des Großen (440–61), daß nämlich die Erlösung wunderbarer sei als die Schöpfung. Vgl. M. Herz, Sacrum commercium. München 1958, 33 f.

Gottheit des Menschgewordenen, darauf beruht die Würde des Menschen. Aber auch hier wird in der Ästhetik des Gebetsausdrucks wieder deutlich, daß solche Teilnahme an der Gottheit und die damit verbundene Würde des Menschen nur im Modus der Bitte »präsent« ist. Der Glaube kann über die Teilnahme am Göttlichen nicht einfach verfügen. Aber er kann immerhin darum bitten, weil er glaubt, daß es – über die Würde des Menschen hinaus – eine »Würde« dessen gibt, der sein Leben mit uns teilte und uns so in das »consortium« seines Lebens hineinnehmen will.[108]

Das Gloria der Messe, das in der Weihnachtsliturgie einen hervorragenden Platz hat, mag ursprünglich ein Weihnachtshymnus gewesen sein. In der Liturgie der Nacht wird er wichtig, weil die versammelte Gemeinde in den Weihnachtsgesang der Engel einstimmt, so daß er in das Heute der Gemeinde hereinreicht. Der Lobpreis bleibt beim »Kind von Bethlehem« nicht stehen, sondern wendet sich an den gekreuzigt-auferstandenen Christus als das »Lamm Gottes«, das die Sünde der Welt hinwegnimmt und so sich als »Herr und Gott« erwiesen hat, dem der Beginn der Erneuerung der Schöpfung zugetraut werden darf. Der, durch den der Friede auf die Erde zu den Menschen des Wohlgefallens kommt, ist zugleich der zur Rechten des Vaters Sitzende. Er versammelt die Gemeinde im Heiligen Geist zur Ehre Gottes des Vaters. Lobpreis und Bitte gehen in diesem hymnischen Gesang eine spannungsvolle Synthese ein, die in vielen Kompositionen ihren nicht minder spannungsgeladenen Ausdruck gefunden haben, bis nicht selten in einer vielstimmigen Fuge eine glanzvolle Zusammenfassung im Amen geschieht.[109]

---

[108] Der betende Mensch macht sich angesichts des weihnachtlichen Mysteriums für beides zugänglich: für die Anerkennung der Schöpfung und für deren Erneuerung, wobei gar nicht anzunehmen ist, daß letztere einen Widerruf oder gar eine Zerstörung verlangt. Menschenwürde, Ökologie, Christologie und Eschatologie gehören somit engstens zusammen. Hier geht es wirklich um eine Anthropologie, die vom Menschen viel zu glauben wagt, ohne daß er damit aus der übrigen Schöpfung herausgenommen werden muß. Der Text wehrt sich auch nicht gegen mögliche Konkretisierungen. Im Gegenteil, er stößt sie eher an. So etwa, wenn die Würde der Frauen (neben der bereits anerkannten Würde der Männer), die der Unterprivilegierten, der Kranken an Seele und Leib, der Alten, der Kinder und der Noch-nicht-Geborenen um der Schöpfung und des Schöpfers willen eingefordert werden muß.

[109] Die Spannung zwischen dem Anspruch, daß es sich im Gloria um einen Gemein-

Ein Kernstück einer an der Liturgie des Weihnachtsfestes orientierten Christologie findet sich in der Weihnachtspräfation, der ich nun kurz meine Aufmerksamkeit zuwenden möchte. H. U. v. Balthasar hat in seiner theologischen Ästhetik besonders auf sie Bezug genommen.[110] In der Tat handelt es sich hier um ein Glanzstück von christologischer (und theologischer) Ästhetik, wenn es heißt:

>*Quia per incarnati Verbi mysterium nova mentis nostrae oculis lux tuae claritatis infulsit:*
ut, dum visibiliter Deum congnoscimus,
per hunc in invisibilium amorem rapiamur.«
(»Denn durch das Mysterium des eingefleischten Wortes ist den Augen unseres Geistes das neue Licht deiner glanzvollen Herrlichkeit aufgestrahlt: Deshalb werden wir, während/indem wir Gott auf sichtbare Weise erkennen, durch diesen zur Liebe des Unsichtbaren hingerissen.«)

H. U. v. Balthasar schreibt zu diesem Text:

>*Man beachte, daß in diesem klassischen Text nicht ausdrücklich vom ›Glauben‹ die Rede ist, sondern von zwei Dingen, die ihn einschlußweise enthalten:*
1. von ›Augen unseres Geistes‹, die durch ein ›neues Licht‹ von Gott her getroffen, ›sichtbar-schauend‹ (visibiliter) zu erkennen vermögen: ein Objekt, das eigentlich ›Gott‹ ist, aber Gott ›vermittelt‹ (per) durch das ›sakramentale Gestaltgeheimnis‹ (mysterium) des ›eingefleischten Wortes‹.
2. von einem durch diese ›vermittelnde‹ (zweites per) Erblickung ausgelösten ›Hingerissen-‹ und ›Verzückt‹-werden (rapiamur) in eine ›Eros-Liebe‹ (amor) zu den ›Unsichtbarkeiten‹ (invisibilia), die eben in jener Versichtbarung und Offenbarung sich erscheinend anzeigten.« (112 f.)

Hier geht es um eine ästhetische »Wahr-nehmung«, die sich

degesang handelt, und der »Aufführung« des Gloria durch einen Chor, wird vielleicht gerade in der Christmette besonders empfunden. Für eine mögliche Rollenverteilung zwischen Chor und Gemeinde hatte leider die große musikalische Literatur kein Verständnis, auch wenn sie eine gewisse Rolleneinteilung innerhalb des Chores und des Orchesters kannte. Für künftiges Komponieren wird es unerläßlich sein, an vielen Stellen, wo es der Text verlangt, das singende Volk einzubeziehen, ohne vorschnell auf den liturgischen Text zu verzichten oder die ästhetischen Ansprüche fallen zu lassen.
[110] H. U. v. Balthasar, Herrlichkeit I. Die Schau der Gestalt. Einsiedeln 1961, 112.

nicht auf einen beliebigen ästhetischen Schein richtet, sondern auf einen »Glanz« (splendor), in dem sich das Mysterium anzeigt. Die »Augen unseres Geistes« verweisen auf das Organ einer Wahr-nehmung, die durch den hier gewählten Ausdruck eine ganzheitliche sein muß. Sie muß schließlich sogar noch vom Lichtstrahl der göttlichen Herrlichkeit getroffen werden, um wahr-zunehmen, was es hier zu sehen gibt. Denn bei aller Verhüllung des Glanzes gibt es »ein Mysterium« zu »sehen«, ja zu »erkennen«, das etwas völlig Unvorhergesehenes im Menschen auslöst: Er wird »hingerissen«, von sich weg, durch das fleischgewordene Wort in Gott hinein. Eine Bewegung des »Eros« (»amor«) kommt in Gang, in dem sich des Menschen Sehnsucht unstillbar auf Gott richtet, ohne dabei des Fleischgewordenen zu vergessen. Nach Balthasar geht diesem Eros des Menschen ein erotisch-schöpferisches Verhalten Gottes voraus.[111] Dabei müßte freilich beachtet werden, daß hier »Eros« nicht im griechischen Sinn als Drang zum Sein und letztlich zur verschmelzenden Vereinigung von Unendlichem und Endlichem verstanden werden darf, sondern im Sinn der biblischen »Liebe« (agapē), die Levinas wiederholt als »Liebe ohne Eros« gekennzeichnet hat.[112]

Wer bei der Feier der Weihnachtsliturgie nicht «hingerissen» wird vom Mysterium, weil seinen Augen des Geistes in der Nacht ein Licht aufgeht, so daß die gesamte Welt mit neuen Augen geschaut wird, wird sich mit dem Licht eines Christbaums zufrieden geben (müssen). Die Illusion mag entstehen, daß vielleicht ein wenig Lichtromantik bereits über den harten Alltag

---

[111] Vgl. Herrlichkeit I 113–15. – Wie die Schöpfung, so ist auch die Erlösung zu verstehen als ein erotischer Vorgang: » ... daß auch er selber, der Urheber von allem, durch den schön-guten Eros zum All, aus dem Übermaß erotischen Gutseins aus sich selber heraus entrückt wird...« (115).

[112] Vgl. z. B. Gott und die Philosophie 106. Es erscheint mir wichtig, die Ästhetik der Weihnachtspräfation nicht nach dem Schema Verhüllung-Enthüllung zu deuten, ohne sich bewußt zu bleiben, daß sich Verhüllung und Enthüllung gegenseitig bedingen. Hier gilt m. E. in besonderer Weise, was Levinas (106 f.) auf das Menschsein hin bedacht hat: Die Tiefe des Ersehnt-seins des unendlichen Gottes führt uns in die nicht ersehnenswerte Nähe des »Fleischgewordenen«, an dem schließlich keine Schönheit noch Gestalt sein wird (vgl. oben zur Liturgie der Österlichen drei Tage). Nach chalkedonischer Christologie setzt dies gerade nicht voraus, daß Göttliches und Menschliches in Jesus miteinander verschmelzen.

hinwegtröstet. Die beidseitige »Ekstase«, Gottes »agape« zur Schöpfung und des Menschen Sehnsucht nach dem Schöpfer, erhält in Jesu Geburt einen festen Ort. In Bethlehem, dem «Haus des Brotes», findet die Gemeinde den, den sie anbeten kann, ohne sich in einem Geschöpf zu verlieren. Hier kann sie sich nähren mit dem Brot des Lebens, das als »Wegzehrung« zurückführt in die Nähe der Anderen, denen es nach dem Vorbild Jesu die Füße zu waschen gilt. Nicht jenseits dieser Welt, sondern in ihr geschieht nun die Ekstase einer Liebe ohne Eros, einer Liebe, die nicht das Ihre sucht (vgl. 1 Kor 13,5). Wenn der einfache Glaube überhaupt Zugang zum christologischen Dogma von Chalkedon erlangen soll, dann über diese »mitreißende« Christoästhetik der Weihnachtsliturgie.[113]

Das in der Präfations-Mystik vorherrschende Tempus ist die Gegenwart. Das neue Licht leuchtete auf, damit wir *heute* in die Feier der Geheimnisse hineingerissen werden, um mit den himmlischen Chören den Hochgesang des Dreimalheilig zu singen. In der Feier der weihnachtlichen Eucharistie geht es um ein Geden-

---

[113] Vgl. auch die Präfationen II und III, in denen der soteriologische Aspekt noch verdeutlicht wird. Die Zeugung vor aller Zeit und die Geburt in der Zeit führt zur Wiederherstellung der ganzen Schöpfung. Darin besteht das Geheimnis dieses Festes (II). Heute, so in III, ist uns das »Geschäft der Wiederherstellung« aufgeleuchtet (hodie commercium nostrae reparationis effulsit). Es erweist sich näherhin als ein wunderbares Tauschgeschäft. Im Bild vom »Tausch« (commercium) wird gesagt, vom (inkarnierten) Wort werde unsere Hinfälligkeit angenommen (nostra fragilitas suscipitur), so daß nicht nur die menschliche Sterblichkeit einen »Überstieg« erhält zur beständigen Ehre (mortalitas in perpetuum honorem transit), sondern Jesus Christus erweist auch uns selbst als ewig (sed nos quoque reddit aeternos). Die Annahme der Sterblichkeit überwindet im heiligen Tausch den Tod und gibt uns sterblichen Menschen Anteil an der Ewigkeit. Vgl. die Rede vom »wunderbaren Tausch« auch im Gabengebet. Bezüglich der historischen und theologischen Bedeutung dieses Gedankens ist die Arbeit von Herz, Sacrum commercium, eine reine Fundgrube. – Wenn die Gebetslyrik einen solchen Vergleich aus der Alltagserfahrung aufnimmt, nimmt sie zugleich eine Metaphorisierung dieser Sprache vor. Das Entscheidende ist nicht, daß da ein *Geschäft* stattfindet, in dem gefeilscht und gehandelt wird, sondern *welches* Geschäft da stattfindet, daß nämlich der schuldenverstrickte Käufer an einen Verkäufer gerät, der großzügig austeilt, ja im Grunde an seinem ganzen Unternehmen Anteil gibt. Der Schöpfer betreibt das Geschäft der Wiederherstellung und dafür ist ihm kein Preis zu hoch. Den Preis, den wir zu zahlen hätten, zahlt der eine, der sich in die Mitte zwischen Käufer und Verkäufer begeben hat. Die Metapher macht auch deutlich, daß «Erlösung» etwas mit Eigentumsverhältnissen zu tun hat. Darauf hat H. Blumenberg aufmerksam gemacht (Matthäuspassion 51–59). Zu den Bedenken, die schon Leo der Große gegen die Verwendung des Wortes »Geschäft« (commercium) hat, vgl. Herz, Sacrum commercium 96 f.

ken, das trotz aller Unbegreiflichkeit ergreift. Es ist gewiß die hochheilige Nacht, in der Maria den Erlöser der Welt geboren *hat* (wie es im Proprium des Zweiten und Dritten Eucharistiegebets heißt). Aber die Eucharistie »erzählt« zugleich in der aktualisierenden Mahlfeier von jener Nacht, in der Jesus verraten wurde, und sie schlägt von da aus noch einmal den Bogen herein in diese Nacht, in der die Gemeinde hören darf: »Das ist mein Leib für euch« – »Das ist das Blut des neuen Bundes«. Auch an Weihnachten gibt es keine billigere Gnade als die aus dem Leiden des Eingeborenen kommende. Die Eucharistie bündelt somit an Weihnachten das eine Mysterium von Geburt, Tod und Auferstehung Jesu und läßt gerade in der Offenbarungsstunde der Nacht auf die Ankunft ihres Messias warten.

Die christliche Liturgie feiert nicht im eigenen Namen. Sie feiert mit all den Ausdrucksformen von Sprache, Gestik und Musik Jesus von Nazareth, der uns so nahe geworden ist, daß er uns zu »berühren« vermag, nicht nur, um Nähe zu signalisieren, sondern um sich uns mitzuteilen. Er wird Gabe für uns, damit wir Gabe werden können für andere. Dies übersteigt jenes »Geschäft« des Geschenkaustausches, von dem sich sonst so viele Zeitgenossen berauschen lassen.

Die Welt mit den Augen, die vom neuen Licht erleuchtet sind, sehen können, heißt auch, sie menschlicher zu gestalten. Die Liturgie weiß gerade an Weihnachten, daß die Ekstase des Gefühls in die der Vernunft und darüber hinaus in die der Liebe (agape) münden muß, von der das Schlußgebet der Liturgie spricht:

»Da nobis, Domine,
Filii tui nativitatem laeta devotione colentibus,
huius arcana mysterii et plena fide cognoscere, et pleniore caritatis ardore diligere.«

(*»Herr, gib uns, die das Fest der Geburt deines Sohnes mit froher Hingabe feiern, das Arkane dieses Mysteriums mit vollem Glauben zu erkennen und mit noch vollerer Glut der Liebe zu lieben.«*)

Die Einheitsübersetzung interpretiert die Liebe als »tätige Liebe«, mit der sich der Glaube bekennt. Der lateinische Text spricht geradezu überschwenglich von »pleniore caritatis ardore diligere«. Hier geht es noch einmal um das volle Ergriffenwerden von einer entbrannten »agapē«, die das verborgene Geheimnis lieben läßt. Und zugleich geht es um eine »Erkenntnis« (Gnosis) des vollendeten Glaubens, angesichts dessen das Mysterium nicht aufgedeckt und insofern entmythologisiert wird, sondern Mysterium bleibt (arcana), vielleicht auch mit der Konnotation des Arkanen, daß man es nämlich nur denen anvertrauen darf, die sich danach sehnen. Denn alles, was stets in aller Öffentlichkeit gesprochen wird, nützt sich auch ab. Dies gilt gerade auch vom Weihnachtsmysterium, wie die Liturgie es vor Augen stellt.

Bleibt noch zu bemerken, daß die Liturgie noch zwei weitere Meßformulare aufweist, in denen stufenweise das Mysterium meditiert wird, bis hin zur *Messe »Am Tag«* mit dem Johannesprolog und dem Anfang des Hebräerbriefes, in dem noch einmal die große Kontinuität der Offenbarung, die im Sohn geschieht und die zur endzeitlichen Offenbarung drängt, ins Wort kommt. Joh 1,14 bietet in einem bekenntnishaften Kurzsatz im Rahmen eines großen Hymnus eine Kurzformel des gesamten christologischen und soteriologischen Mysteriums:

»Und das Wort ist Fleisch geworden und hat unter uns sein Zelt aufgeschlagen« (Joh 1,14).

Es würde zu weit führen, diesen Text hier auszulegen. Er hebt in wohl bewußtem Bezug mit dem »Im Anfang« von Gen 1 an und macht das ganze Schöpfungs- und Heilsgeschehen zu einem »Phänomen« der Offenlegung einer letzten Zuneigung des Schöpfers zu seiner Schöpfung. Die in den Lichtschein dessen gekommen sind, der inmitten der Finsternis wie ein Nomade sein Zelt aufschlägt und so wie JHWH im Tempel nahe sein will, können von sich sagen:

»Wir haben seine Herrlichkeit gesehen« (Joh 1,14b).

Das Evangelium weiß, daß diese Schau der Herrlichkeit des Eingeborenen gar nicht möglich ist, ohne die Erhöhung am Kreuz mitanzuschauen. Nein, die Gabe, um die es der Liturgie an Weihnachten geht, ist kein billiges Geschenk.

Ich will nicht schließen, ohne noch kurz auf die *Vesperantiphon zur Zweiten Weihnachtsvesper* hinzuweisen (die ich schon einmal erwähnt habe):

Hodie Christus natus est; hodie salvator apparuit; hodie in terra canunt angeli, laetantur archangeli; hodie exsultant iusti, dicentes: Gloria in excelsis Deo, alleluia.

(»*Heute ist Christus geboren worden; heute ist der Erlöser erschienen; heute singen die Engel auf Erden, freuen sich die Erzengel; heute tanzen die Gerechten vor Freude, sprechend: Ehre in den Höhen Gott, alleluia.*«)
Der Text schaut auf Geburt und Erscheinung zurück und wechselt unversehens ins Präsens. Die Engel singen heute, die Gerechten tanzen heute vor Freude. Noch einmal klingt das *Heute* des Mysteriums nach, in dem die fließende Zeit durchbrochen wird, die neue Zeit des Heute, der Stundenschlag des Heiles für alle Völker beginnt und gerade so der Lichtglanz (kabod) Gottes auf diese Welt fällt, die dann zu seiner Verherrlichung das Magnificat als weihnachtliches Befreiungslied singt.

Rückschauend läßt sich sagen: In der Weihnachtsliturgie erhält ohne Zweifel die klassische Inkarnationschristologie einen bemerkenswerten ästhetischen Ausdruck. Andererseits kann aber nicht gesagt werden, daß die Art und Weise der ästhetischen Präsentation ein für allemal abgeschlossen und für eine »Christologie von unten« in dieser Liturgie kein Raum sei. Vielleicht bieten sich am ehesten Ansatzpunkte dafür, wo die Liturgie Befreiungschristologie laut werden läßt und so zu einer Mystik der Nachfolge und der politischen Verantwortung anleitet. Die Sehnsucht nach dem unendlichen Mysterium, die in der Weihnachtsliturgie so sehr dominiert, könnte durchaus in eine Christologie münden, für die das Wort »Gott« »das letzte Wort vor dem Verstummen« (K. Rahner) ist, wenn dieses Verstummen nicht bedeutet, ich könnte mich dem nicht ausgesuchten Nächsten entziehen, wann immer er meiner bedarf. Für die Menschen, die noch Ausschau halten nach einem absoluten Heilbringer, der nicht nur Bedürfnisse befriedigt, sondern Sehnsucht erweckt, die sich in der liebenden Zuwendung zur Welt konkretisiert, könnte Weihnachten durchaus das Fest der Menschenwürde werden, ohne es im Geringsten seines christologischen Mysteriums zu entledigen.[114]

---

[114] Vgl. K. Rahner, Grundkurs des Glaubens 206–26 (Theologie der Menschwerdung); 291–95 (Christologie von unten). Vgl. 56 (»Gott..., das letzte Wort vor dem Verstummen«). Meine einschränkende Bemerkung geht in die Richtung, daß eine Mystik der Inkarnation nicht ein Abdriften in die Ekstase im Sinne des Außer-der-Welt-Seins anvisieren darf, sondern eine Ekstase der Nähe zu dieser Welt, zumal zur Nähe des nicht ausgesuchten Nächsten, suchen muß. Die Liturgie des Mahles weist immer wieder in diese Transzendenz ein.

4
Einblick in die Christologie
der liturgischen Glaubensbekenntnisse

Wo der Glaube in die kommunizierbare Sprache drängt, steht das Bekenntnis des Glaubens, das voreinander abgelegt und miteinander gesprochen werden kann. Der Glaube erhält »Symbol«-Gestalt, drängt auf Mitteilbarkeit und Verstehbarkeit, will zu einem Erkennungszeichen der Zusammengehörigkeit und Einheit der Gemeinde werden. Der Glaube wird im Symbol zu einem Element liturgischer Literatur, die weniger auf das Lesen als auf das Sprechen angelegt ist. Wer dieses Bekenntnis »gelernt« hat, wer es »sagen« kann, setzt ein Zeichen seiner Kirchenzugehörigkeit. Im Bekenntnis geschieht der Überstieg von der literarischen Ästhetik zur kommunikativen Dimension der Sprache und ihrer mitteilbaren Inhalte. Die liturgische Sprache und Gestik, die zuerst Nähe und Berührung ist, drängt zum Gesagten, die Beziehung sucht ihren begründenden Inhalt. Gefühle der Überwältigung oder der Ohnmacht, die mit dem Widerfahrnis des Heiligen verbunden sein können, werden in ihrer Mitteilung zugleich bearbeitet. Aber wenn es um diesen Übergang zum »Gesagten« geht, ist wichtig zu sehen, daß das Gesagte im Sagen gründet, das Bekenntnis im Raum des Heiligen angesiedelt bleibt. Steht der Glaubende in einer ganz einzigartigen Beziehung zu Jesus, dem Christus, die alle Sprache übersteigt (fides qua), so verlangt doch die Gemeinschaft des Glaubens den mitteilbaren Glaubensausdruck (fides quae). Um *etwas* mitteilen zu können, muß ich schon zuvor Sprache mit anderen teilen. Um etwas zuletzt *nicht mehr Sagbares* dennoch zu sagen, muß die Sprache deformiert und re-formiert werden. Lyrik bewegt sich an der äußersten Grenze des Mitteilbaren, ist fast schon nur noch ein Lallen (wie Levinas von Celan sagt), bestimmt aber gerade so die Grenzen des Sagbaren neu. Die Sprache des Bekenntnisses hat noch etwas von der Qualität jener Sprache, die der Lyrik eigen ist. Sie schwebt gewissermaßen zwischen der Sprache der Mitteilung, des Sagbaren, und der Sprache, die aus dem Unsagbaren hereindrängt. Die Sprache der Bekenntnisse liegt zugleich an einer Schwelle. Sie spricht eine verstehbare Sprache einer Gemeinschaft, die schon ein wenig im Glauben »zuhause« ist, sich im Neuheitserlebnis des Glaubens schon ein wenig »gefangen« hat, die nun aber auch dieses Neuheitserlebnis zu einem gesellschaftlichen, ja politischen Phänomen erheben will und deshalb die Sprache der Mitteilung und – bald danach und darauf gründend – die Sprache des Diskurses sucht. Schon bei Justin († 165) will sich der Glaube als die bessere Philosophie verstehen. Solcher Glaube wagt es, in die öffentliche Debatte einer Zeit einzugreifen und kann deshalb nicht aufhören, immer wieder neu zu lernen, das Nicht-Mitteilbare, die Berührung durch die Transzendenz im Seelengrund, mitteilbar werden zu lassen.

Die Liturgie vollzieht diesen Übergang zur mitteilbaren Sprache natürlich nicht nur im Glaubensbekenntnis, das sie an einer bestimmten Stelle, nämlich gegen Ende der Wortfeier miteinander spricht oder singt. Viele Bekenntniselemente standen auch in den bisherigen Analysen schon vor Augen. Dennoch macht das formelle Glaubensbekenntnis vollends bewußt, daß hier nicht mehr eine Ästhetik der Bitte, des Dankes oder auch des erzählenden Gedenkens vorherrscht, sondern – wie ich nun sagen möchte – eine *Ästhetik des Bekenntnisses*. In der römischen Liturgie der Eucharistiefeier sind heute mehr oder weniger zwei Texte von Bedeutung: das Apostolische Glaubensbekenntnis und das Nizäno-Konstantinopolitanum (oder kurz das Große Glaubensbekenntnis). Das Apostolische Glaubensbekenntnis ist von seiner Entstehung und seiner Wirkungsgeschichte her ein westlicher Text aus der Taufpraxis der römischen Gemeinde. Er ist ein »Gebrauchstext«, der es nie nötig hatte, offiziell rezipiert zu werden. Die christologischen Partien des Großen Glaubensbekenntnisses gehen bekanntermaßen auf das Konzil von Nizäa (325) zurück. Dieses Bekenntnis verbindet – bis auf das »filioque« – bis heute Ost und West.

Es ist wichtig zu wissen, daß die Bekenntnistexte nicht für eine Dogmatik geschrieben sind, sondern für die Gemeinden. Deshalb erheben sie Anspruch auf Verstehbarkeit und Verwendbarkeit in der Praxis der Taufe und der Eucharistiefeier. Auch der Text von Nizäa kommt aus der gemeindlichen Bekenntnistradition und wurde auf dem ersten Ökumenischen Konzil hochoffiziell proklamiert, damit die Gemeinden ein »Symbol« des mitteilbaren Glaubens und der erkennbaren Gemeinschaft hätten. Er erhält zugleich Gesetzescharakter und wird so ein politisch relevanter Text in der Kirche, die inzwischen zur anerkannten staatstragenden Kraft geworden ist. Schließlich war es Kaiser Konstantin selbst, der 325 die Versammlung von Nizäa leitete und darauf bedacht war, den Weg der »religio licita« als einer öffentlichen Einrichtung nicht in einem gravierenden Dissens beginnen zu lassen.

Das Römische Taufbekenntnis (Apostolicum)[1]

Nach J. N. D. Kelly ist das römische Glaubensbekenntnis aus drei Fragestellungen entstanden, die an den Täufling gerichtet wurden.[2] Sie reichen in ihrer Wirkungsgeschichte herein bis in unsere heutige Taufliturgie. In der Hippolyt-Version (um 215) lauten sie:

1. *Glaubst du an Gott, den Vater und Allherrschenden*
   (Pantokrator)?
2. *Glaubst du an Christus Jesus,*
         den Sohn Gottes
         den durch den heiligen Geist
              und aus Maria, der Jungfrau, Geborenen
              (Gezeugten),
         den unter Pontius Pilatus ans Kreuz Gehängten,
         den Gestorbenen und am dritten Tag lebendig
              Auferstandenen,
         den in die Himmel Hinaufgegangenen
         und den zur Rechten des Vaters Sitzenden,
         den Kommenden zu richten die Lebenden und
              die Toten
3. *Glaubst du an den Heiligen Geist in der heiligen Gemeinde?*[3]

---

[1] Da es mir in den folgenden Analysen vor allem auf die Wahrnehmung der ästhetischen Qualität der christologischen Partien des Bekenntnisses ankommt, verweise ich bezüglich vieler Einzelfragen und Vertiefungsmöglichkeiten auf Th. Schneider, Was wir glauben. Eine Auslegung des Apostolischen Glaubensbekenntnisses. Düsseldorf 1985.

[2] J. N. D. Kelly, Altchristliche Glaubensbekenntnisse. Geschichte und Theologie. Göttingen 1972.

[3] Kelly 95. 116 f. Hier eigene Übersetzung nach der griechischen Version. Auf die

Eine genauere Textgeschichte könnte zeigen, daß der Grundbestand dieser Fragen in das »deklaratorische« Taufbekenntnis der römischen Gemeinde eingegangen ist, dessen Endredaktion mit großer Wahrscheinlichkeit im heutigen Südfrankreich im 6./7. Jh. erreicht ist. Wir nennen dieses Bekenntnis das »Apostolische Glaubensbekenntnis«.[4]

Der Taufdialog, aus dem das Bekenntnis hervorgeht, ist eingebunden in den Taufunterricht der Gemeinde, der zur Zeit des Hippolyt drei Jahre dauerte und der in Alexandrien *vor* der Taufe in einer Einweisung in die christliche Lebensform (Ethos), nach der Taufe erst in der Einweisung in die »Gnosis« des Glaubens bestand, wie aus Clemens v. A. hervorgeht.[5]

Was in diesem Zusammenhang interessiert, ist natürlich die christologische Klausel des Bekenntnisses. Man muß sie von der ganzheitlichen Struktur des Textes her lesen. Wichtig scheint mir, daß das Ich des Glaubens einen Akt des Vertrauens, des Sich-Einlassens vollzieht, durch den es einerseits völlig unvertauschbar »dasteht« und im Präsens sagt: »Ich glaube«. Aber das Ich spricht nicht schöpferisch aus sich selbst, sondern gibt Antwort auf die gestellten Fragen, mit denen die Gemeinde als Fragende dem Ich gegenübertritt, so daß das Ja des Glaubens auch eine Aufnahme in die Gemeinde zur Folge hat. Einerseits ist somit das Bekenntnis eine Vor-Gabe der Gemeinde, andererseits lebt es nur dadurch weiter, daß es vom einzelnen übernommen und sich zueigen gemacht wird. »Ich glaube jetzt, ich lasse mich von jetzt an darauf ein...« Dabei ist zu beachten, daß der Glaube nach E. Levinas nicht einfach Frucht eines Dialogs zwischen einzelnen und Gemeinde ist, sondern sehr viel tiefer gründet, nämlich im *»‹sieh mich, hier bin ich›, das ich zum Nächsten sage, dem ich ausgeliefert bin.«*[6] Vielleicht ist dies der tiefere Grund, warum

---

Schwierigkeiten der Zuordnung und Überlieferung des Hippolyt-Textcorpus kann ich hier nicht eingehen.

[4] Der Name verweist zunächst auf Alter und Ansehen: hier ist apostolische Tradition am Werk. Die historische Rückführung auf die Apostel ist natürlich längst aufgegeben worden. Dennoch spricht die schöne Legende, wonach jeder Apostel einen Satz formuliert hat, auf ihre Weise für das hohe Ansehen, das dieses Bekenntnis in der Westlichen Kirche erlangte. Vgl. Kelly 9–14.

[5] Vgl. A. Knauber, Ein frühchristliches Handbuch katechumenaler Glaubensinitiation: Der Paidagogos des Clemens von Alexandrien. In: MThZ 23 (1972) 311–34.

[6] E. Levinas, Gott und die Philosophie 81–123, hier 118.

das Bekenntnis nicht einfach eine »abgemachte Formel« ist, sondern eine tiefere Verankerung sucht, und warum überall der Verdacht auf Bevormundung im Glauben entsteht, wo im Bekenntnis nur noch das Abgemachte oder gar nur (von oben her) Aufgedrängte gesehen wird. In Wirklichkeit setzt das Bekenntnis bei einer Herausforderung ein, in der das Ich sich loslassen soll. Das Ich, das in das Bekenntnis der Gemeinde einstimmt, weiß sich »namentlich« zum Glauben aufgerufen. Dem Anfang des Glaubens (als »fides qua«) gegenüber wird alles Gesagte sekundär, wenn auch nicht überflüssig.

Die Konstitution des Glaubens im »Ich glaube an« könnte das glaubenswillige Subjekt der illusionären Einsamkeit ausliefern, wenn es sich nicht unter das Joch der Besprechbarkeit der letzten Sehnsüchte begäbe. Aber die Besprechbarkeit würde zu einer innerweltlichen Theorie des Glaubens verkommen, wenn sie nicht von der Transzendenz des Glaubensaktes geprägt bliebe. Indem der Glaubende den Glauben der Gemeinde mit-spricht, vertraut er sich dieser Gemeinschaft auch an und trägt zugleich als einzelner diesen Glauben der Gemeinschaft mit und weiter.

So drückt sich der Glaube schließlich in einem literarischen Fragment aus, das wir *Symbol* nennen. Wir haben damit buchstäblich nur das Bruchstück des Glaubens in Händen. Die Übereignung in den Tod und in die Auferstehung Jesu erlangt im Taufgeschehen in der Gestik des Unter- und Auftauchens ihren ästhetisch-gestischen Ausdruck, der bis heute mit dem performativen Sprechakt »Ich taufe dich...« verbunden ist. Weil die Gemeinde der Ort des Heiligen Geistes ist, partizipiert das Bekenntnis über den Buchstaben hinaus an dessen lebensspendender Kraft.[7] Es wird in der Entwicklung der Taufliturgie bereits vor der Taufe in der deklaratorischen Form übergeben. Als solches ist es aus den drei Fragen entstanden.

In der zweiten Tauffrage wird der Täufling nach seiner persönlichen Einstellung zu Jesus Christus gefragt. Der Name Jesus be-

---

[7] Im Gespräch hat mich B. Studer aufmerksam gemacht, daß es auch im Kontext der Taufliturgie patristische Zeugnisse für eine »Epiklese«, d. h. eine Herabrufung des Heiligen Geistes auf die Täuflinge gibt. Die heute noch geläufige Taufepiklese ist die Herabrufung des Geistes auf das Taufwasser in der Osternacht. Jedenfalls zeigt die Herabrufung der lebensspendenden »ruah« erneut, daß die Gemeinde als Bittende sich für das Widerfahrnis der Transzendenz offenhält.

gleitet dabei alle christologischen Titel, mit denen der Glaubende bekennt, wer dieser Jesus für ihn ist. Alles Bekenntnis und alle daraus entwickelte Christologie, die nicht auf Jesus und seine Unverwechselbarkeit zurückführten, würden nur anthropologische Kategorien an Jesus herantragen, statt sie an seiner Individualität zerschellen zu lassen. Mit den Titeln »Sohn Gottes« und »Christus« ist es dem Bekenntnis nicht genug. Es folgt eine ganz und gar narrative Klausel von hoher sprachlicher Prägnanz, mit der der Eigenname Jesus und die an ihn gebundenen Prädikationen näherhin umschrieben werden. Dies erfolgt bezeichnenderweise in drei Aussagen des grammatikalischen Passivs/Medials und des dreimaligen Aktivs:

empfangen durch (conceptus de) – geboren aus (natus ex) – gelitten unter (passus sub);

gekreuzigt – gestorben – und begraben (crucifixus – mortuus – et sepultus);

hinabgestiegen zu (descendit ad) – auferstanden von (resurrexit a) – hinaufgestiegen zu (ascendit ad)

er sitzt zu (sedet ad)

er wird kommen (zu richten) (venturus est [iudicare]).

Hier wird eine narrative Sprache vorgeführt, die nach Rhythmus und Klang – wie viele andere liturgische Texte – als gestaltete Prosa poetisch wirkt. Der Glaubende durchschreitet in seiner Vorstellung die Räume »Himmel«, »Erde«, »Unterwelt«, sowie die Zeiten: das einmalig Vergangene der Passiva und das einmalig Vergangene des Durchbruchs. Es entsteht der Eindruck, die Stadien würden nicht einfach hintereinander durchschritten, sondern ineinander verwoben: Empfängnis, Geburt und Leiden werden vertieft durch »gekreuzigt«, »gestorben« und »begraben« und kontrapunktiert durch »er stieg hinab«, »erstand«, »er stieg auf«. Dadurch entsteht der Eindruck von einer Lebensgeschichte, die »erzählt« wird und die offensichtlich in verschiedene Dimensionen hineinreicht, auf verschiedenen Ebenen der Wirklichkeit spielt. Da ist die Ebene der Welt, in der einer »behandelt« wird, und die Ebene der Unter- und Überwelt, in der dieser so Behandelte eine aktive »Rolle« übernimmt. Wo *wir* Leben ansetzen, kommt *er* zu Tode, wo *wir* den Tod wähnen, bricht *er* zum Leben durch. Das Ich des Glaubens, das dieser Geschichte »gedenkt«, interpretiert sie als Durchbruchsgeschichte zum Leben mit gravierenden Konsequenzen für alle Lebenden und Toten. So kommt die christologische Klausel zu ihrem Höhepunkt, wo der Glaubende das Präsens »er sitzt (jetzt)« (sedet) in den Mund nimmt und sich in diesem Augenblick zeitgleich mit dem weiß, an den der Glaube glaubt. Es ist, als würde sich für den Glaubenden der Himmel öffnen (oder auch der Himmel sich auf ihn herabsenken), so daß er den Auferstandenen als den »Eingesetzten« erkennt. Hier prognostiziert der Glaubende zugleich eine einzige futurische Aussage: Dieser wird kommen zum Gericht über Lebende und Tote. Mit zwei Wörtern im Akkusativ, die das Richten betreffen – zu richten Lebende und Tote –, wird eine ganze Geschichtschristologie aufgerissen: Nicht nur die letzte Generation der Lebenden wird gerichtet bzw. gerettet werden, sondern alle Generationen der Toten. Seit Walter Benjamin verstehen wir besser, daß Hoffnung für die Lebenden und Toten gar nicht artikuliert werden könnte, ohne damit die Gottesfrage zu stellen, die mit der Frage nach eschatologischer Gerechtigkeit engstens zusammenhängt.

Natürlich wirft gerade die christologische Klausel des Apostolikums die Frage nach der möglichen »Entmythologisierung« auf. Sie beginnt häufig mit der Existentialisierung der Raum-Zeit-Kategorien und endet bei der Anthropologisierung des gesamten Bekenntnisses. Inzwischen ist uns aber bewußter geworden, daß es eine gefährliche Vereinfachung wäre, wenn man die Zeit- und Raumkategorien einfach eliminieren würde. Wir müssen sie vielmehr ernstnehmen und zugleich deuten. Für die Glaubenden ist Gott in seinem Sohn ein Vorübergegangener. Vorübergegangen, indem er in die »Todesfuge« geraten ist, die ihn in die völlige Passivität führte. Nur in den Kategorien der Erinnerung kann seiner gedacht, von ihm erzählt werden. Der Glaube tut dies. Aber der Glaubende erzählt nicht nur Einmalig-Vergangenes. Er öffnet sich auch einer Gegenwart, wenngleich diese seine eigene Geistesgegenwart sprengt: es geht um die Gegenwart des Himmels, wo der Gekreuzigt-Auferstandene jetzt »zur Rechten Gottes (sitzt)«. Bleibt aber der Glaube nicht genau hier den Beweis schuldig? Das Vergangene nicht mehr vergegenwärtigen zu können, mag ein allgemeines Gesetz sein. Wie aber, wenn die ausgesagte Gegenwart eine Gegenwart nicht auf Erden, sondern »im Himmel« ist? Kann mir jemand gegenwärtig sein, der »oben« sitzt?

Offensichtlich muß hier die Vorstellung des Räumlichen doch überwunden werden. Aber wohin? Die Umkehrung von Erniedrigung in Erhöhung hat zur Konsequenz das noch ausstehende Gericht. In der Gegenwart dieses Vorübergegangenen leben heißt, der Anklage ausgesetzt bleiben, die durch keinerlei Selbstrechtfertigung vorweggenommen werden kann. Genau dies aber zerreißt das Bewußtsein der Glaubenden, das sonst so sehr auf Übereinstimmung mit sich selbst aus ist. Alle Abgründe und alle Sternstunden der menschlichen Geschichte sind dem messianischen Gericht unterstellt. Ob wir bestehen werden können? Wenngleich das Apostolicum keinerlei Aussage »um unsres Heiles willen« (propter nostram salutem) macht, scheint es doch implizit *soteriologisch* orientiert zu sein. Es stellt das Gericht über Lebende und Tote als die alles entscheidende »Krisis« an das Ende der christologischen Klausel. Von ihr aus fällt Licht auf die gesamte Christologie im Passiv und Aktiv. Sie zielt auf Gericht und mögliche Rettung. Zukunft, das ist hier nicht zuerst die noch ausstehende Zeit im Zeitkontinuum. Zukunft bedeutet hier die Unmöglichkeit einer Selbstrechtfertigung. Das Subjekt des Glaubens kann sich nicht selbst retten, wie es sich selbst auch nicht rechtfertigen kann; es kann aber auch die Toten nicht erwecken. So stehen die Glaubenden ähnlich wie die Bittenden in einen Zeit-Raum hinein, über den sie nicht verfügen können. Das Ich des Glaubens vermag zwar eine Vorstellung zu haben, die »repräsentiert« und »prognostiziert«, aber es steht nicht in seiner Macht, das Vergangene oder das Zukünftige kraft seiner Imagination zu vergegenwärtigen. Insofern ist der Glaubensakt kein Akt der selbstmächtigen Vergegenwärtigung und des Verlasses auf sich selbst, sondern ein Weg ohne Rückkehr, ein »Aus-sich-Herausgehen des Ich ohne Ende«.[8] Man könnte auch sagen: Das Ich des Glaubens ist von der absoluten Transzendenz berührt worden.

Am Schema der Raum-Zeit-Struktur kann klar werden, daß das Wort »ich glaube« nicht ersetzt werden kann durch »ich weiß, daß«. Ein wissendes Ich würde nämlich kraft seiner Vorstellung Vergangenes und Zukünftiges rememorativ und prognostisch in den Akt der Ich-Konstitution aufnehmen und gerade so den An-

---

[8] Jüngel, Gott als Geheimnis der Welt 224.

schein erwecken, mächtig zu sein, Vergangenes und Zukünftiges durch Vergegenwärtigung zu retten bzw. vorwegzunehmen. Im Akt des Glaubens läßt sich das Ich jedoch auf diese Wirklichkeit ein, ohne ihrer selbst mächtig zu sein. Glaube wird so zu einem Grundakt des Vertrauens, in dem das Ich seine Allmachtsträume zurücknimmt. In den Passiva der christologischen Klausel wird auch das von Levinas so genannte «passive Bewußtsein», das auch den Glaubenden bestimmt, offengelegt. Während ich schreibe und denke – zwei Aktiva –, werde ich älter ohne mein Zutun. Nicht einmal mein Protest könnte daran etwas ändern. Wer zuletzt das Urteil über sich selbst aus der Hand gibt, wie es der Glaubende im Bekenntnis versucht, der ahnt die Bedeutung des passiven Bewußtseins, von dem der Akt des Glaubens nicht wenig bestimmt ist. Auch dem Glaubenden wird die tiefste Tiefe der Todesnacht (sepultus) nicht erspart bleiben, er wird – nach dem oben besprochenen Karsamstagsgebet – zum »Mitbegrabenen« (consepultus). Der Glaube gerät bis zum äußersten Nicht-mehr-können-*können*, zum Gericht. Die Stunde des Gerichts durchbricht alle Versuche einer Ich-Konstitution durch Selbstrechtfertigung. Daß die Stunde des Gerichts mit der des individuellen Todes zusammenfällt, sagt das Bekenntnis nicht. Es hat das eschatologisch-universale Gericht vor Augen. Sofern man aber Jesu Weg mit der Vorstellung eines Gerichtsprozesses in Verbindung bringen will, könnte man auch vom Glaubenden sagen, der Prozeß sei sein Leben und Sterben, in dem alle Allmachtsträume des Ich der göttlichen Beurteilung unterliegen. Der Umbruch vom Passiv ins Aktiv in der christologisch-narrativen Klausel gibt auch den Glaubenden die Zuversicht, daß der Erniedrigung bis in die tiefsten Abgründe die Erhöhung folgt. Der zum Gericht Kommende will der »Heiland« bleiben, der er war. Angst wäre deshalb ein unzureichender Beweggrund zum Glauben. – Bleibt noch zu bemerken, daß schon die Weise der Gegenwart des Vorübergegangenen in der Gemeinde nicht auf der schöpferischen Glaubensimagination beruht, sondern auf der Kraft des schöpferischen Geistes. Er ist die Kraft der Erinnerung und der Hoffnung in der Gemeinschaft derer, die an den heiligen Mysterien teilnehmen und so zu einer Gemeinschaft der Glaubenden werden.[9]

---

[9] Die Auslegung von »communio sanctorum« in diesem doppelten Sinn der Teil-

Die Bedeutung des Bekenntnistextes von Nizäa (325) hängt ohne Zweifel mehr an seiner Wirkungsgeschichte als an der Geschichte seiner Entstehung. Das Nizänische Bekenntnis findet Eingang in das Konzil von Konstantinopel und erfährt dort seine bedeutsame pneumatologische Erweiterung. Es wird erneut gelesen im Konzil von Chalkedon und bildet bis heute die Grundlage der großen Glaubensgemeinschaften der Ökumene.[10] Die folgende kurze Interpretation bemüht sich um die Herausstellung der Raum-Zeit-Struktur, mit der die christologischen Aussagen verwoben sind.

Zunächst fällt auf, daß im Nizänum alle Verben auf den »Sohn« bezogen sind, wenn man von dem »wir glauben an« (pisteuomen eis) absieht, womit das Bekenntnis einsetzt und wodurch es zusammengehalten wird. Es ist hier ein »Wir« des Glaubens, kein »Ich« wie im Apostolicum. Nicht der einzelne antwortet auf die Fragen der Gemeinde und übernimmt ihren Glauben, sondern die Gemeinschaft selbst bringt ihren Glauben zum Ausdruck, sagt ihn gleichsam öffentlich an. Zugleich erhält dieser gemeinsam bekannte Glaube eine Funktion im Gemeinwesen. Er trägt buchstäblich zu diesem Gemeinwesen bei, nachdem die Götter in den Tempeln mehr oder weniger gestürzt sind. Im Apostolicum hat sich gezeigt, daß alle Dimensionen des Raumes und dessen Transzendenz nach oben und unten in das Bekenntnis einbezogen werden. Im Nizänum wird, so könnte man sagen, ein kosmischer Tempel errichtet, in dem sich das ganze Heilsgeschehen abspielt. Auffälligerweise fehlt jedoch die »Unterwelt«, die im Apostolicum von solcher Bedeutung ist.

Einer der gravierendsten Unterschiede zum römischen Bekenntnis in der Christologie des Nizänums ist die schöpfungstheologische Verankerung der Christologie, in deren Konsequenz die Aussage vom Gezeugtsein vor aller Schöpfung gemacht wird.

---

nahme am Heiligen (= an den Mysterien oder Sakramenten der Kirche) und der Gemeinschaft der Heiligen hat sich weitgehend durchgesetzt.

[10] Vgl. T. F. Torrance, Homoousion, in: EvTh 43 (1983) 16–25. Vgl. Ders., Hg., The Incarnation. Ecumenical Studies in the Nicene-Constantinopolitan Creed. Edinburgh 1981. Vgl. ebd. den Diskussionsbeitrag von A. M. Ritter, 26–28 (und zwei weitere Diskussionsbeiträge).

Denn vom »einen Herrn (Kyrios) Jesus Christus«, dem »(eingeborenen)[11] Sohn Gottes«, werden Vergangenheitsaussagen gemacht, die vergangener sind als alle geschöpfliche Vergangenheit: »*aus dem Vater geboren vor aller Zeit*«, »*gezeugt, nicht geschaffen*«. Man könnte diese Zeit die unvordenkliche Vergangenheit des Sohnes nennen. Die grammatikalische Form der Verben
zeigt zwar diese Vorvergangenheit nicht etwa im Plusquamper-
fekt an, aber es ist aus der Abfolge des Textes doch klar, daß die
Aussage »durch ihn ist alles geschaffen« der Zeugung folgt, dem
sich dann »er ist vom Himmel gekommen« mit den übrigen erzählenden Elementen anschließt, bis auch hier die präsentische
Aussage »er sitzt« (sedet) und das futurische »er wird kommen«
(venturus est) die christologische Passage mit der Prognose »seines Reiches wird kein Ende sein« zum Abschluß bringt.
Der Ausdruck »durch ihn ist alles geschaffen« (di hou ta panta
egeneto) fällt dabei als nicht-partizipiale Konstruktion aus dem
Rahmen. Der Sohn ist nicht geworden, wie alle Schöpfung, sondern er ist gezeugt (agenētos/vgl. egeneto/gennēthenta)[12] vor
aller Schöpfung. Ja, die vorgeschöpfliche Zeugung des Sohnes
wird zur Voraussetzung dafür, daß die Schöpfung durch ihn geschaffen wird, wenngleich das Bekenntnis zuvor sagen kann, der
Vater sei der Schöpfer[13] aller sichtbaren und unsichtbaren
Dinge. Letzteres war auch bei den Arianern nicht umstritten. Be-
hauptet wurde von ihnen aber, daß der Sohn – als der Logos –
selbst Geschöpf sei. Durch eine Reihe von Umschreibungen ver-

---

[11] Dieses Wort wird in Konstantinopel 381 an diese Stelle gesetzt. In Nizäa stand es
bei dem Ausdruck »geboren aus dem Vater als Eingeborener« (gennēthenta ek
tou patros monogenē). Vgl. DS 125 und 150. Zum Konzil von Konstantinopel
vgl. K. Lehmann/W. Pannenberg, Hg., Glaubensbekenntnis und Kirchengemeinschaft. Das Modell des Konzils von Konstantinopel (381). Freiburg-Göttingen 1982.

[12] Vgl. Grillmeier, Jesus der Christus im Glauben der Kirche. Bd 1. Von der Apostolischen Zeit bis zum Konzil von Chalkedon (451). Freiburg-Basel-Wien 1979,
407. Zu verweisen ist auf die gesamte Darstellung der Arianischen Lehre und der
Position des Konzils von Nizäa (356–413). Die strenge Unterscheidung in der
Schreibweise wird sich erst mit Athanasius durchsetzen (ebd.).

[13] Das griechische Wort »poiētēs« heißt eigentlich »Macher«, könnte für unsere
Ohren aber auch ästhetische Konnotation erhalten: Gott, der »Poet« der Welt,
wie ihn Whitehead einmal genannt hat. Vgl. A. N. Whitehead, Prozeß und Realität. Frankfurt/M. 1984, 618. »Er [Gott] schafft die Welt nicht, er rettet sie;
oder, genauer: Er ist der Poet der Welt, leitet sie mit zärtlicher Geduld durch
seine Vision von der Wahrheit, Schönheit und Güte.«

deutlicht der Text gegen Arius: Dieser Sohn-Schöpfer steht als »Gott von Gott, Licht vom Licht, wahrer Gott vom wahren Gott« mit dem Vater-Schöpfer auf gleicher Ebene.

Die Reihe mündet in die prägnante Formulierung: »gezeugt, nicht geschaffen« (genitum non factum). Eine vergleichbare Formulierung findet sich im Apostolicum nicht. Was wird mit diesen zwei Wörtchen im Bekenntnis denn sagbar? Die Arianer hatten sich ein Heraustreten des einen Gottes aus sich selbst nur durch die Erschaffung des Sohn-Logos vorstellen können, der dann zum weiteren Schöpfungsmittler werden sollte.[14] Nur auf diese Weise, so glaubten sie, sei die Monarchie des Vaters und dessen Leidensenthobenheit zu retten.

So prägnant die im Bekenntnis verwendete Formel »genitum non factum« wirkt, so rätselhaft erscheint sie, wenn man fragt, was damit inhaltlich gesagt werden kann. Mit dem Zusatz »vor aller Zeit« (pro aionōn/ante omnia saecula) gibt das Bekenntnis aber selbst einen Impuls. Die sprachlichen Formulierungen dürfen nicht zeitlich-geschichtlich gelesen werden, sie betreffen eine Vor-Zeit. Wie aber vermögen wir als begrenzte Menschen mit begrenzten Lebenszeiten und eingefügt in einen evolutiven Kosmos über die Zeit hinaus zu denken? Beginnt nicht spätestens hier die allmächtige Phantasie, die sich einbildet, alles überblicken zu können? Der so harmlos wirkende Zeitindex »vor aller Zeit« wird zur Crux oder zum Schlüssel der gesamten nizänischen Christologie. An keiner Stelle muß so sehr darauf geachtet werden wie hier, daß die Glaubenssprache sofort zur »Verhexung« des Verstandes wird, wenn man ihren analogen

---

[14] Vgl. Das Glaubensbekenntnis des Arius und seiner Gefährten: »*Vielmehr, sagen wir, ist er (sc. der Sohn) durch den Willen Gottes vor Zeiten und Äonen geschaffen worden und hat vom Vater Leben, Sein und Herrlichkeit (doxai) empfangen, welche der Vater gleichzeitig mit ihm hat ins Dasein treten lassen. Denn der Vater hat sich, als er ihm alles zum Erbe gab, nicht selbst dessen beraubt, was er ohne Werden in sich trägt; ist er doch die Quelle allen Seins. Folglich gibt es drei Hypostasen. Und zwar ist Gott, sofern er Grund allen Seins ist, absolut allein (monōtatos) ursprungslos. Der Sohn, erzeugt vom Vater außerhalb der Zeit (achronōs), geschaffen und konstituiert vor allen Äonen, war nicht, bevor er erzeugt ward; aber er allein ist, als außerhalb der Zeit [und] vor allen [anderen Geschöpfen] erzeugt, vom Vater [selbst] ins Dasein gebracht. Er ist weder ewig noch gleichewig mit dem Vater, noch teilt er mit ihm das Ungezeugtsein (oude ... estin ... synagennētos tō patrí) ...*« Text bei A. M. Ritter, Alte Kirche. Kirchen- und Theologiegeschichte in Quellen I. Neukirchen-Vluyn 1977, Nr. 54b.

bzw. metaphorischen Charakter nicht beachtet. Nur als tastende Versuche der Spracherweiterung können Formulierungen, die eine Zeit vor allem Anfang der Zeit und somit auch vor allem Anfang geschöpflichen Bewußtseins betreffen, gewagt werden, die nicht von vorneherein dem Verdacht der Scheinhaftigkeit unterliegen. Ein Verständnis der im Bekenntnis verwendeten Sprache, die innerweltlich der Beschreibung von Zeugung und Geburt dient, ist nur möglich, wenn die Regeln des analogen Sprechens nach Proportionalitäten Beachtung finden.[15] E. Drewermann hat in seinen trinitätstheologischen Überlegungen vorgeschlagen, man müsse, um hier überhaupt weiterzukommen, zunächst zu den religionsgeschichtlichen, d.h. vor allem ägyptischen Ausgangspunkten von Zeugung und jungfräulicher Geburt zurückkehren. Auf diese Art könne dann zunächst gesichert werden, daß die Vorstellung einer mutterlosen Zeugung und somit auch alle frauenfeindlichen Aspekte der Trinitätslehre überwunden würden.[16] Das Problem, das damit aufgeworfen ist, muß ohne Zweifel ernst genommen werden. Die Lösung suche ich aber in anderer Richtung. So müßte etwa zunächst gezeigt werden, daß nicht nur der Glaube, sondern jedes Bewußtsein von einem »ante omnia saecula« bestimmt ist. Unser Bewußtsein erwacht, wie Levinas wiederholt gezeigt hat, mit einem Trauma, den eigenen Anfang nicht konstituiert zu haben. Im »passiven Bewußtsein« ereignet sich das Widerfahrnis, vor allem Fragen schon gefragt zu sein. Ich sehe mich herausgefor-

---

[15] Eine der Regeln besagt, daß beim Vergleich ähnlicher Verhältnispaare nicht die einzelnen Elemene miteinander verglichen werden dürfen, sondern nur die Verhältnispaare selbst. So schon in der Mathematik: $1:2 \doteq 2:4$ macht ein Entsprechungsverhältnis der beiden Verhältnisse möglich, ohne daß gesagt werden könnte, die Zahl »eins« entspreche der Zahl »zwei«.

[16] Vgl. E. Drewermann, Religionsgeschichtliche und tiefenpsychologische Bemerkungen zur Triniätslehre. In: W. Breuning, Hg., Trinität. Freiburg-Basel-Wien 1984, 115–42. Vgl. die zusammenfassenden Thesen 140–42. Ich beziehe mich vor allem auf These 3 S. 140 f.: »Die patriarchalische Ausschließung aller weiblichen Beimengungen aus der Gotteslehre, grundgelegt bereits im Alten Testament, verdünnte die Gottesvorstellung psychologisch in Richtung von Macht, Verstand und Wille – die Monarchie des alttestamentlichen Vatergottes blieb im Grunde voll erhalten... Die Reduktion auf den Verstand beraubte die christliche Theologie ihrer Erfahrungsgrundlage und hat sie notwendigerweise in der Neuzeit fortschreitend in die Gefahr von Mißverstand und Ablehnung gebracht.« Der Verlust der mythischen Dimension führte nach Drewermanns These 4 zu »Formeln für Kontroversen, Glaubenskriege(n) und Inquisitionen« (141).

dert, ein »Vor mir« anzuerkennen, ohne es letztlich begründen zu können. Ohne ein Bewußtsein, das sich phänomenologisch vom Widerfahrnis des passiven Bewußtseins herleitet, wäre wohl auch ein Sohnesbewußtsein Jesu nur schwer zu fassen. Hierin ist aber der Ansatz für eine trinitarische Sohneschristologie zu suchen. Dabei ist zu beachten, daß nicht Jesus selbst das Bekenntnis von Nizäa gesprochen hat, sondern seine Gemeinde. Sie versucht, ihn in seiner unbegreiflichen Herkünftigkeit zu bekennen. Die Kirche versetzt sich gewissermaßen aus der analogen Erfahrung des eigenen Bewußtseins in das Bewußtsein Jesu und wagt eine Aussage, die seine Herkunft negativ mit »*nicht geschaffen*«, positiv mit »*gezeugt*«, »*aus dem Vater geboren vor aller Zeit*« umschreibt. Damit erhält die Zeugungs- und Geburtsanalogie eine Schlüsselstellung. Ihr mythologischer Hintergrund kann kaum bestritten werden. Aber es ist doch deutlich, daß der Text den direkten Vergleich mit natürlichen Zeugungsvorgängen bewußt vermeidet. Die Unterstellung, dies geschehe aus Mythenverdrossenheit, Frauenfeindlichkeit und männlicher Kopflastigkeit wird nicht hinreichen, den offensichtlichen Regelverstoß zu erklären. Wieder ist es E. Levinas, der in einer großangelegten Phänomenologie der Fruchtbarkeit ohne jede apologetische Absicht darlegt, daß in jeder Zeugung – über alle biologischen Zusammenhänge hinaus – ein Anfang ohne kausale Ableitbarkeit geschieht.[17] Die Ausdrücke »aus dem Vater geboren« und »gezeugt, nicht geschaffen« sind alles andere als Hergangsbeschreibungen. Sie sind vielmehr Deutungsversuche Jesu, der in seinem »Wesen« nicht hinreichend verstanden wäre, wenn er als Logos in die Reihe der Geschöpfe eingeordnet würde, und der auch als Mensch nicht begriffen wäre, wenn man sagte, sein Geschaffensein sei eine hinreichende Umschreibung seiner ganzen Existenz.

Diese Vorzeichen einer negativen Abgrenzung müssen beachtet werden, weil sie die Störung der verwendeten positiven Analogie vom Gezeugtsein vorbereiten. Die Differenz ist ungleich größer als das Vergleichbare. Ein irdisches Zeugungsmodell wäre unter mythologischen Voraussetzungen zugleich ein Erklärungsversuch: Jesus ist aus Gott und Göttin geboren wie alle Götter-

---

[17] Vgl. Totalität und Unendlichkeit 390–409.

söhne. Wir vermögen ihn deshalb einzuordnen in die uns bekannte Welt, zu deren Erklärbarkeit auch die Götterwelten dienen. Die Erfahrung mit Jesus von Nazareth führte aber zu dem »Eindruck«, daß er nur verstanden ist, wenn er über alle Vorstellungen und Erklärungsschemata hinaus als der »vom Himmel Gekommene« angenommen wird. In der Verwendung der Vater-Sohn-Analogie muß also darauf geachtet werden, daß sie nicht der Beschreibung der Herkunft Jesu dient, sondern der Deutung seiner Person. Es war in der Patristik des 4. Jh. hinreichend bewußt, die Rede von der geschlechtslosen Zeugung und Geburt könne höchstens verwendet werden, wenn zuvor schon geklärt ist, daß das Aussprechen jedes Wortes bereits einer Zeugung gleiche. Die Metaphorisierung des Zeugungsgeschehens mag unter nicht hinreichenden Vorkenntnissen der biologischen Vorgänge geschehen sein, so daß die Mutterrolle zurücktrat oder ganz unbeachtet blieb. Die biologische Unkenntnis mag sogar dazu beigetragen haben, das Zeugungsgeschehen mit einem geistigen Wortgeschehen zu vergleichen. Aber erst als diese Analogie gesichert war, konnte man eine Metaphorisierung zweiten Grades vornehmen und das bereits geschlechtslose Wort-Zeugungsmodell zur Deutung Jesu als des eschatologischen Wortes Gottes verwenden.[18] Aber auch wenn diese Stufe der Metaphorisierung bereits erreicht ist, mußte darauf geachtet werden, daß die im Bekenntnis verwendete Sprache Jesus nach Herkunft und Heilsbedeutung nicht einfach in die bereits bekannte religiöse Welt von Zeugung und Geburt einordnet, auch wenn man ihn damit hätte verständlicher machen können.

Wenn nun, wie im Bekenntnis von Nizäa, eine sprachlich artikulierte Vorstellung in eine Zeit *vor* aller Vorstellung hineinführt, verliert sie notwendigerweise allen Boden unter den Füßen. Wäre es dann nicht besser, über das zu schweigen, wovon man nicht reden kann? Das Bekenntnis schweigt deshalb nicht, weil

---

[18] Vgl. zur gesamten Problemstellung: P. Schoonenberg, Eine Diskussion über den trinitarischen Personbegriff. In: ZkTh 111 (1989) 129–62, bes. 150. J. Splett, Leben als Mit-Sein. Vom trinitarisch Menschlichen. Frankfurt/M. 1990. Nach Splett sollte die Trinitätslehre darauf verzichten, kleinfamiliale Bildvergleiche (Vater-Mutter-Kind) als Analogien zu suchen. Es gehe überhaupt nicht um (zahlenmäßige) Dreiheiten (84). Es überzeugt mich allerdings nicht, wenn Splett die Analogie so konstruiert, daß Gott selbst in die Analogie als Dritter zwischen zwei Liebenden einbezogen wird.

es sonst auch den Protest gegen eine damals durchaus zeitgemäße Einordnung Jesu in kosmische Zusammenhänge hätte un-
terlassen müssen.[19] So kommt es also schließlich zu der wir-
kungsgeschichtlich so umstrittenen wie bedeutsamen Formel *»eines Wesens mit dem Vater«* (homoousion too patrí/consubstan-
tialis patri). Es gibt ein Arianisches Fragment, das Grillmeier
(über Ricken vermittelt) zitiert:

> *»Er (der Sohn) trägt kein Charakteristicum (idion) Gottes an
> seiner individuellen Subsistenz (kath' hypostasin idiotētos),
> denn er ist ihm nicht gleich (isos), ja auch nicht homoousios.«*[20]

Mit der Aufnahme des umstrittenen »homoousios« in das Bekenntnis entscheiden sich die Konzilsteilnehmer (unter Drängen
Konstantins) für die These der Unterscheidung dessen, was man
später mit der Terminologie »Hervorgang« (sc. der innergöttlichen Personen) (processio) und »Sendung« (missio, sc. als
schöpferischer Akt nach außen) zu präzisieren versuchen wird.
Da sich die Arianer eine innergöttliche Zeugung als geistigen
Vorgang nicht vorstellen konnten, nahmen sie nur eine einzige
Weise des Hervorgehens des Sohnes aus dem Vater an, nämlich
dessen Schöpfung. Für die Arianer war sowohl das »Wort« (Logos) als auch der »Geist« (Nous) geschaffen, so daß sie ohne
Problem von drei Hypostasen sprechen konnten, dabei aber
nicht an die göttliche Einheit dachten. Die Anhänger des Nizänums werden bei der Rettung der innergöttlichen Homo-ousie
des Sohnes – in Konstantinopel 381 wird es in ähnlicher Weise
um die des Geistes gehen – noch genügend Probleme damit haben, wie die innergöttliche Trias in die Offenbarungstrias zu
vermitteln ist. Ein Problem bis zum heutigen Tag, wie aus der
Trinitätstheologie hinlänglich bekannt ist. Nizäa selbst verwendete »ousia« und »hypostasis« z.B. noch ununterschieden.[21]

---

[19] Dies hat F. Ricken, der inzwischen vielfach rezipiert wurde, überzeugend herausgearbeitet. Vgl. F. Ricken, Nikaia als Krisis des altchristlichen Platonismus. In:
ThPh 44 (1969) 333–99. Vgl. Grillmeier, Jesus der Christus I 408–10.

[20] Grillmeier I 409 (Zit. aus Arius, Thaleia).

[21] Vgl. M. Simonetti, Conservazione e innovazione nel dibattito trinitario et cristologico dal IV al VII seculo, in: Orpheus 6 (1985) 350–70 »Coniugando l'esigenza
unitaria di quella formula con la tendenza divisiva di questa dottrina, Basilio gi-
unse all'affermazione di una sola *ousia* della Trinità articulata in tre ipostasi dis-
tinte; la chiarì distinguendo in Dio ciò ch'è comune, e che perciò appartiene
all'unica *ousia*, da ciò che è individuo e perciò appartiene alle singole ipostasi...«
(360). Simonetti bemerkt abschließend zur Formel »eine Ousia und drei Hypo-

Nun beobachte ich freilich an unserem Bekenntnis, daß von »Logos« nicht gesprochen wird, sondern vom »einen Herrn Jesus Christus«, dem »Sohn des Gottes«.[22] Daß hier der Name »Jesus Christus« (wohl als Doppelname) auftaucht, wenngleich erst danach von der Menschwerdung gesprochen wird, ist m. E. ein Indiz dafür, daß – wie wir heute sagen würden – die Christologie von oben gar nicht konsequent innertrinitarisch vertreten werden kann. Ausgangspunkt ist und bleibt eben doch »Jesus der Christus«, das unverwechselbare Individuum, wenn auch gleich hinzugesetzt werden muß, Jesus als der Christus, d.h. Jesus in der Auslegung der ersten Zeugengenerationen. Die biblischen Zeugnisse sind der nicht hinterschreitbare Ausgangspunkt, mit dem eine Reihe kommender Problemstellungen konfrontiert werden mußten. Wenn man Jesus z. B. von Gott her verstehen wollte und es dabei mit einer der philosophischen Grundthesen zu tun hatte, daß nämlich das Göttliche eine absolute, unveränderliche Einheit (Monas) sei, so mußte die Jesusinterpretation vor gravierende Fragen geraten. Kam dann noch hinzu, daß auch ein strenger jüdischer Monotheismus peinlich darauf bedacht war, der Einzigkeit Gottes nichts Vergleichbares an die Seite zu stellen, so verschärften sich die Fragen noch. Beide Probleme standen dem Konzil von Nizäa vor Augen. Selbst wenn man bereit gewesen wäre, die Lehre vom göttlich Einen philosophisch aufzuweichen, so hätten die Konzilsväter doch um keinen Preis den jüdischen Monotheismus durch die Vergöttlichung eines Menschen widerrufen können. Auch Arius stand vor diesen Problemen. Um sie zu meistern, dachte er die Inkarnation – nach dem Logos-sarx-Schema – als Menschwerdung eines schaffenden Geschöpfes (Demiurgen). Wenn ein solcher Demiurg Mensch wird, dann tangiert wenigstens sein Nichtwissen und Leiden nicht den einen und höchsten Gott selbst.[23] Es wird ein Folgeproblem von Nizäa sein, die festgehaltene Göttlichkeit und Transzendenz des Logos durch die Inkarnation

---

stasen«, hier sei Monarchianismus mit der Verschiedenartigkeit der Hypostasen zu vereinen gewesen. Die Formel blieb erhalten, aber der Sinn hatte sich radikal verändert (360).

[22] Aus den sog. »Blasphemien« des Arius, die bei Grillmeier I 372f. in Übersetzung vorgelegt werden, geht hervor, daß »Sohn« neben »Logos« verwendet werden kann.

[23] Vgl. Grillmeier I 378f.

nicht so dominieren zu lassen, daß die Menschlichkeit Jesu aufs Spiel gesetzt wird. Bis hinein in das Konzil von Konstantinopel vom Jahre 680/81 wird ohnehin der Balanceakt zu vollbringen sein, Göttliches und Menschliches in Jesus gleichbetont zur Geltung zu bringen, ohne die Einheit seiner Person anzutasten.[24] Ich wende mich noch in aller Kürze dem narrativen Teil der christologischen Aussagen zu. Vor lauter Achtsamkeit auf das nizänische »homoousios« vergißt Grillmeier ganz, die sieben Partizipien (6 Aorist, 1 Futur) der folgenden Textzeilen zu interpretieren. Der Text läßt die Gemeinde bekennen: Der Wesensgleiche[25] mit dem Vater »kam herab und nahm Fleisch an«, »wurde Mensch«, »litt und erstand (am dritten Tag)«, »ging hinauf (in die Himmel)«; »wird kommen (zu richten)«.

Die Sprache des Bekenntnisses scheint keinen Unterschied zu machen, ob eine innerweltliche Begebenheit erzählt oder ein allem menschlichen Sehen, Hören und Denken Unzugängliches gesagt wird. Erst die Übersetzungen liefern ein sprachliches Indiz dafür, daß im narrativen Teil eine andere Dimension zur Sprache kommt. Schon die lateinische Version setzt ein mit einem grammatikalisch selbständig wirkenden »qui« und erzählt so, als hinge das Erzählte nicht mehr von denen ab, die sagen, wir glauben, was wir erzählen. Der narrative Teil verselbständigt sich also als Erzähleinheit. Der griechische Text kennt diesen Perspektivenunterschied nicht. Auch die narrativen christologischen Aussagen bleiben von »wir glauben an« (pisteuomen eis) durch Partizipialkonstruktionen im Akkusativ abhängig. Es geht jedenfalls darum, auf die Fragen zu antworten: Wer ist dieser Jesus Christus? Darf die Welt auf ihn hoffen? Wenn ja, warum darf sie es? Die Antwort, die in Chalkedon nach über 100 Jahren noch präzisiert werden wird, ist hier im Bekenntnis

---

[24] Vgl. J. Ratzinger, Schauen auf den Durchbohrten, der in These 6 mit Recht darauf aufmerksam macht, daß die christologische Entwicklung nicht mit Chalkedon abschließt (33–37). Es ist aber hinzuzufügen, daß es trotz weiterer christologischer Problemstellungen zu keinem neuen Symbol gekommen ist. Die östliche Theologie wehrte sich schon nach Nizäa, dem einen Symbol ein weiteres folgen zu lassen. In das Leben der Gemeinden hinein reichen deshalb zuerst die Bekenntnisse, die über die Feier der Liturgie vermittelt werden.

[25] Die Einheitsübersetzung ist bei »eines Wesens« verblieben. Nach C. Stead (Divine Substance. Oxford 1977) bedeutet »homoousios« zunächst das »gleiche Wesen«. Es wurde aber teils mit »unius substantiae«, teils mit »eiusdem substantiae« übersetzt.

grundsätzlich schon vorweggenommen. Sie lautet: Er ist der um unseres Heiles willen vom Himmel Gekommene, der aus dem Heiligen Geist und Maria Geborene, der Menschgewordene, der für uns ans Kreuz Geschlagene, der Leidende, der Begrabene und der am dritten Tag von den Toten Auferstandene, der in den Himmel Heimgekehrte, der zur Rechten des Vaters Sitzende, der zum Gericht Kommende, dessen Herrschaft kein Ende nehmen wird. So ähnlich ist der griechische Text konstruiert. Die ganze Jesusgeschichte wird glaubend in einem einzigen Atemzug erzählt, so daß das ganze Bekenntnis bis hierher (und beinahe bis zum Ende) aus einem einzigen grammatikalischen Satz besteht.

War im vorhergehenden Teil die Zeitkategorie als Überschreitung der Zeit (»vor aller Zeit«) maßgeblich, so scheint jetzt die Kategorie des Raumes von größerer Bedeutung zu werden. Bis auf den Hadesabstieg finden ganz ähnliche Bewegungen vom Himmel zur Erde und zurück in den Himmel bis zur Ankunft im Gericht statt. Vieles, was ich oben zum Apostolicum ausführte, könnte hier ebenfalls gesagt werden. Fast alle inhaltlichen Elemente finden sich wieder. Auffällig ist jedoch die Gesamtperspektive, von der her das Nizänum die Christologie sieht, wenn einleitend gesagt wird, alles sei »um der Menschen willen und zu unserem Heil« geschehen. Damit kommt ein patristisches Interesse zum Durchbruch, das weit über intellektuelle Neugier hinausgeht. Nicht was wir von Jesus Christus wissen können oder wollen, steht im Vordergrund, sondern was es für unser Heil bedeutet, wenn wir dieses oder jenes von ihm glauben. Man könnte sagen, der christologische Streit der ersten Jahrhunderte ist in Wirklichkeit ein soteriologischer Streit. Nur wenn Jesus von Nazareth der in unbegreiflicher Weise von Gott Kommende und zugleich der auf unsere Seite tretende Menschgewordene ist, kann er in Wahrheit als »Retter« (sotär) geglaubt werden. Dabei wissen die Glaubenden, daß ihr Glaube an die Rettung durch ihn erst seine Bestätigung erhält, wenn er kommt »in Herrlichkeit« (meta doxäs), d.h. mit dem Glanz der Gottheit, der bei seinem ersten Kommen erst aufgeblitzt war.

Wenn das Glaubensbekenntnis in dieser oder jener Fassung im Gottesdienst der Gemeinde gesprochen oder gesungen wird, macht der Text auch deutlich, daß unser Glaube die Jahrhunderte überdauert. Dennoch führt die Wiederholung leider auch zu einer Abnützung der Glaubenssprache, so daß das Bekenntnis zu einem leeren Geplapper werden kann. Es bedarf deshalb der wiederholten Auslegung und der geradezu an einzelne Worte oder Aussagen gebundenen Meditation, um zu erahnen, daß sich hinter der Schlichtheit und zugleich Gehobenheit dieser Sprache die christlichen Mysterien wie durch eine Linse gebündelt zu Gehör bringen. Das glaubende Subjekt wird sich bewußt, in welche Dimensionen von Raum und Zeit seine eigene Existenz hineingestellt ist, bisweilen mitgerissen von der tangierbaren Nähe, bisweilen erschreckt von der Fremdheit und Ferne der göttlichen Transzendenz, wie sie der christlichen Gemeinde in der Feier der Liturgie gegenübertritt.

Das glaubende Subjekt setzt sich in der Mitfeier der heiligen Mysterien in der Liturgie dem Gott Jesu Christi in der Gemeinschaft des Heiligen Geistes aus. In der Exposition des Glaubens werden die Unterschiede der Geschlechter nicht eingeebnet, wohl aber jedes überkommene Rollenverständnis zerstört. Glaubend bin ich als Mann oder als Frau Geschöpf und als solches Bruder oder Schwester Jesu von Nazareth, des Anführers und Vollenders des Glaubens (vgl. Hebr 12,2).

5
Liturgie und Christologie –
Ergebnis und Ausblick

Die Liturgie, so wie sie in dieser Arbeit verstanden wird, führt die feiernde Gemeinde zu einer qualifizierten Wahrnehmung des Glaubens an Jesus, den Christus. Sie bringt darüber hinaus einen Wahrheitsdiskurs in Gang, zu dessen hervorstechendstem Kennzeichen es gehört, daß er nicht im Wissen endet, sondern zur ästhetischen Wahrnehmung zurückkehrt und gerade so in Bewegung gehalten wird. Die Liturgie findet sich somit als ästhetisches Gebilde in ihrem Ensemble von Gestik und Sprache in einer Mittelstellung zwischen Widerfahrnis und Diskurs und qualifiziert beide auf ästhetische Weise.

Eine liturgieorientierte Christologie, so könnte ich jetzt zusammenfassend und zugleich programmatisch formulieren, widersteht der Gefahr einer rationalistischen Engführung, indem sie das Glaubenssubjekt mit allen Kräften des sinnlich-geistigen Vermögens im Zyklus der Festtage immer tiefer in die Jesusbegegnung hineinführt und das christologische Denken und Sprechen aus dieser Begegnung in Bewegung bringt und hält. Die Arbeit hat sich schwerpunktmäßig der liturgisch-ästhetischen Seite der Christologie zugewendet. Der daraus hervorgehende christologische Diskurs ruft nach wahrheitstheoretischer Vertiefung. Immerhin muß eine liturgische Christologie so sehr der Wahrheitssuche verpflichtet sein, daß die liturgische Frömmigkeit vor einem fundamentalistischen Rückfall bewahrt wird.

An dem Punkt, wo in dieser Arbeit – im Gespräch mit philosophischer Ästhetik – die Dialektik von Schein und Wahrheit zu bedenken war, konnte andeutungsweise auch schon deutlich werden, in welchem Rahmen der christologische Wahrheitsdiskurs zu vertiefen wäre. Wäre man sich der Präsenz des Göttlichen zu gewiß, würde die religionskritische Frage, ob die Liturgie nicht im bloßen Schein – mag dieser auch auf berechtigten Heilswünschen beruhen – aufgeht, umso lauter. Umgekehrt:

Würde der Glaube an Jesus Christus vor lauter Vernünftigkeit auf alle Liturgie verzichten, würde der Ruf nach Erfahrung und Sinnlichkeit in der Liturgie – oder paraliturgisch! – umso unüberhörbarer. Ein fundamentalistisches Verständnis der Liturgie würde die Probleme eines Wandels in der ästhetischen Ausdrucksgestalt des Glaubens umgehen. Dafür würde es sich aber einhandeln, daß die liturgische Sprache und Gestik ihres Zeitkerns beraubt würden. Echte Zeitgenossenschaft würde unterbunden. Die Liturgiereformen im Laufe der Geschichte haben bewußt werden lassen, daß die Liturgie als großes Kunstwerk der Kirche, das die schöpferische Geisteskraft des Auferstandenen zur Autorin hat, nicht schon abgeschlossen ist. An seiner Partitur wird in allen Phasen der Geschichte bis heute gearbeitet. Die feministische Kritik an der Liturgie zeigt beispielsweise schon wenige Jahre nach der letzten Reform zur Genüge, daß das Werk noch nicht abgeschlossen sein kann. Es ist aber auch klar, daß jede Veränderung von Sprache und Ausdrucksgestik in der Liturgie mit großer Behutsamkeit angegangen werden muß, weil mit der Sprache und der Gestik immer auch die ihr vorausliegende Erfahrung und der ihr folgende Diskurs auf Gedeih und Verderb betroffen sind.

Rückschauend auf das Dargestellte und vorausblickend auf künftige Entwicklungen ergibt sich die *These:* Es kann nicht etwas zur Norm liturgischer Feier werden, was christologisch unverantwortlich ist; umgekehrt verliert die Liturgie ihren eschatologischen Versprechenscharakter, wenn sie nicht von der Christologie getragen wird. Mit dieser These möchte ich andeuten, daß ich der Liturgie und ihrer christologischen Dimension eine wichtige erkenntnistheoretische Bedeutung für die gesamte Theologie beimesse. Dies will ich kurz entfalten.

Erkenntnistheoretische Implikationen und Konsequenzen

Nach B. Lonergan ist die menschliche Erkenntnis ein dynamischer Prozeß.[1] In Fortführung dieser These interpretiere ich die-

---

[1] Vgl. B. Lonergan, Erkenntnisstruktur: In: Ders., Theologie im Pluralismus heutiger Kulturen (Hg. G.B. Sala). Freiburg-Basel-Wien 1975, 88–108. Vgl. sein grundlegendes Werk: Insight. A Study of Human Understanding. London-New

sen Erkenntnisprozeß in der Weise, daß er vom Widerfahrnis über das Verstehen und dessen Ausdrucksformen zur Wahrheit vorstößt. Wie die Arbeit gezeigt hat, kommt dieser Dynamik von den Ansätzen her eine ästhetische Dimension zu. Eine liturgische Ästhetik hat Konsequenzen für die Christologie und umgekehrt. Zu den erkenntnistheoretischen Prämissen und Konsequenzen gehört auch die weitere Überlegung: Ethik und Ästhetik sind – neben der Logik – Dimensionen des menschlichen Geistes, über deren gegenseitige Zu- bzw. Rangordnung und deren Einzelverständnis bis heute gerungen wird.[2] Je nachdem, welche Priorität man ansetzt, hat dies einschneidende Konsequenzen für die Christo*logie*, die bis heute noch zu ausschließlich wahrheits- und aussagenorientiert ist. Insofern es nämlich – vor allem Wissen – um »Heil« geht, erhält die Christologie einen »soterischen« Charakter, wird sie zur Christo-*sote-*

York-Toronto 1958. Die Stufen der Erkenntnis bestehen nach Lonergan in der Sinneswahrnehmung bzw. Erfahrung, im Verstehen bzw. in der Einsicht und im Urteilen bzw. in der Wahrheit. Obwohl diese eine dynamische Einheit bilden, sind Empfindungsfähigkeit, Intelligenz und Rationalität sehr zu unterscheidende Größen. Der Erkennende macht im Prozeß des Erkennens mit sich selbst seine Erfahrung, erfährt sich als sinnlich Wahrnehmender, als (plötzlich) Verstehender und als Urteilender je verschieden und doch als *ein* Subjekt. Was mir an Lonergans Konzeption von besonderer Bedeutung ist, besteht in der Einsicht, daß die dynamische Ganzheit des Erkenntnisvorgangs nicht nur von der Erfahrung zum Urteil voranschreitet, sondern daß der Urteilende erneut auf das (bessere) Verstehen und die Erfahrung zurückverwiesen wird. Auch wenn Lonergans Seinsbegriff als »the objective of the pure desire to know« (vgl. Insight 348 und 348 ff) ein inneres »Begehren« und damit ein willentliches Element umschließt, wirkt das Theorem insgesamt noch zu logozentrisch. In einer ausgearbeiteten Christologie würde ich deshalb bezüglich der inhaltlichen Interpretation der drei Stufen von Lonergan deutlich abweichen. Von einem dialogisch-kommunikativen Ansatz her beträfe dies insbesondere die beiden Stufen »Erfahrung« und »Diskurs«. Immerhin wäre ein dynamisch verstandener Erkenntnisprozeß nach der Terminologie von J. Habermas der kommunikativen (und nicht der instrumentellen) Rationalität zuzurechnen. Vgl. J. Habermas, Der philosophische Diskurs der Moderne. Frankfurt 1985 (pass.).

[2] Das bisher Gesagte klingt an die mittelalterliche Transzendentalienlehre an, wonach mit dem Sein die Einheit, die Wahrheit, die Gutheit (und die Schönheit) gegeben sind (ens et unum et verum et bonum et pulchrum convertuntur). Das »pulchrum« wurde nicht sehr häufig den anderen beigesellt. Vgl. J. B. Lotz, Transzendentalien. In: SM IV 975–78. Was die Priorität anlangt, stehen Einheit und Wahrheit meist voran. E. Levinas vertritt mit Entschiedenheit die These, daß Ethik die erste Philosophie sei. Das bedeutet allerdings für ihn zugleich, daß sich »das Gute« nicht mehr in das Sein einordnen läßt. Das Gute ist auf eine andere Weise als das Sein, es ist über allem Sein (vgl. den Titel des zweiten Hauptwerkes: Autrement qu'être ou au delà de l'essence.).

rik. Insofern die Christologie von der liturgischen Feier her entfaltet wird, erhält sie – wie gezeigt – ihren ästhetischen Charakter, wird sie zur Christo-*ästhetik.* Insofern die soterische und ästhetische Betrachtungsweise der Wahrheitsfrage nicht entraten kann, bleibt die Christologie der logischen Dimension verpflichtet, wird sie zur Christo-*logik.* Man würde deshalb gut daran tun, unter dem Terminus *Christologie* diese innere Dreidimensionalität mitzubedenken.

Eine liturgisch orientierte Christologie stellt an den Anfang das ästhetisch qualifizierte Widerfahrnis einer einzigartigen Begegnung mit Jesus als dem Christus. Die Analysen haben gezeigt, daß die Liturgie als ästhetisches Gebilde in zweifacher Weise eine Mittelstellung zwischen Glaube und Theo*logie* erhält: Sie ist *nur* die ästhetische Gestalt eines Widerfahrnisses der Jesus-Begegnung im Glauben und ist als solche auf den nachträglichen Wahrheitsdiskurs über dieses Widerfahrnis angewiesen; sie ist *schon* eine Ausdrucksgestalt eschatologischer Wahrheit, die aber den Wahrheitsdiskurs immer wieder auf die ästhetische Gesamtgestalt der Liturgie zurückverweist. Dadurch geraten Sprache und Gestik der Liturgie in eine schwebende Mitte, die auch vom Kunstwerk gilt. Dies hat Konsequenzen für die Wahrheitsdimension der Christologie. Die Christologie wird gleichsam nach zwei Richtungen »aufgerissen«: vom Widerfahrnis der Nähe Jesu her auf die eschatologische Wahrheit seiner und der Welt Auferstehung hin; vom christologischen Wahrheitsdiskurs zum liturgischen Widerfahrnis zurück. Dabei werden Sprache und Gestik der Liturgie jeweils erst sekundär ein Instrument der Mitteilung dessen, was wir feiern und in methodischen Verfahren als Wahrheit zu erweisen versuchen. Da der letzte Erweis der Wahrheit über allen Schein hinaus der Heraufkunft der vollendeten Schöpfung vorbehalten ist, steht die Feier der Liturgie dafür, daß es uns nicht gegeben ist, bereits die reale Vollendung zu feiern. So verbleibt mit der Liturgie auch die Christologie in einer Gestalt der Schwebe, sofern ihr Verhältnis zur Wahrheit zur Debatte steht. In sekundärer Weise ist aber die Liturgie durchaus nicht logos-feindlich, als wehre sie sich gegen alles Denken. Je mehr sich die christologische Sprache von der Liturgie her ihrer ästhetischen Dimension bewußt ist, umso mehr wird sie ihre prinzipielle Randunschärfe akzeptieren. Aber sie wird dann auch immer dem Verdacht unterliegen, daß die in der Liturgie gegebenen Versprechen *nur* Schein sind; der eschatologische Vorbehalt, daß nämlich ihr Wahrheitsnachweis die Grenzen der Zeit sprengt, kann sehr leicht als immunisierende Ausrede empfunden werden und zur Ablehnung aller Liturgie führen.

Liturgie und Zeitgenossenschaft

Zur Dynamik des ästhetisch qualifizierten Erkenntnisprozesses gehört nicht nur die intellektuelle Offenheit für die Wahrheit, sondern auch das Widerfahrnis einer Transzendenz, die nicht auf die noch ausstehende Zukunft vertagt wird. Die Frage, ob Kunst täuscht oder gar verführt, indem sie eine Scheinwelt vorgaukelt, oder ob Kunst – postreligiös – ihre eigene Scheinhaftigkeit durchschaut und so erst ihren Versprechenscharakter entdeckt, wurde oben behandelt und auf die Frage nach dem Stellenwert der Liturgie übertragen. Über Adornos weitreichende Überlegungen über den Wahrheitscharakter der Kunst hinaus neigte ich der These zu, daß Kunst dort ihren Scheincharakter verliert, wo sie – in echter Zeitgenossenschaft – nicht in eigener Sache »spricht«, sondern die Sache eines anderen zum Ausdruck bringt.

Wenngleich die Gemeinde das »Aufführungssubjekt« der Liturgie darstellt, legte ich Wert auf die Erkenntnis, daß der entscheidende Inhalt der liturgischen Feier zunächst die Sache eines anderen, nämlich die Jesu von Nazareth ist. Wenngleich das Widerfahrnis der Jesusbegegnung, wie von Anfang an betont wurde, nicht auf die Feier der Liturgie eingeschränkt werden darf, so wäre es doch ein verhängnisvoller Fehlschluß, daraus abzuleiten, sie finde grundsätzlich und sehr viel unvermittelter und leichter außerhalb der Liturgie statt. Ich betonte, die Liturgie, die als ästhetisches Gebilde auf die Menschenwürde der Sinne bedacht ist, ziele insgesamt auf eine leibhaftig-sinnliche Gestalt des Glaubens an Jesus Christus ab. Gerade die Durchbrüche zur Moderne haben im Bereich der Kunst gezeigt, daß echte Zeitgenossenschaft auch damit zusammenhängt, nicht nur *etwas* zu sehen oder zu hören, sondern ganz neue *Seh- und Hörmöglichkeiten* zu kultivieren.

Wenn die Liturgie in ihrer scheinbar hoffnungslos ritualisierten Gestalt gewiß eine rememoriale Dimension hat, so hat sie sich als Werk der schöpferischen Geisteskraft des Auferstandenen immer wieder auch neuer Ausdrucksmöglichkeiten bedient. Beispielsweise geschah der Durchbruch zur Mehrstimmigkeit in der abendländischen Musikentwicklung im Raum der Liturgie. Heute ist zu beobachten, daß sich die Gemeinden außer für folkloristische Elemente der Musik, die in der Liturgie zu allen Zeiten ihren Platz hatten, für zeitgenössische Musik nur zögerlich öffnen. Hier wandert Zeitgenossenschaft in die Konzertsäle ab. Viele liturgische Neudichtungen können weder den Vergleich mit der liturgischen Sprachtradition noch gar mit heutiger Lyrik, die – zumal nach Auschwitz – eher zum Verstummen neigt, aufnehmen. Ist in der Christenheit die Betroffenheit durch die Sache des Einen so verblaßt, daß sie auch zeitgenössische Betroffenheit verlernt hat? Oder steht die Liturgie bereits so sehr unter dem Erfolgszwang einer auf Bedürfnisbefriedigung ausgerichteten Unterhaltungskultur, daß sie ihre innere Kraft verliert? Die pastorale Versuchung, es solcher Bedürfnisbefriedigung gleichzutun, ist groß.[3]

Dennoch muß die mystagogische Rolleneinweisung in die Liturgie einen anderen Weg beschreiten. Wie gezeigt, versucht die Liturgie der großen Festtage, zumal die der Drei Österlichen Tage, das Leiden und den Tod des Einen mit dem Leiden und dem Tod der Vielen zusammenzuschließen, so daß daran auch die Hoffnung auf Auferstehung und Vollendung für eine Welt hängt, die ihrerseits in Wehen liegt. In einer Zeit, die sich aus ihren abgründigen Erfahrungen fragen muß, ob sie nach Auschwitz überhaupt noch Poesie hervorbringen darf, muß sich die Christenheit fragen, ob die Feier des Todes und der Auferstehung Jesu bereits so kalte Routine ist, daß sie echte Zeitgenossenschaft verhindert statt eröffnet.

Ich hoffe, daß nicht zuletzt die Rückbesinnung auf die jüdischen Ursprünge der Liturgie und der Christologie, die hier versucht wurde, dazu beiträgt, zu aufrichtigerer Zeitgenossenschaft

---

[3] E. Levinas hat in bemerkenswerten Überlegungen das Wort »Liturgie« gerade aus seiner griechischen Herkunft als »Werk ohne Entschädigung« gedeutet und so die Liturgie von aller Arbeitswelt und Bedürfnisbefriedigung unterschieden. Vgl. Die Bedeutung und der Sinn (In: Humanismus des anderen Menschen) 35 f.

durchzubrechen. Dies bedeutet nach allem Dargestellten keine Anbiederung an die Art und Weise der Bedürfnisbefriedigung der ohnehin Satten, sehr wohl aber jene neue Hellhörigkeit, in der die Glaubenden von heute das Seufzen und Stöhnen des Geistes vernehmen, der nach Befreiung der Unterdrückten und nach Vollendung der Schöpfung ruft. *Die Liturgie, so hat sich gezeigt, weist ein, den ganzen Weg Jesu mitzugehen.* Ohne Karfreitag kein Ostern, ohne Stall und Galgen keine Verherrlichung. Fast müßte man fragen, was denn in Jesus von Nazareth in der Menschheit geschehen ist, daß sie seitdem nicht mehr aufgehört hat, Hoffnung für eine Welt zu schöpfen, über die ein »sehr gut« des ersten Schöpfungstages geschrieben steht, ehe der letzte Tag erwiesen hat, daß es nicht zu widerrufen sei.

Die Liturgie und das christologisch bedingte neue Subjektsein der Glaubenden

Wenn die Liturgie nach dem hier unterbreiteten Verständnis in ihrer ästhetischen Dimension den Weg in das Mysterium bahnt, so hängt dies nicht zuletzt damit zusammen, daß die Interpretation Jesu von Nazareth und das Subjektwerden der Glaubenden eng miteinander verkoppelt sind. Dies ist aber hier keine bloß hermeneutische Binsenwahrheit, sondern es betrifft die Praxis der Nachfolge, die eine Einweihung in alle Höhen und Tiefen des Weges Jesu bedeutet. Vielleicht deutet sich erst in einer konsequenten Philosophie nach Auschwitz, wie sie Adorno bereits vor Augen stand und wie sie heute vor allem von jüdischen Denkern französischer Zunge (Derrida, Lyotard, Levinas u. a.) entwickelt wird, die Möglichkeit eines neuen Subjektverständnisses an, das aus der tiefen Betroffenheit von Verfolgung und Vernichtung das menschliche Subjektsein nicht mehr – wie bei Levinas – von der Idee der Freiheit her denkt, sondern von der Möglichkeit des Ausgesetztseins, in dem sich das Geschöpf – dem Schöpfer vergleichbar – zurücknimmt und dem Anderen einen Platz an der Sonne einräumt bis hin zur Möglichkeit der eigenen Selbstpreisgabe.[4] Vielleicht muß die christliche Kirche erst noch

---

4 Vgl. Elisabeth Weber, Verfolgung und Trauma. Das bereits zitierte Werk befaßt

lernen, was es heißt, »Sakrament der Welt« zu sein. Vielleicht muß es jede einzelne Gemeinde und darin noch einmal jeder und jede einzelne Glaubende lernen, was es heißt, nicht zuerst für die eigene Rettung, sondern für die der Anderen einzustehen, als sage Jesus in der Feier der Eucharistie zu den am Tisch Sitzenden: Nehmt mich und erlöst die Anderen, dann müßt ihr auch um euer eigenes Heil nicht fürchten.

Vielleicht ergibt sich aus einer solchen Philosophie des Subjektseins auch ein Hinweis für eine künftige Christologie, daß sie nämlich in ihren genuinen ntl. Ausgangspunkten bei Selbsterniedrigung und Stellvertretung zwar sehr weit entfernt ist von einer Theorie des Subjektseins im Sinne einer Freiheits- und Selbstverwirklichungstheorie, sehr nahe aber bei einer Theorie des Subjektseins, wonach das Subjekt darauf verzichtet, »der Zeitgenosse des Triumphes seines Werks zu sein«, wie es E. Levinas einmal umschrieben hat.[5] Aber auch für die Liturgie tun sich von hier aus Fragen auf, die durch diese Studie eher erst angedeutet als bereits einer Lösung entgegengeführt wurden. Es wird sich zeigen müssen, ob die hier versuchte Rückbesinnung auf das Jüdisch-Jesuanische der Liturgie in Konkurrenz steht zu dem, was K. Rahner in einem späten Aufsatz in eindrücklicher Weise zu bedenken gegeben hat, daß nämlich das Sakrament nicht mehr – wie er es früher verstand – Selbstvollzug der Kirche ist, sondern »zeichenhafte Erscheinung der Liturgie der Welt«.[6] Dann wäre die Menschheit nur die Mitfeiernde einer kosmischen Liturgie, die nach Rahner eine »schreckliche, erhabene, Tod und Opfer atmende Liturgie« ist, »die Gott sich feiert« (414). Die »Sternstunde«, in der die einzelnen Glaubenden in

---

sich zwar schwerpunktmäßig mit E. Levinas, bezieht aber die genannten anderen (und noch weitere) Autoren in den philosophischen Diskurs mit ein. Vgl. jetzt: S. Sandherr, Das zerstörte Gedächtnis der Philosophie: Zu E. Webers Studie zum Hauptwerk von E. Lévinas. In: Orientierung 55 (1991) 130–33.

[5] Die Bedeutung und der Sinn 35. In einem sehr kurzen Aufsatz zur Christologie hat Levinas auch eindrücklich zu bedenken gegeben, daß die beiden Aspekte »Kenose« und »Stellvertretung« als Umschreibung des Subjektseins des einzelnen zugleich messianische Qualität haben. Vgl. E. Levinas, Un Dieu homme? In: Qui est Jésus-Christ? Recherches et débats no. 62. Paris 1968, 185–214. Mit dieser Fragestellung kann ich nur andeuten, was in der Christologie, die sich auf das Gespräch mit einer Philosophie nach Auschwitz einläßt, zu behandeln sein wird.

[6] Vgl. K. Rahner, Überlegungen zum personalen Vollzug des sakramentalen Geschehens. In: Schriften X (1972) 405–29, hier: 413.

diese Liturgie eingeführt werden, könnte nach Rahner unter »sakralen oder profanen ›Gestalten‹« geschehen (419).

Werden hier die glaubenden Subjekte in ein kosmisches Drama eingeordnet? Provoziert Rahner nicht die Frage aller Fragen? Warum in aller Welt feiert sich Gott eine in solcher Weise »schreckliche, erhabene, Tod und Opfer atmende Liturgie«? Was ist geschehen, daß es dazu kommen mußte? Die Fragen beginnen von vorne. Nur wer sich ihrem Ernst stellt, wird ahnen, daß die Zeit der Liturgie nicht vorbei ist – jedenfalls nicht für die, die den Weg der Subjektwerdung im Glauben zu gehen versuchen.

6
Literaturverzeichnis

Adorno, Th. W., Ästhetische Theorie. Suhrkamp Tb. Wissenschaft 2. Hg. G. Adorno/R. Tiedemann. Frankfurt/M. ³1977.

Adorno, Th. W., Engagement. In: Ders., Noten zur Literatur (III). Suhrkamp Tb. Wissenschaft 355. Hg. R. Tiedemann. Frankfurt/M. 1981, 409–30.

Adorno, Th. W., Negative Dialektik. Frankfurt/M. 1970 (1966).

Altermatt, A. M./Th. A. Schnitker, Hg., Der Sonntag. Anspruch – Wirklichkeit – Gestalt. Würzburg-Freiburg/Schw. 1986.

Ansaldi, J., Approche doxologique de la Trinité de Dieu. Dialogue avec J.-L. Marion. In: Etudes Théologiques et Religieuses 62 (1987) 81–95.

Auf der Maur, H., Feiern im Rhythmus der Zeit I. Handbuch der Liturgiewissenschaft V. Regensburg 1983.

Bachl, G., Eucharistie – Essen als Symbol? Zürich-Einsiedeln-Köln 1983.

Balthasar, H. U. v., Der Gang zum Vater. In: MySal III/2, 256–319.

Balthasar, H. U. v., Herrlichkeit. Eine theologische Ästhetik. 3 Bde. Einsiedeln 1961–69.

Balthasar, H. U. v., Mysterium Paschale. In: MySal III/2, 133–319, bes. 227–55.

Balthasar H. U. v., Theodramatik. 4 Bde. Einsiedeln 1973–83.

Baumgartner, J., »Durch Jesus Christus, unsern Herrn...« Zur Schlußformel der Vorstehergebete. In: Gottesdienst 22 (1988) 105–07.

Belting, H., Bild und Kult. München 1990.

Benjamin, W., Über den Begriff der Geschichte. In: Gesammelte Schriften I. 2. Werkausgabe Bd. 2. Ed. Suhrkamp Tb. Frankfurt/M. 1980, 693–704.

Berger, R. u. a., Gestalt des Gottesdienstes. Sprachliche und nichtsprachliche Ausdrucksformen. Gottesdienst der Kirche. Handbuch der Liturgiewissenschaft III. Regensburg 1987.

Berger, T./A. Gerhards, Hg., Liturgie und Frauenfrage. St. Ottilien 1990.

Blumenberg, H., Matthäuspassion. Frankfurt/M. 1988.

Bouyer, L., Von der jüdischen zur christlichen Liturgie. In: IkaZ 7 (1978) 509–19.

Buchholz, R., Die Philosophie Adornos als Anstoß zu einer kritischen Fundamentaltheologie im Kontext der späten Moderne. Frankfurt/M. u. a. 1991.

Casel, O., Das christliche Kultmysterium. Regensburg ³1948.

Casper, B., »Das Gebet stiftet die menschliche Weltordnung«. – Zum Verständnis der Erlösung im Werk Franz Rosenzweigs. In: G. Fuchs/H. H. Henrix, Hg., Zeitgewinn. Messianisches Denken nach Franz Rosenzweig. Frankfurt/M. 1987, 127–50.

Celan, P., Gesammelte Werke. 5 Bde. Suhrkamp Tb. Frankfurt/M. 1986.

Cohen, H., Die Lyrik der Psalmen. In: Ders., Jüdische Schriften Bd 1. Berlin 1924, 237–61.

Daly, M., Jenseits von Gottvater & Co. Aufbruch zu einer Philosophie der Frauenbefreiung. München 1978.

Daly, M., Gyn/Ökologie. München 1981.

Deissler, A., Die Psalmen. Düsseldorf 1964.

Der Große Sonntags-Schott. Originaltexte der deutschsprachigen Altarausgabe des Meßbuchs und des Lektionars ergänzt mit den lateinischen Texten des Missale Romanum. Freiburg-Basel-Wien o. J. (1975).

Derrida, J., Apokalypse. Edition Passagen 3. Graz-Wien 1985.

Die Pessach-Haggadah. Übersetzt und erklärt von Ph. Schlesinger und J. Güns. Tel Aviv 1976.

Drewermann, E., Religionsgeschichtliche und tiefenpsychologische Bemerkungen zur Trinitätslehre. In: W. Breuning, Hg., Trinität. Freiburg-Basel-Wien 1984, 115–42.

Drewermann, E., Strukturen des Bösen. Bd 2. Die jahwistische Urgeschichte in psychoanalytischer Sicht. München-Paderborn-Wien [4]1983 (1977).

Emminghaus, H., Der gottesdienstliche Raum und seine Gestaltung. Handbuch der Liturgiewissenschaft III. Regensburg 1987, 347–416.

Fabry, H.-J., »Gedenken« im Alten Testament. In: J. Schreiner, Hg., Freude am Gottesdienst. Stuttgart 1983, 177–87.

Fiedler, P., Probleme der Abendmahlsforschung. In: ALW 24 (1982) 190–223.

Freud, S., Totem und Tabu. Studienausgabe Bd IX. Frankfurt/M. 1974, 287–444.

Fuchs, G./H. H. Henrix, Hg., Zeitgewinn. Messianisches Denken nach Franz Rosenzweig. Frankfurt/M. 1987.

Fuchs, O., Die Klage als Gebet. Eine theologische Besinnung am Beispiel des Psalms 22. München 1982 (Lit.).

Gerhards, A., Die literarische Struktur des eucharistischen Hochgebets. In: LJ 33 (1983) 90–104.

Gerhards, A., Te Deum laudamus – Die Marseillaise der Kirche? Ein christlicher Hymnus im Spannungsfeld von Liturgie und Politik. In: LJ 40 (1990) 65–79.

Gerhards, A., Vorbedingungen, Dimensionen und Ausdrucksgestalten der Bewegung in der Liturgie. In: W. Meurer, Hg., Volk Gottes auf dem Weg. Mainz 1989, 11–24.

Gertz, R., Mystagogie. In: Handbuch religionspädagogischer Grundbegriffe I 82–84 (Lit.).

Gese, H., Die Herkunft des Herrenmahls. In: Ders., Zur biblischen Theologie. München 1977, 107–27.

Gese, H., Psalm 22 und das Neue Testament. Der älteste Bericht vom Tode Jesu und die Entstehung des Herrenmahls. In: Ders., Vom Sinai zum Sion. München 1974, 180–201.

232

Göttner-Abendroth, H., Die tanzende Göttin. Prinzipien matriarchaler Ästhetik. München ³1985.

Grillmeier, A., Jesus der Christus im Glauben der Kirche. Bd 1. Von der Apostolischen Zeit bis zum Konzil von Chalkedon (451). Freiburg-Basel-Wien 1979.

Guardini, R., Vom Geist der Liturgie. Nachwort von Hans Maier. Freiburg 1983 (1917).

Gy, P. M., La liturgie entre la fonction didactique et la mystagogie. In: La Maison-Dieu Nr. 177 (1989) 7–18.

Habermas, J., Der philosophische Diskurs der Moderne. Frankfurt/M. 1985.

Habermas, J., Theorie des kommunikativen Handelns. 2 Bde. Frankfurt/M. 1981.

Hahn, F., Das Abendmahl und Jesu Todesverständnis. Kritische Anfragen an Rudolf Pesch. In: Ders., Exegetische Beiträge zum ökumenischen Gespräch. Gesammelte Aufsätze I. Göttingen 1986, 253–61 (Lit.).

Hahn, F., Herrengedächtnis und Herrenmahl bei Paulus. In: Gesammelte Aufsätze I 303–14.

Hahn, F., Zum Stand der Erforschung des urchristlichen Herrenmahls. In: Gesammelte Aufsätze I 243–52.

Hahne, W., De arte celebrandi oder von der Kunst, Gottesdienst zu feiern. Entwurf einer Fundamentalliturgik. Freiburg-Basel-Wien ²1991 (1989).

Haunerland, W., Die Eucharistie und ihre Wirkungen im Spiegel der Euchologie des Missale Romanum. Münster 1989.

Häußling, A. A., Liturgiereform. Materialien zu einem neuen Thema der Liturgiewissenschaft. In: ALW 31 (1989) 1–32.

Heinz H./K. Kienzler/J. J. Petuchowski, Hg., Versöhnung in der jüdischen und christlichen Liturgie. Freiburg-Basel-Wien 1990.

Henrix, H. H., Jüdische Liturgie. Geschichte – Struktur – Wesen. Freiburg-Basel-Wien 1979.

Herz, M., Sacrum commercium. Eine begriffsgeschichtliche Studie zur Theologie der römischen Liturgiesprache. München 1958.

Hinricher, G., Gott erfahren. Zum Liturgieverständnis Teresas von Avila. In: T. Berger/A. Gerhards, Hg., Liturgie und Frauenfrage. St. Ottilien 1990, 211–28.

Hoeps, R., Das Gefühl des Erhabenen und die Herrlichkeit Gottes. Studien zur Beziehung von philosophischer und theologischer Ästhetik. Bonner Dogmatische Studien 5. Würzburg 1989.

Hoppe-Sailer, R., Bild und Ikone. Zur Auseinandersetzung der modernen Kunst mit den Ikonen. In: A. Stock, Hg., Wozu Bilder im Christentum? St. Ottilien 1990, 249–66.

Horkheimer M. und Th. W. Adorno, Dialektik der Aufklärung. Frankfurt/M. 1969 (1944).

Hossfeld, F.-L., Sabbat/Sonntag – ein Tag für Gott und für den Menschen. Wissenschaftliche Problemstudie. Materialien zum lebenskundlichen Unterricht. Hg. Kath. Militärbischofsamt. Bonn o. J. (1989).

Jonas, H., Der Gottesbegriff nach Auschwitz. Eine jüdische Stimme. Frankfurt/M. 1987.

Judentum und Christentum nach Franz Rosenzweig. Ein Gespräch [Levinas, Henrix, Hemmerle, Casper, Görtz, Heering]. In: G. Fuchs/H. H. Henrix, Hg., Zeitgewinn. Frankfurt/M. 1987, 163–83.

Jungmann, J. A., (Kommentar zur Liturgiekonstitution). In: LThK. E I 10–109.

Jungmann, J. A., Die Doxologie am Schluß der Hochgebete. In: Th. Maas-Ewerd/K. Richter, Hg., Gemeinde im Herrenmahl. Zur Praxis der Meßfeier. Einsiedeln u. a. 1976, 314–22.

Jungmann, J. A., Missarum sollemnia. 2 Bde. Freiburg ⁴1958.

Jüngel, E., Gott als Geheimnis der Welt. Tübingen ³1978.

Kaczynski, R., Was heißt »Geheimnis feiern?« In: MThZ 38 (1987) 241–55.

Kehl, M., Eschatologie. Würzburg 1986.

Kelly, J. N. D., Altchristliche Glaubensbekenntnisse. Geschichte und Theologie, Göttingen 1972.

Kessler, H., Sucht den Lebenden nicht bei den Toten. Die Auferstehung Jesu Christi. Düsseldorf 1985.

Knauber, A., Ein frühchristliches Handbuch katechumenaler Glaubensinitiation: Der Paidagogos des Clemens von Alexandrien. In: MThZ 23 (1972) 311–34.

Koelle, L., SOHAR – SHOAH. Augenblick zwischen Glanz und Vernichtung: P. Celan, Tenebrae. Als Manuskript gedr. Bonn 1988.

Krämer, H. M., Eine Sprache des Leidens. Zur Lyrik von Paul Celan. München-Mainz 1979.

Kunzler, M., Liturgie als ästhetische Aufgabe. Romano Guardinis ›Liturgische Bildung‹ als Wegweiser zu einer ›Kunst des Vorstehens‹. In: ThGl 80 (1990) 253–78 (Lit.).

Kuschel, K.-J., Der andere Jesus. Ein Lesebuch moderner literarischer Texte. Einsiedeln-Gütersloh 1983.

Lehmann, K./W. Pannenberg, Hg., Glaubensbekenntnis und Kirchengemeinschaft. Das Modell des Konzils von Konstantinopel (381). Freiburg-Göttingen 1982.

Lengeling, E. J., Liturgie/Liturgiewissenschaft. In: NHThG III 26–53 (Lit.).

Lenzenweger, J., Dionysius Exiguus. In: LThk² III 406.

Lesch, W., Die Schriftspur des Anderen. Emmanuel Lévinas als Leser von Paul Celan. In: FZPhTh 35 (1988) 449–68.

Levinas, E., Autrement qu'être ou au-delà de l'essence. Den Haag 1974.

Levinas, E., Die Spur des Anderen, Freiburg-München 1983.

Levinas, E., Eigennamen. Meditationen über Sprache und Literatur. München-Wien 1988.

Levinas, E., Gott und die Philosophie. In: B. Casper, Hg., Gott nennen. Freiburg-München 1981, 81–123.

Levinas, E., Humanismus des anderen Menschen. Hamburg 1989.

Levinas, E., Totalität und Unendlichkeit. Versuch über die Exteriorität. Freiburg-München 1987 (Franz. 1961).

Levinas, E., Un Dieu homme? In: Qui est Jésus-Christ? Recherches et débats no. 62. Paris 1968, 186–92.

Levinas, E., Vom Sein zum Anderen. In: Ders., Eigennamen 56–66.

Levinas, E., Wenn Gott ins Denken einfällt. Freiburg-München 1985.

Lohfink, N., Der Begriff »Bund« in der biblischen Theologie. In: ThPh 66 (1991) 161–76.

Lohfink, N., Der niemals gekündigte Bund. Exegetische Gedanken zum christlich-jüdischen Dialog. Freiburg-Basel-Wien 1989.

Lonergan, B., Erkenntnisstruktur. In: Ders., Theologie im Pluralismus heutiger Kulturen. Hg. G. B. Sala. Freiburg-Basel-Wien 1975, 88–108.

Lonergan, B., Insight. A Study of Human Understanding. London-New York-Toronto 1958.

Lorbe, R., Paul Celan, »Tenebrae«. In: D. Meinecke, Hg., Über Paul Celan. Frankfurt/M. 1970, 239–60.

Lotz, J. B., Transzendentalien. In: SM IV 975–78.

Macina, M., Fonction liturgique et eschatologique de l'anamnèse eucharistique (Lc 22,19; 1Co 11,24.25). Réexamen de la question à la lumière des Ecritures et des sources juives. In: ELit 102 (1988) 3–25.

Marion, J.-L., Der Prototyp des Bildes. In: A. Stock, Hg., Wozu Bilder im Christentum? St. Ottilien 1990, 117-35.

Marion, J.-L., Idol und Bild. In: B. Casper, Hg., Phänomenologie des Idols. Freiburg-München 1981, 107–32.

Marion, J.-L., L'Idole et la Distance. Paris 1977.

McGrath, A. E., Christology and Soteriology. A Response to W. Pannenberg's Critique of the Soteriological Approach to Christology. In: ThZ 42 (1986) 222–36.

Mead, G. H., Geist, Identität und Gesellschaft aus der Sicht des Sozialbehaviorismus. Frankfurt/M. 1968.

Merklein, H., Die Gottesherrschaft als Handlungsprinzip. Untersuchungen zur Ethik Jesu. Würzburg [2]1981.

Merklein, H., Erwägungen zur Überlieferungsgeschichte der neutestamentlichen Abendmahlstraditionen. In: Ders., Studien zu Jesus und Paulus. Tübingen 1987, 157–80.

Merklein, H., Jesu Botschaft von der Gottesherrschaft. Eine Skizze. Stuttgart [3]1989.

Metz, J. B., Erlösung und Emanzipation. In: L. Scheffczyk, Hg., Erlösung und Emanzipation. Freiburg u. a. 1973, 120–40. (Leicht überarb. und gekürzte Fassung in: J. B. Metz, Glaube in Geschichte und Gesellschaft. Mainz 1977, 104–19.

Metz, J. B., Hoffnung als Naherwartung oder der Kampf um die verlorene Zeit. Unzeitgemäße Thesen zur Apokalyptik. In: Ders., Glaube in Geschichte und Gesellschaft, Mainz 1977, 149–58.

Meyer, H. B. u. a., Hg., Gottesdienst der Kirche. Handbuch der Liturgiewissenschaft. 8 Bde. Regensburg 1983 ff.

Meyer, H. B., Eucharistie. Geschichte, Theologie, Pastoral. Handbuch der Liturgiewissenschaft IV. Regensburg 1989.

Meyer, H. B., Zeit und Gottesdienst. In: LJ 31 (1981) 193–213.

Moltmann, J., Gott in der Schöpfung. München 1985.

Mosès, St., System und Offenbarung. Die Philosophie Franz Rosenzweigs. München 1985.

Mulack, C., Jesus – der Gesalbte der Frauen. Weiblichkeit als Grundlage christlicher Ethik. Stuttgart 1987.

Mysterium Salutis. Grundriß heilsgeschichtlicher Dogmatik. Hg. J. Feiner/M. Löhrer. 5 Bde. Einsiedeln-Zürich-Köln 1965–76.

Pannenberg, W., Anthropologie in theologischer Perspektive. Göttingen 1983.

Pannenberg, W., Christologie und Theologie. In: Ders., Grundfragen systematischer Theologie. Bd. 2. Göttingen 1980, 129–45.

Pannenberg, W., Systematische Theologie Bd. 2. Göttingen 1991.

Parusel, P., Mond. In: Lexikon der Religionen 430 f.

Parusel, P., Sonne. In: Lexikon der Religionen 615.

Pesch, R., Das Abendmahl und Jesu Todesverständnis. Freiburg-Basel-Wien 1974.

Petuchowski, J. J./C. Thoma, Lexikon der jüdisch-christlichen Begegnung. Freiburg-Basel-Wien 1989.

Peukert, H., Wissenschaftstheorie – Handlungstheorie – Fundamentale Theologie. Düsseldorf 1976.

Piepmeier, R., Die Wirklichkeit der Kunst. In: W. Oelmüller, Hg., Kolloquium Kunst und Philosophie 2. Ästhetischer Schein. Paderborn u. a. 1982, 103–25.

Piepmeier, R., Zu einer nachästhetischen Philosophie der Kunst. In: W. Oelmüller, Hg., Kolloquium Kunst und Philosophie I. Ästhetische Erfahrung. Paderborn u. a. 1981, 111–25.

Plessner, H., Anthropologie der Sinne. In: H.-G. Gadamer/P. Vogler, Hg., Neue Anthropologie. Bd 7. Philosophische Anthropologie. Zweiter Teil. München-Stuttgart 1975, 3–63.

Quasten, J., Quartodezimaner. In: LThK² VIII 924.

Radford Ruether, R., Sexismus und die Rede von Gott. Schritte zu einer anderen Theologie. GTB Siebenstern 488. Gütersloh 1985.

Radford Ruether, R., Unsere Wunden heilen – Unsere Befreiung feiern. Rituale in der Frauenkirche. Stuttgart 1988.

Rahner, K., Die Notwendigkeit einer neuen Mystagogie. In: Handbuch der Pastoraltheologie. III. 528–34.

Rahner, K., Grundkurs des Glaubens. Freiburg-Basel-Wien 1976.

Rahner, K., Über den Begriff des Geheimnisses in der katholischen Theologie. In: Schriften IV (1960) 51–99.

Rahner, K., Überlegungen zum personalen Vollzug des sakramentalen Geschehens. In: Schriften X (1972) 405–29.

Ratzinger, J., Das Fest des Glaubens. Versuche zur Theologie des Gottesdienstes. Einsiedeln 1981.

Ratzinger, J., Schauen auf den Durchbohrten. Versuche einer spirituellen Christologie. Einsiedeln 1984.

Richter, K., Höre unser Gebet. Betrachtungen zu den Orationen der Sonntage und Hochfeste des Herrn. Mainz 1988.

Richter, K., Jüdische Wurzeln christlicher Liturgie im Spiegel der neueren katholischen Liturgiewissenschaft. In: M. Marcus/E. W. Stegemann/E. Zenger, Hg., Israel und die Kirche heute. Beiträge zum christlich-jüdischen Dialog. FS E. L. Ehrlich. Freiburg-Basel-Wien 1991, 135–47.

Richter, K., Liturgie – ein vergessenes Thema der Theologie? Freiburg-Basel-Wien 1986.

Richter, K., Ostern als Fest der Versöhnung. In: H. Heinz/K. Kienzler/J. J. Petuchowski, Hg., Versöhnung in der jüdischen und christlichen Liturgie. Freiburg-Basel-Wien 1990, 56–87.

Ricken, F., Nikaia als Krisis des altchristlichen Platonismus. In: ThPh 44 (1969) 333–99.

Ricoeur, P., Die Interpretation. Ein Versuch über Freud. Frankfurt/M. 1974.

Ritter, A. M., Alte Kirche. Kirchen- und Theologiegeschichte in Quellen I. Neukirchen-Vluyn 1977.

Rordorf, W., Die theologische Bedeutung des Sonntags bei Augustin. Tradition und Erneuerung. In: A. M. Altermatt/Th. A. Schnitker, Hg., Der Sonntag. Würzburg 1986, 30–43.

Rosenzweig, F., Gesammelte Schriften II. Der Stern der Erlösung. Den Haag 1976.

Sanders, W., Haben wir dazugelernt? In: G. Gotschenek/S. Reimers, Hg., Offene Wunden – brennende Fragen. Frankfurt/M. 1989, 105–12.

Sandherr, S., Das zerstörte Gedächtnis der Philosophie: Zu E. Webers Studie zum Hauptwerk von E. Lévinas. In: Orientierung 55 (1991) 130–33.

Schaeffler, R., Das Gebet und das Argument. Zwei Weisen des Sprechens von Gott. Eine Einführung in die Theorie der religiösen Sprache. Düsseldorf 1989.

Schilson, A., Theologie als Sakramententheologie. Die Mysterientheologie O. Casels. Mainz 1982.

Schneider, Th., Was wir glauben. Eine Auslegung des Apostolischen Glaubensbekenntnisses. Düsseldorf 1985.

Schoonenberg, P., Eine Diskussion über den trinitarischen Personbegriff. In: ZkTh 111 (1989) 129–62.

Schott-Meßbuch. Für die Sonn- und Festtage. Originaltexte der authentischen deutschen Ausgabe des Meßbuches und des Meßlektionars. 3 Bde. Freiburg-Basel-Wien o. J. (1982–84).

Schotterer, A., Kalender. In: Lexikon der Religionen 336.

Schupp, F., Glaube – Kultur – Symbol. Versuch einer kritischen Theorie sakramentaler Praxis. Düsseldorf 1974.

Schüssler-Fiorenza, E., Zu ihrem Gedächtnis... Eine feministisch-theologische Rekonstruktion der christlichen Ursprünge. Mainz-München 1988. (Engl. New York 1983).

Sequeira, A. R., Gottesdienst als menschliche Ausdruckshandlung. In: Handbuch der Liturgiewissenschaft III 7–39 (Lit.).

Simonetti, M., Conservazione e innovazione nel dibattito trinitario et cristologico dal IV al VII seculo. In: Orpheus 6 (1985) 350–70.

Sobrino, J., Die Bedeutung des geschichtlichen Jesus in der lateinamerikanischen Christologie. In: G. Collet, Hg., Der Christus der Armen, Freiburg-Basel-Wien 1988, 81–106.

Sölle, D., lieben und arbeiten. Eine Theologie der Schöpfung. Stuttgart 1985.

Sölle, D., Vater, Macht und Barbarei. In: Conc. (1981) 223–27.

Splett, J., Leben als Mit-Sein. Vom trinitarisch Menschlichen. Frankfurt/M. 1990.

Staats, R., Ogdoas als ein Symbol für die Auferstehung. In: VigChr 26 (1972), 29–52.

Stead, C., Divine Substance. Oxford 1977.

Steiner, G., Von realer Gegenwart. Hat unser Sprechen Inhalt? Mit einem Nachwort von Botho Strauß. München-Wien 1990.

Stemberger, G., Pesachhaggada und Abendmahlsberichte des Neuen Testaments. In: Kairos 29 (1987) 147–58.

Stock, A., Hg., Wozu Bilder im Christentum? St. Ottilien 1990.

Strahm, D., Aufbruch zu neuen Räumen. Eine Einführung in feministische Theologie. Freiburg/Schw. ²1989.

Stuhlmacher, P., Das neutestamentliche Zeugnis vom Herrenmahl. In: ZThK 84 (1987) 1–35.

Theißen, G., Soziale Schichtung in der korinthischen Gemeinde. Ein Beitrag zur Soziologie des hellenistischen Urchristentums. In: Ders., Studien zur Soziologie des Urchristentums. Tübingen 1979, 231–71.

Theunissen, M., »Ho aiton lambanei«. In: B. Casper u. a., Jesus – Ort der Erfahrung Gottes. Freiburg-Basel-Wien ²1977, 13–68. Vgl. jetzt M. Theunissen, Negative Theologie der Zeit. Suhrkamp Tb. Wissenschaft 938. Frankfurt/M. 1991, 321–77.

Torrance, T. F., Hg., The Incarnation. Ecumenical Studies in the Nicene-Constantinopolitan Creed. Edinburgh 1981.

Torrance, T. F., Homoousion. In: EvTh 43 (1983) 16–25.

Trinidad, S., Christologie – Conquista – Kolonisierung. In: G. Collet, Hg., Der Christus der Armen. Freiburg-Basel-Wien 1988, 23–36.

Tugendhat, E., Selbstbewußtsein und Selbstbestimmung. Frankfurt/M. 1979.

Verheul, A., L'Eucharistie mémoire, présence et sacrifice du Seigneur d'après les racines juives de l'Eucharistie. In: Questions liturgiques 69 (1988) 125–54.

Vidales, R., Wie heute von Christus sprechen? In: G. Collet, Der Christus der Armen. Freiburg-Basel-Wien 1988, 57–80.

Vorgrimler, H., Liturgie als Thema der Dogmatik. In: K. Richter, Hg., Liturgie – ein vergessenes Thema der Theologie? Freiburg-Basel-Wien 1986, 113–27.

Wacker, M.-Th., Die Göttin kehrt zurück. Kritische Sichtung neuer Entwürfe. In: Dies., Hg., Der Gott der Männer und die Frauen. Düsseldorf 1987, 11–37.

Wacker, M.-Th., Feministische Theologie. In: NHThG I 353–60 (Lit.).

Waldenfels, H., Hg., Lexikon der Religionen. Freiburg-Basel-Wien 1987.

Weber, E., Verfolgung und Trauma. Zu Emmanuel Lévinas' Autrement qu'être ou au-delà de l'essence. Wien 1990.

Wengst, K., Hg., Schriften des Urchristentums. Bd 2. Darmstadt 1984.

Westermann, C., Art. ›jdh‹. In: THAT I 674–82.

Whitehead, A. N., Prozeß und Realität. Frankfurt/M. ²1984.

Wiemer, Th., Die Passion des Sagens. Zur Deutung der Sprache bei Emmanuel Levinas und ihrer Realisierung im philosophischen Diskurs. Freiburg-München 1988.

Wienold, G., Paul Celans Hölderlin-Widerruf. In: Poetica 2 (1968) 219–29.

Wittschier, St.-M., Kreuz, Trinität, Analogie. Trinitarische Ontologie unter dem Leitbild des Kreuzes, dargestellt als ästhetische Theologie. Bonner Dogmatische Studien 1. Würzburg 1987.

Wohlmuth, J., Bild – Sprache – Nähe. In: A. Stock, Hg., Wozu Bilder im Christentum? St. Ottilien 1990, 155–60.

Wohlmuth. J., Bild und Sakrament. In: Ders., Hg., Streit um das Bild. Das Zweite Konzil von Nizäa (787) in ökumenischer Perspektive. Bonn 1989, 112–17.

Wohlmuth, J., Kommunikativer Glaube. Als Manuskript gedruckt, Köln-Bonn 1984.

Wohlmuth, J., Schönheit/Herrlichkeit. In: NHThG IV 104–13 (Lit.).

Wohlmuth, J., Überlegungen zu einer theologischen Ästhetik der Sakramente. In: W. Baier, u. a., Hg., Weisheit Gottes, Weisheit der Welt II. St. Ottilien 1987, 1109–28.

Wohlmuth, J., Zur Bedeutung der »Geschichtsthesen« Walter Benjamins für die christliche Eschatologie. In: EvTh 50 (1990) 2–20.

Wohlmuth, J., Bild und Sakrament im Konzil von Trient. In: A. Stock, Hg., Wozu Bilder im Christentum 87–103.

Wolff, K., Das Problem der Gleichzeitigkeit des Menschen mit Jesus Christus bei Sören Kierkegaard im Blick auf die Theologie Karl Rahners. Bonner Dogmatische Studien 8. Würzburg 1991.

Zenger, E., Israel und Kirche im gemeinsamen Gottesbund. In: M. Marcus/E. W. Stegemann/E. Zenger, Hg., Israel und Kirche heute. Beiträge zum christlich-jüdischen Gespräch. FS E. L. Ehrlich. Freiburg-Basel-Wien 1991, 236–54.

Zenger, E., Nach 50 Jahren – von der Schuld der Christen und über das Bemühen um Aussöhnung zwischen Christen und Juden. In: G. Gotschenek/S. Reimers, Hg., Offene Wunden – brennende Fragen. Frankfurt/M. 1989, 85–104.

Zobel, M., Gottes Gesalbter. Der Messias und die messianische Zeit in Talmud und Midrasch. Berlin 1938.